Onde bateu a luz

Onde bateu a luz

A autobiografia de Philip Yancey

Traduzido por Almiro Pisetta

Copyright © 2021 por Philip Yancey

Os textos bíblicos foram extraídos da *Almeida Revista e Corrigida* (ARC), da Sociedade Bíblica do Brasil, salvo indicação específica.

Todos os direitos reservados e protegidos pela Lei 9.610, de 19/02/1998.

É expressamente proibida a reprodução total ou parcial deste livro, por quaisquer meios (eletrônicos, mecânicos, fotográficos, gravação e outros), sem prévia autorização, por escrito, da editora.

Edição
Daniel Faria

Revisão
Natália Custódio

Produção e diagramação
Felipe Marques

Colaboração
Ana Luiza Ferreira
Marina Timm
Ricardo Shoji

Capa
Douglas Lucas

CIP-Brasil. Catalogação na publicação
Sindicato Nacional dos Editores de Livros, RJ

Y22o

Yancey, Philip
  Onde bateu a luz : a autobiografia de Philip Yancey / Philip Yancey ; tradução Almiro Pisetta. - 1. ed. - São Paulo : Mundo Cristão, 2022.
  304 p.

  Tradução de: Where the light fell: a memoir
  ISBN 978-65-5988-131-4

  1. Yancey, Philip. 2. Biografia cristã. 3. Vida cristã. I. Pisetta, Almiro. II. Título.

22-78239   CDD: 270.092
                                     CDU: 929:27-4

Gabriela Faray Ferreira Lopes - Bibliotecária - CRB-7/6643

Categoria: Biografia
1ª edição: setembro de 2022

Publicado no Brasil com todos os direitos reservados por:
Editora Mundo Cristão
Rua Antônio Carlos Tacconi, 69
São Paulo, SP, Brasil
CEP 04810-020
Telefone: (11) 2127-4147
www.mundocristao.com.br

Para Janet, naturalmente

Foi seguindo os raios do sol que cheguei ao sol.
Liev Tolstói, em *Tolstói, meu pai: recordações*, de Tatiana Tolstói

Sumário

Parte I: A trama familiar
1. O segredo   13
2. A aposta   17
3. Desenlace   26
4. O juramento   33

Parte II: Meninice
5. Tempo de despertar   41
6. Riscos   56
7. Igreja   67
8. Aprendizado   80
9. Ralé do *trailer*   91

Parte III: Raízes
10. Sul   105
11. Filadélfia   116
12. Mãe   125
13. Fervor   137

Parte IV: Desordem
14. Colegial   155
15. Dividido   166
16. Renovação   179
17. Crescendo   192
18. Faculdade   203
19. Desajustados   215

Parte V: Agraciado
20. Tremores   231
21. Contato   244

22. Marshall	251
23. A maldição	263
24. Irmãos	276
25. Retrospecto	286
Nota do autor	299

PARTE I

A TRAMA FAMILIAR

1

O segredo

Não há agonia igual à de carregar uma história não contada dentro de você.

Zora Neale Hurston, *Dust Tracks on a Road*

Só na época da faculdade eu descubro o segredo da morte de meu pai.

Minha namorada, que depois se tornará minha esposa, está fazendo sua primeira visita a Atlanta, minha cidade natal, no início de 1968. Demos uma passadinha na casa de meus avós com minha mãe, fizemos um lanche e fomos para a sala de visitas. Meus avós estão sentados em duas poltronas reclináveis iguais em frente ao sofá estofado onde Janet e eu estamos. Ouve-se ao fundo uma televisão ligada baixinho, sintonizada no sempre chato *Lawrence Welk Show*.

Normalmente meu avô octogenário ronca durante o programa, acordando apenas a tempo de declarar: "Melhor programa que já vi!". Esta noite, porém, todo mundo está bem desperto, concentrando sua atenção em Janet. *Philip nunca trouxe uma garota aqui — deve ser coisa séria.*

A conversa acontece de um jeito esquisito até que Janet diz: "Contem-me alguma coisa sobre a família Yancey. Lamento não ter podido conhecer o pai de Philip". Entusiasmada com o interesse dela, minha avó procura num gabinete onde apanha alguns álbuns de fotografias e de recortes. Enquanto as páginas vão virando, Janet tenta guardar direito todos os nomes e rostos que vão passando diante dela. Esse ancestral lutou pela Confederação na Guerra Civil. Essa prima distante morreu de uma picada de uma aranha viúva-negra. O pai dela sucumbiu à gripe espanhola.

De repente um recorte dobrado do *The Atlanta Constitution* cai do álbum esvoaçando para o chão, um papel de jornal amarelado pelo tempo. Quando me inclino para apanhá-lo, uma foto que nunca vi prende meu olhar.

Um homem deitado de costas num leito hospitalar, seu corpo penosamente mirrado, a cabeça apoiada sobre travesseiros. Ao lado dele, uma senhora sorridente se curva para alimentá-lo com uma colher. De imediato a reconheço como uma versão jovem e mais esbelta de minha mãe: o mesmo nariz saliente, o mesmo volume de cabelos negros, encrespados, com um traço prematuro das rugas de preocupação que agora sulcam sua testa.

A legenda da foto me faz congelar: "Vítima da pólio e esposa rejeitam 'pulmão de aço'". Aproximo mais o papel e bloqueio o rumor da conversa da família. As palavras impressas parecem ficar maiores à medida que vou lendo.

> Um ministro batista de 23 anos de idade, que foi afetado pela pólio dois meses atrás, abandonou o "pulmão de aço" em que foi colocado no Hospital Grady porque, como ele afirma, "Acredito que o Senhor quis que eu fizesse isso".
>
> O Rev. Marshall Yancey, da Rodovia Poole Creek, 436, Hapeville, disse que cerca de 5.000 pessoas da Geórgia até a Califórnia estavam orando pela sua recuperação, e ele estava confiante que estaria bem "em breve".
>
> Ele assinou sua própria alta do Grady, contrariando o parecer dos médicos.

Aquelas cinco palavras, *contrariando o parecer dos médicos*, produzem um calafrio no meu corpo, como se alguém me houvesse despejado água gelada espinha abaixo. Percebendo a mudança, Janet olha para mim intrigada, a sobrancelha esquerda tão arqueada que toca sua franja. Passo-lhe discretamente o recorte para que ela também possa ler.

O repórter do jornal cita um médico do Hospital Memorial Grady advertindo que a remoção do respirador "pode causar graves danos", seguido por um quiroprático garantindo que o paciente está "definitivamente melhorando" e pode começar a andar em seis semanas se continuar o programa de tratamento deles.

Depois o artigo volta-se para a minha mãe:

> A Sra. Yancey, a jovem esposa de olhos azuis, explicou por que o marido deixou o Grady.

"Nós achamos que ele deveria sair daquele pulmão de aço. Muita gente que acredita na cura pela fé está orando por ele. Acreditamos nos médicos, mas cremos que Deus vai atender nossas orações e ele vai ficar bem."

Confiro a data do jornal: 6 de dezembro de 1950. Nove dias antes da morte de meu pai. Senti meu rosto inflamado e vermelho.

Janet terminou de ler. *Por que você não me contou isso?*, ela pergunta com os olhos. Respondo com um gesto de surpresa: *Porque eu não sabia.*

Dezenas e dezenas de vezes ouvi a saga da morte de meu pai, como uma doença cruel acometeu um talentoso e jovem pregador no frescor da idade, deixando uma viúva sem um tostão com a nobre tarefa de extrair algum sentido daquela tragédia. Meus anos de crescimento foram dominados, até mesmo presos numa camisa de força, por um juramento que ela fez: que meu irmão e eu iríamos redimir aquela tragédia assumindo o manto da vida de nosso pai.

Nunca, porém, eu tinha ouvido a história por trás do que causou sua morte. Quando recoloco o recorte de jornal no álbum, descubro na página oposta um relato similar do jornal da cidade natal de minha mãe, *The Philadelphia Bulletin*. Por mero acidente estou descobrindo que esse homem que eu nunca conheci, um gigante santo pairando sobre mim todos esses anos, foi uma espécie de santo insensato. Convenceu-se de que Deus o curaria, e depois apostou tudo — carreira, esposa, os dois filhos, a própria vida — e perdeu.

Sinto-me como um dos filhos de Noé defrontando-se com a nudez de seu pai. A fé que engrandeceu meu pai e lhe granjeou milhares de apoiadores, agora entendo, também o matou.

Enquanto estou deitado na cama naquela noite, lembranças e anedotas da infância lampejam diante de mim, aparecendo agora numa luz diferente. Uma jovem viúva deitada sobre o túmulo do marido, soluçando enquanto oferece seus dois filhos a Deus. A mesma viúva, minha mãe, parando para orar: "Senhor, vai em frente e leva também eles, a menos que..." antes de buscar ajuda enquanto seus filhos se agitam convulsionados sobre o chão. A fúria dela explode quando meu irmão e eu damos a impressão de nos desviar de nosso destino estabelecido.

Uma nova percepção terrível me domina. Meu irmão e eu somos a expiação que vai reparar um erro fatal de fé. Não admira que nossa mãe tenha ideias tão estranhas sobre a criação de filhos e uma resistência tão renhida a desapegar-se de nós. Só nós podemos justificar a morte de nosso pai.

Depois da casual descoberta do artigo de jornal, mantenho muitas conversas com minha mãe. "Aquilo não era vida para ele, paralisado, naquela máquina", ela diz. "Imagine um homem adulto que não pode sequer espantar uma mosca pousada em seu nariz. Ele quis desesperadamente sair do Hospital Grady. Implorou-me para não deixar ninguém o levar de volta para lá." O raciocínio dela é sólido, embora insatisfatório.

"Entendo", protesto eu, "mas por que nunca me contaram sobre a cura pela fé? O fato mais importante sobre a morte de meu pai eu vim a saber por acaso, por meio de um recorte de jornal. A senhora convidou um repórter a entrar no quarto com um fotógrafo. A senhora contou *a eles* a verdade, mas não contou ao meu irmão nem a mim!"

Depois de exposto, o mistério da morte de meu pai ganha um novo, dominante poder. Quando começo a perguntar por aí, um amigo da família me confidencia: "Muitos de nós ficamos espantados com aquela decisão de transferir seu pai de um hospital bem-equipado para um centro quiroprático".

Tenho a sensação de que alguém virou o caleidoscópio do mito de nossa família, espalhando os fragmentos para formar um desenho completamente novo. Partilho a notícia com meu renegado irmão, que se expôs à ira de minha mãe ao aderir à contracultura *hippie* de Atlanta. Ele imediatamente tira a conclusão de que ela nos privou de um pai "desligando a tomada" do próprio marido. Dentro de nossa família abre-se um abismo sobre o qual provavelmente nunca será construída uma ponte.

Não sei o que pensar. Só sei que fui enganado. O segredo veio agora à luz do dia, e eu estou determinado a investigá-lo e, algum dia, expor tudo por escrito, da maneira mais verdadeira que puder.

2

A aposta

> O amor em ação é uma coisa terrível comparado com o amor em sonhos.
>
> Fiódor Dostoiévski, *Os irmãos Karamázov*

Você precisaria ter vivido em meados do século 20 para avaliar o medo que a pólio outrora provocava — o mesmo grau de medo que pandemias como a HIV/AIDS e a COVID-19 provocariam mais tarde. Ninguém sabia como a pólio se propagava. Pelo ar? Comida contaminada? Papel moeda? Em todo o país, por precaução, foram fechadas as piscinas. Quando surgiu um boato de que os gatos poderiam ser os transmissores, os nova-iorquinos mataram 72 mil deles.

Para aumentar ainda mais o terror, a pólio atacava sobretudo as crianças. Os pais a empregavam como a maior ameaça — para evitar que seus filhos fizessem brincadeiras muito violentas, usassem um telefone público, se sujassem ou andassem em más companhias: "Você quer passar o resto da vida num pulmão de aço?!". Os jornais publicavam diariamente registros dos mortos, juntamente com fotos de respiradores enfileirados, parecendo gigantescos enroladinhos de salsichas com pequenas cabeças aparecendo numa das extremidades.

Nem todas as vítimas eram crianças. O mais famoso paciente da pólio, o presidente Franklin Delano Roosevelt, contraiu a doença aos 39 anos de idade.

Meu pai caiu doente mais cedo, aos 23. Seus sintomas inicialmente eram semelhantes aos da gripe: garganta inflamada, dor de cabeça, ligeira náusea, fraqueza muscular geral. Mas, no dia 7 de outubro de 1950, ele acordou e percebeu que as pernas estavam paralisadas. Incapaz de se mexer, mesmo de levantar-se da cama, temeu pelo pior.

Quando chegou a ambulância, minha mãe pediu a uma vizinha que mantivesse Marshall Jr., de três anos de idade, afastado da janela, mas meu irmão gritou tanto que a vizinha cedeu às lágrimas dele e o deixou olhar. Durante semanas ele teve recorrentes pesadelos vendo o pai ser carregado para fora da casa, impotente e imóvel.

A ambulância acelerou rumo ao Hospital Batista da Georgia. Os médicos fizeram um rápido exame do paciente, depois abruptamente o mandaram sair numa cadeira de rodas, vestindo apenas uma bata hospitalar. "É pólio", disseram a minha mãe. "Leve-o para o Grady. É o único hospital aqui por perto equipado para tratar de pacientes com pólio."

Em algum momento naquela semana, nossa mãe escreveu uma carta urgente para a igreja de sua cidade natal, Filadélfia, e para outras congregações que haviam concordado em prestar-lhes assistência como missionários. Sua mensagem foi simples e direta: "Por favor, orem!".

Um vasto ponto de referência no centro de Atlanta, o Memorial Grady era um hospital de caridade que atendia qualquer pessoa. Como a maioria dos hospitais do Sul, o Grady praticava a segregação racial, com um túnel por baixo da rua unindo as instalações para brancos às instalações para "gente de cor". Os pacientes gracejavam dizendo que o Grady dispensava tratamento igual a todas as raças — tratamento igualmente ruim. Não importava qual fosse sua raça, você podia ficar sentado por horas no saguão aguardando a chamada do seu número. Não, porém, se você tivesse pólio: atendentes de imediato levaram meu pai corredor abaixo rumo a uma ala de isolamento.

Morávamos no Blair Village naquela época, um projeto habitacional do governo construído para veteranos de Segunda Guerra Mundial. Quatro ou cinco blocos de apartamentos, que pareciam casernas militares, desenhavam uma ferradura ao redor de um beco sem saída. Quando meu pai caiu doente, uma agente da saúde pública afixou um sinal de quarentena sobre a porta de nossa casa, proibindo temporariamente qualquer visita.

Durante os dois meses seguintes minha mãe adotou a mesma rotina diária. Alimentar as crianças pela manhã, juntar suas fraldas e brinquedos e despachá-las com suas trouxas para a casa de qualquer vizinha que havia concordado em cuidar delas naquele dia. Depois, por ainda não ter aprendido a dirigir, ela tomava um ônibus urbano, com dezenas de paradas, rumo ao centro. Muitas vezes ela era a única passageira branca num ônibus lotado de trabalhadores, sentada sozinha na parte da frente reservada para brancos. No Grady ela ficava ao lado do marido até o dia escurecer, quando tomava um ônibus para casa.

As enfermeiras lhe disseram que apenas uma entre 75 pessoas adultas com pólio eram afetadas pela paralisia. Meu pai foi o azarado. E, uma vez que ela afetava o diafragma, o Grady o destinou ao temido pulmão de aço.

Um grande cilindro metálico amarelo mostarda, o aparelho engolia todo o corpo de meu pai com exceção da cabeça, que repousava sobre uma mesa almofadada. Um apertado colar de borracha em torno de seu pescoço impedia que o ar escapasse do cilindro. Bombeando ar para dentro e depois sugando-o para fora a fim de formar um vácuo, a máquina obrigava seus pulmões a expandir-se e contrair-se, algo que não podiam fazer sozinhos. Meu pai se queixava de que o ruído não o deixava dormir: os foles produziam chiados rítmicos e rangidos metálicos como limpadores gastos arranhando o para-brisa de um carro.

Poucos hospitais tinham televisores em 1950, e meu pai não podia virar as páginas de um livro. O dia inteiro e a noite inteira, ficava deitado de costas sem se mexer. Olhava para o teto, passando o tempo estudando o padrão dos buracos nas telhas acústicas. Mexendo os olhos, conseguia mirar um espelho voltado para a entrada e ver, na janelinha da porta, rostos de gente passando.

Desse ponto de vista, qualquer um que se aproximasse dele era alto como um gigante. Uma servente usando máscara levava uma colher de comida na sua direção, e ele se esquivava. Portinholas de acesso alinhavam-se na lateral do cilindro, e atendentes do hospital enfiavam por elas suas mãos enluvadas para introduzir uma agulha ou substituir uma comadre. Eles se dirigiam à cabeça dele, única parte fora da máquina, como se ela tivesse uma existência própria independente das partes do lado de dentro.

Ele perdeu o controle de funções básicas: ir ao banheiro, dormir, alimentar-se. Nem podia decidir sobre sua respiração; o pulmão de aço fazia isso por ele. O mundo se encolheu. Cinco anos antes ele havia voltado para casa num navio de guerra, com toda a vida diante de si. Agora quem decidia seu raio de ação era o pulmão de aço, que se tornara uma espécie de exoesqueleto, semelhante a uma carapaça apertada em volta de um caranguejo preso.

O Grady tinha regras rigorosas para visitas. Quando minha tia Doris, enfermeira de outro hospital, apareceu uniformizada para uma visita, a enfermeira responsável do Grady julgou que ela não tinha o treino apropriado para casos de pólio. "Querida, de todo modo, você nem vai querer ver como ele está mal", disse ela.

Umas poucas vezes a mãe dele, minha avó Yancey, apareceu na janela usando máscara e lhe acenou com a mão. Somente uma vez o pai dele apareceu, levando a reboque meu irmão e eu. Um ferreiro, esse homem robusto nos levantou os dois sobre seus ombros e nos segurou junto à janelinha da porta, de modo que meu pai pudesse ver os próprios filhos, nossas imagens invertidas no espelho afixado à máquina.

A única pessoa que desafiava o risco, a única pessoa que o tocava de um modo não clínico, era minha mãe, sua salva-vidas emocional. Lia livros para ele, cantava hinos em voz baixa, importunava as enfermeiras e atendentes pedindo um tratamento melhor e lhe oferecia o pouco encorajamento possível — ao mesmo tempo que seu próprio mundo ruía à sua volta.

Ocultava dele seus medos íntimos, mas os registrava num diário: "Sofrendo terrivelmente — fora de si a maior parte do tempo. Pedi a Deus para levá-lo para casa se ele tiver de sofrer desse jeito".

Durante as longas idas e vindas de casa para o hospital e as ocasiões em que seu marido cochilava dentro do pulmão de aço, minha mãe tinha muito tempo para revisar o turbilhão que foram os cinco anos passados com ele.

Ela o conheceu em abril de 1945, quando um grupo de marinheiros de folga num fim de semana viajou de sua base naval em Nortfolk, Virgínia, para a Filadélfia, na esperança de ver os pontos turísticos da cidade. Ele optou por passar a manhã de domingo na igreja, onde um casal de meia-idade respondeu ao pedido do pastor de "convidar um soldado a almoçar na casa deles". Lá ele se encontrou pela primeira vez com Mildred Diem, minha mãe, que residia com o casal enquanto se recuperava de um procedimento médico.

O marinheiro aventureiro de Atlanta apaixonou-se loucamente pela tímida, protegida Milly, três anos mais velha que ele. Ela nunca tivera um namorado e se encantou com seu sotaque sulino e estilo de cavalheiro. Também se maravilhou com seu espírito despreocupado, exatamente o oposto de sua própria natureza reprimida.

Enquanto trocavam histórias sobre sua criação, ela soube que o jovem Marshall Yancey tinha um traço indômito. Era uma espécie de jogador, um rapaz que corria riscos. Sem avisar, aos catorze anos Marshall fugiu de casa. Sua mãe, de tão preocupada, ficou doente, até que, quatro dias depois, ele ligou de Saint Louis, Missouri. "Ouvi dizer que tinham aqui um grande zoológico, um dos melhores", explicou. "Por isso eu vim visitá-lo."

Orgulhoso da autoconfiante independência de seu filho, o pai lhe enviou dinheiro para ele voltar para casa de trem. "Esse menino tem ideias próprias!", orgulhava-se ele.

Em seguida, Marshall ouviu falar de um programa chamado Meninos Brilhantes promovido pela Universidade de Chicago, que permitia a alunos de destaque do ensino secundário frequentar cursos de filosofia. Um dia, depois de uma discussão em família, ele fugiu de novo. Agora com dezesseis anos, foi de carona para Chicago e convenceu a universidade a admiti-lo no programa. Durante alguns meses ele se saiu bem, até que uma infecção de garganta o venceu. Um tanto encabulado, ligou de novo para os pais pedindo ajuda para voltar a casa. Seu pai sorriu. "Meu filho tem coragem. Ele está disposto a tentar qualquer coisa."

Depois de provar os cursos avançados em Chicago, Marshall não tinha nenhuma vontade de matricular-se de novo em escolas de Atlanta. A Segunda Guerra Mundial, perdendo força na Europa, era ainda devastadora na linha de frente do Pacífico. Como todos os rapazes americanos da época, meu pai quis fazer sua parte. Quando completou dezessete anos, obteve permissão dos pais para alistar-se como recruta menor de idade. "Escolha a marinha", aconselhou seu pai. "Assim você sempre terá sua cama, não como aquelas tocas do exército."

Passados três meses na Estação Naval de Treinamentos Básicos nos Grandes Lagos, ao norte de Chicago, Marshall fez mais uma ligação para Atlanta. "Cometi um erro, pai. Por favor, me tire deste lugar. É horrível. Estou com sinusite, odeio o Norte, e os instrutores são tiranos." O pai contatou um membro do Congresso para ajudá-lo, mas deixar o exército em tempo de guerra não é coisa fácil. Pela primeira vez na vida, meu pai estava enrascado.

A neve caiu cedo naquele ano, e blocos de gelo flutuavam no lago Michigan. Chegou o Natal, seu Natal mais solitário de todos. Num dia gelado, enquanto caminhava ao longo da praia, vendo o avanço de um nevoeiro, ocorreu-lhe que todo o seu futuro era um nevoeiro. Ele nem sequer tinha um diploma do ensino secundário e em breve estaria zarpando para a guerra, sem saber se algum dia iria voltar.

Por sugestão de um amigo, pegou uma carona para o centro de Chicago a fim de visitar a Missão Jardim do Pacífico, que ele conhecia através do popular programa *Unshackled*. "A mais longa novela de rádio da história", esse programa apresentava histórias de vagabundos e viciados convertidos à fé num abrigo para moradores de rua fundado pelo evangelista Dwight L. Moody. As histórias tinham todas a mesma trama, e a música de órgão e os efeitos sonoros pareciam piegas — mas havia a promessa do "segredo de uma vida nova".

De uniforme, Marshall se sentia razoavelmente seguro ao caminhar pela pior favela de Chicago, embora várias vezes tivesse de desviar de homens deitados no chão sobre grades de aquecimento procurando se esquentar. Para sua surpresa, o anfitrião voluntário que o recebeu na missão tinha lido alguns de seus filósofos preferidos. "Eles levantam muitas questões", concordou o voluntário. "Mas eu ainda não descobri um filósofo que lhe diga como livrar-se da culpa. Só Deus pode fazer isso. Percebo que Deus está procurando você, Marshall." Depois de uma longa conversa, não tendo ninguém mais a quem recorrer, meu pai orou para tornar-se um cristão naquele dia no final de 1944.

Durante os poucos meses seguintes, e especialmente depois de conhecer Milly, ele devotou seu tempo livre ao estudo da Bíblia, tentando imaginar sua "vida nova". Depois, em junho, partiu para a guerra a bordo do USS *Chloris*, um navio para conserto de aviões. A caminho do Havaí, uma notícia sensacional chegou até eles: os Estados Unidos haviam lançado duas bombas atômicas sobre o Japão, o que causou uma rendição incondicional. A guerra havia terminado.

O resto da carreira naval de meu pai consistiu em passar um tempo em Norfolk, aguardando sua dispensa para poder pedir Milly em casamento. Cartas voavam numa e noutra direção, e cada fim de semana livre ele tirava sua licença na Filadélfia.

Um impedimento surgiu no caminho do romance. Mildred havia prometido a Deus servir como missionária na África. O continente de cobras, leões, doenças tropicais e distúrbios políticos era um verdadeiro teste de fé para um cristão daquele tempo, e por isso mesmo seduziu o idealismo de minha mãe. Quando ela ouvia outros falando sobre "o continente escuro", ela sentia profundamente que Deus a queria lá. Nenhuma perspectiva de casamento poderia enfraquecer sua resolução.

No verão, enquanto o casal estava sentado num banco junto ao lago Keswick em Nova Jersey, Marshall perguntou como que por acaso: "Você consideraria a possibilidade de me deixar ir com você para a África na qualidade de seu marido?". Ela o fez esperar uns dias antes de dar uma resposta, mas nunca houve nenhuma dúvida. Em setembro, nem bem passados cinco meses desde o primeiro encontro, eles se casaram na igreja da cidade dela, a Tabernáculo Maranatha, que patrocinava muitos missionários no exterior, e com a ajuda dessa igreja o jovem casal manteve uma lista de correspondência com potenciais apoiadores.

Meus pais passaram os três anos seguintes na Filadélfia, matriculados na faculdade. Meu pai conseguiu um diploma, mas a chegada de Marshall Jr. exatamente depois do primeiro aniversário de casamento deles interrompeu os estudos de minha mãe. Meu pai optou por prosseguir seu treinamento num seminário em Indiana. Comprou um Ford Modelo T de 1927 por 25 dólares. O carro tinha apenas um assento, de modo que ele achou uma cadeira descartada, encurtou-lhe as pernas e a aparafusou no chão do carro. Mildred viajou para Indiana em grande estilo, carregando no colo seu bebê — meu irmão — com oito meses de idade.

Para tristeza deles, aquele plano deu em nada. Marshall Jr. desenvolveu graves alergias, e um médico os aconselhou: "Se esse bebê fosse meu filho, eu largaria tudo e me mudaria para o Arizona". Assim, lá foram eles para o Oeste, minha mãe sacolejando o tempo todo naquela cadeira de cozinha enquanto amamentava uma criança que ia tossindo e babando.

Nenhum dos empregos aguardados por meu pai se materializou, e depois de alguns desalentadores meses no Arizona, eles desistiram e empreenderam a longa viagem de carro de volta para Atlanta. Mais uma vez uma aventura tinha azedado para meu pai. Ele lecionou por algum tempo no Instituto Bíblico Carver, uma escola para "gente de cor" localizada no centro de Atlanta. A escola não pagava nenhum salário, mas oferecia alojamento, que nada mais era do que duas camas dobráveis numa sala de aula do andar de cima, com um banheiro público no fim do corredor. Minha mãe insistiu que deviam procurar acomodações melhores depois que eu nasci, em novembro de 1949.

Finalmente, no início de um novo ano, as perspectivas melhoraram. Meu pai achou trabalho num lar para delinquentes juvenis. Tinha um salário modesto e qualificou-se para o alojamento de veteranos em Blair Village. Agora os dois podiam planejar o próximo grande passo — para o campo de missão. Durante todo esse tempo, minha mãe vinha fielmente escrevendo "cartas de oração" a pessoas interessadas em patrocinar jovens missionários, uma lista que havia crescido chegando aos milhares. O sonho deles de servir na África estava prestes a se concretizar.

Em vez disso veio a pólio, dois meses num pulmão de aço, um arrojado salto de fé e a contagem regressiva para a morte.

Na ala da pólio à noite, insone, meu pai tentava prever a vida como um inválido. Cada vez mais ele se via como um albatroz pendurado ao pescoço de sua esposa, que já tinha dois filhos para cuidar. "Acho que agora você lamenta ter-se casado comigo", disse-lhe ele um dia. "Você não teve nenhuma escolha."

"Não!", protestou ela. "Quando jurei 'na alegria e na tristeza, na saúde e na doença', eu falei a sério." A sós aquela noite, ela orou com mais fervor: "Deus, não o tires de mim!"

Eles tiveram um ligeiro vislumbre de esperança quando um médico lhes falou sobre novas técnicas de ponta em Warm Springs. "É um centro de terapia ao sul de Atlanta financiado pelo presidente Roosevelt, que ele declarou tê-lo ajudado", disse o médico. "Mas é muito difícil ser aceito lá."

Habilitar-se para Warm Springs era como ganhar na loteria. As enfermeiras do Grady deram preferência a um belo adolescente. Cuidaram do cabelo dele, mimaram o rapaz, flertaram com ele. Ele achava que tinha ganhado a loteria da pólio, mas morreu na ambulância a meio caminho de seu destino. Um por um, outros na ala da pólio iam-se embora.

Um dia de manhã cedo uma assistente do Grady ligou para minha mãe lá em casa. "Senhora, eu poderia perder o emprego por isto", disse ela, "mas sei que seu marido é um pregador e quero ajudar. Seu marido, bem, morreu ontem à noite. O coração não aguentou mais, e eles tiveram que trazê-lo de volta com choques. E quando voltou, as primeiras palavras dele foram: 'Por que me trazer de volta?'"

Desesperada, minha mãe suplicou junto ao marido para ele não desistir. "Pense em toda aquela gente orando por você", lembrou-lhe. Juntos, decidiram apostar tudo num milagre, sua única chance. Acaso eles não acreditavam num Deus que cura? Por que não pôr nas mãos dele a fé que tinham? Por que Deus "levaria" um homem tão compromissado com uma vida de serviço?

Com renovadas energias, meu pai estabeleceu dois ambiciosos objetivos: sair do pulmão de aço e sair do Grady. Embora confiasse em Deus em relação à cura, ele quis fazer sua parte, e assim insistiu com o médico que o deixasse alguns minutos por dia fora do odioso aparato. "De que outro modo posso ganhar força?", argumentou ele.

Nos primeiros dias ele arfava e chiava enquanto seus pulmões atrofiados lutavam para recuperar sua função. Minha mãe ficava de guarda, pronta para voar em busca de ajuda. Dia após dia, ele respirava um pouco mais por conta própria: dez minutos, quinze minutos, depois meia hora. Cada momento fora da máquina era um risco de catástrofe, pois as enfermeiras nem sempre respondiam às chamadas. Sem uma atenção imediata ele poderia simplesmente parar de respirar, ou engasgar-se até morrer.

Com a ajuda de um respirador portátil, ele prolongou suas saídas até chegar a várias horas. Celebrou o Dia de Ação de Graças conseguindo ficar oito horas livre do pulmão de aço, sempre deitado, imóvel. O milagre estava acontecendo, apesar de gradativamente, por estágios.

No dia 2 de dezembro, minha mãe registrou em seu diário um acontecimento que foi um divisor de águas: "Transferimos Marshall para o Centro Quiroprático Stanford. Ele me pediu para tirá-lo do Grady se o amava. Acredito que o Senhor lhe concedeu esse último desejo". Foi um gigantesco passo de fé, dado com a desaprovação dos médicos. O Grady exigiu que eles assinassem um formulário declarando que o paciente estava saindo contra a recomendação médica.

Enquanto a ambulância o transportava pela Rua Peachtree, meu pai teve seu primeiro vislumbre da luz do sol em quase dois meses e fez suas primeiras inspirações de ar puro. Sentia-se ao mesmo tempo fraco e ansioso, mas também livre e cheio de esperança.

Pela primeira vez desde a hospitalização do marido, nossa mãe obteve a permissão de ficar com ele a noite toda. Permaneceu sentada numa cadeira a seu lado, temerosa de que o marido pudesse morrer naquela primeira noite. Em vez disso, ele dormiu profundamente, longe do ruído e das luzes brilhantes da ala hospitalar da pólio.

Ele tinha conseguido os dois objetivos, escapar finalmente do pulmão de aço e do Grady. Deus, o operador de milagres, estava atendendo às preces deles.

3

Desenlace

> Cada nova manhã
> Novas viúvas uivam, novos órfãos choram,
> Novos sofrimentos batem na cara do céu.
>
> Shakespeare, *Macbeth*

Enquanto meu pai planejava sua remoção para o centro quiroprático, minha mãe vinha trabalhando num jeito de dispensar melhores cuidados a Marshall e eu. Sua irmã Violet, na Filadélfia, ofereceu-se para viajar até Atlanta e ficar conosco, o que parecia uma solução ideal — até que minha avó Diem ouviu falar disso. "De jeito nenhum! Foi Mildred quem deixou a casa dela e se casou com aquele pregador sulista. Deixe que ela colha o que plantou por um tempo." Minha avó da Filadélfia era uma mulher difícil.

Meu avô Diem, que perdeu o pai aos doze anos de idade, teve mais compaixão. "Vou trabalhar nisso", disse ele. "Podemos trazer os meninos de avião para cá, se ao menos conseguirmos permissão das linhas aéreas." Nenhuma criança abaixo dos cinco anos de idade podia viajar de avião sem autorização especial, e assim ele escreveu uma carta fazendo um apelo e a endereçou ao "Capitão Edward V. Rickenbacker, Presidente, Eastern Airlines, Nova York, Nova York". De algum modo a carta chegou às mãos de Rickenbacker, que concordou imediatamente. A carta de permissão chegou no dia em que meu pai foi removido do Grady para o centro quiroprático.

No seu primeiro dia inteiro no centro quiroprático, depois de dois meses de isolamento, meu pai teve permissão para ver e tocar seus filhos. "Mostre a ele o que você sabe fazer, Philip", disse minha mãe, e pela primeira vez ele me viu andar — coisa que ele já não podia fazer. Em seguida, ele chamou Marshall para perto de sua cabeceira e lhe fez um animado sermão sobre ajudar em casa. Quando deixamos o quarto com nossos avós Yancey, nossa mãe nos deu um beijo de despedida.

Na manhã seguinte, meus avós nos levaram para o aeroporto de Atlanta, conduzindo-nos de carro pela pista até às escadas do DC-3. Marshall Jr. levou a bordo um pacote de pãezinhos, que ele gostava de mordiscar. Durante todo o tempo do voo de quatro horas, uma aeromoça em seu elegante uniforme nos dispensou cuidados exagerados. Tentou nos alimentar com batata doce, mas Marshall se recusou a comer qualquer coisa que não fossem seus pãezinhos. Uma passageira abastada tinha se oferecido para cuidar de mim. Durante anos depois eu me gabaria diante de colegas de escola acerca de minha primeira viagem de avião, aos treze meses de idade, quando babei numa milionária.

Por quase duas semanas Marshall e eu ficamos com nossos avós da Filadélfia, paparicados pelas duas irmãs mais novas de minha mãe. No fatídico dia 15 de dezembro, toda a família se reuniu ao redor de um rádio para ouvir um comunicado nacional feito pelo presidente Harry Truman. Os Estados Unidos estavam sendo derrotados nos campos de batalha da Coreia, e aquela noite o presidente Truman declarou estado de emergência. Com termos medonhos, descreveu a ameaça que representavam os comunistas da União Soviética e da China.

No meio do discurso de Truman via rádio, o telefone tocou e a operadora anunciou aquelas raras palavras: "Ligação interurbana". Meu avô me segurava contra seu ombro enquanto aceitava a cobrança. Ouviu em silêncio e murmurou algumas frases enquanto os outros ao redor aguardavam a notícia. Quando ele desligou o telefone, seus olhos brilhavam cheios de lágrimas. Olhou-me direto no rosto e disse: "Philip, meu menino, você tem uma vida dura pela frente".

A transferência de meu pai para o centro quiroprático tinha parecido cheia de promessas. Não mais perturbado pelos rangidos e gemidos do pulmão de aço, o paciente dormia bem. E, com os filhos agora na Filadélfia, nossa mãe podia lhe dar atenção total. Se ele precisava de sucção, ela chamava as atendentes, que se mostravam muito mais solícitas do que o pessoal do Grady. Terapeutas envolviam seus braços em compressas de lã aquecidas no vapor e mexiam os braços dele para manter suas articulações mais flexíveis.

"Não podemos garantir, mas há uma chance de você recuperar a capacidade de andar", disse-lhe um médico. Os jornalistas de Atlanta e da Filadélfia reportaram o progresso do jovem ministro e suas esperanças de cura.

Uma semana depois, todavia, ele abruptamente piorou. A respiração ficou mais difícil, e os temores da mãe voltaram. No dia 13 de dezembro eles ouviram um coral natalino apresentando-se junto à janela do quarto, e pela única vez na presença do marido, minha mãe se descontrolou. "O que é que vou fazer se tiver de viver sem você... sem emprego, sem carta de motorista, com duas crianças para cuidar?", perguntou aos soluços.

Ele tentou confortá-la, garantindo-lhe que tudo estaria resolvido até o Natal. "Precisamos ter fé. Lembre-se de meu lema, Milly. 'A graça de Deus é suficiente.'"

No entanto, ele também tinha premonições. "O que você vai fazer se eu morrer?", perguntou. "Levar nossos filhos para a Filadélfia?" Ele não confiava na família dela, ou no Norte, com seus filhos. Ela disse que não. Havia deixado a Filadélfia contra a vontade de seus pais e sabia que não seria bem-vinda de volta.

"Você vai morar com os Yanceys?", insistiu ele, que também não confiava em sua família, porque eles não compartilhavam todas as suas crenças. "Não", ela o tranquilizou, ela descobriria um jeito de nos manter por conta própria. "Bom. Isso é bom", disse ele, e se acalmou.

Na manhã da sexta-feira, 15 de dezembro, ela pegou a navalha para fazer a barba dele. "Hoje não", disse ele. Sua reação a surpreendeu, mas ela respeitou seu desejo. Daí a poucas horas a irmã dele, Doris, juntou-se aos dois no quarto, e ao meio-dia chegaram os pais dele. Apesar do frio lá fora, ele insistiu para que abrissem as janelas. Todos os quatro visitantes sentaram-se ao redor dele vestindo seus casacos de inverno enquanto ele jazia em seu leito vestindo um pijama de algodão, banhado em suor, lutando para respirar.

De repente seu corpo relaxou e a respiração diminuiu — ele havia entrado em coma. Minha mãe de um salto se levantou e apertou o botão de emergência, e um minuto depois um médico quiroprático atendeu ao chamado. Ele examinou seu paciente inconsciente e disse: "Receio que esteja na hora de ligar para o Grady".

O médico fez uma ligação de emergência, pedindo ao hospital que enviasse seu respirador portátil, o único que existia em Atlanta. O dispositivo funcionava com base no mesmo princípio do pulmão de aço, só que era compacto, preso sobre o torso como um protetor peitoral de um árbitro de beisebol.

Os olhos de meu pai continuaram abertos até mesmo no estado comatoso. Um tenso silêncio enchia o quarto, um silêncio audível. Finalmente, Doris disse: "Não acho que ele consiga enxergar, mas a audição é o último sentido que se perde. Vamos continuar falando". Todos fizeram um esforço, embora a conversa parecesse afetada e falsa.

Quando ouviram a sirene da ambulância entrar pela janela aberta, a família sentiu um afluxo de esperança. Ele sumiu quando os atendentes do Grady entraram no quarto — haviam deixado de trazer o respirador.

"Não podemos removê-lo nestas condições", disse um dos homens. Testaram seu pulso e checaram a temperatura e depois, por algum motivo, viraram meu pai para que ficasse de bruços, a pior coisa que se pode fazer com um paciente de pólio. Ele respirou mais uma vez — a última.

Um pouco depois, minha mãe fez aquela ligação interurbana para a Filadélfia.

O diário dela tem mais um apontamento, nesse 15 de dezembro. "Marshall de repente foi para casa para estar com o Senhor. Passamos duas abençoadas semanas juntos neste hospital. Pude passar todo o meu tempo com ele. Que preciosas lembranças!! [...] Que os meninos cresçam para ser como ele."

O diário termina. Ela não registrou, e provavelmente não pudesse saber, o que o futuro nos reservava enquanto ela lutava para juntar os cacos de nossa vida.

Não tenho nenhuma lembrança da viagem de avião para a Filadélfia ou da viagem de carro de volta para Atlanta para o serviço fúnebre. Não tenho nenhuma lembrança do quarto no centro quiroprático, ou da máquina amarela que meu avô me ergueu para eu ver no Hospital Grady, ou da frágil figura que estava lá dentro olhando para a minha imagem invertida num espelho.

Conto apenas com a versão dos acontecimentos que foi transmitida por parentes, da corajosa luta de meu pai contra a doença fatal que interrompeu uma carreira promissora de serviço cristão. Dezessete anos passariam antes de eu apanhar no chão o artigo de jornal e descobrir a história do milagre que não deu certo. Como qualquer segredo, isso ganhou força enquanto ficou oculto.

Tenho poucas provas concretas da existência de meu pai. Um punhado de fotografias em branco e preto, incluindo um folheto publicado pela marinha como uma lembrança da missão que ele cumpriu. Sua Bíblia com uma capa preta desgastada, e anotações com sua caligrafia. Bolorentos exemplares das *Obras completas de William Shakespeare* e de *Declínio e queda do Império Romano*. Dois trabalhos acadêmicos dos tempos de faculdade. Um maço de cartas que ele escreveu à minha mãe durante o namoro deles.

Também tem uma árvore, do gênero mimosa com folhas semelhantes às de samambaia e casca lisa, cuja muda ele plantou na frente de sua casa. Em visitas a meus avós, eu subia na árvore, que agora se ergue acima da casa deles, e me sentava na junção de seus galhos em meio a flores com um perfume doce, cismando sobre a vida dele — até que as formigas e as vespas amarelas me descobriam.

Os parentes Yancey, e a casa que compartilhou com eles, eram lembretes vivos de meu pai. Quando chegávamos lá, Marshall e eu corríamos para o parquinho da escola no fim da rua, onde nosso pai cursou o primário. "O pai de vocês costumava brincar exatamente naqueles balanços e barras", o vovô nos lembrava, toda vez.

Depois da morte dele, meus avós garantiram à minha mãe: "Não se preocupe. Nós vamos cuidar de vocês". E cuidaram. Meu avô escorregava à mãe um dinheiro às escondidas e ao Marshall e a mim dava um dólar de prata no fim de cada visita. Minha avó geralmente servia dois tipos de carne em cada refeição, e só mais tarde fui descobrir que ela só fazia isso conosco por saber como éramos pobres.

Tudo parecia estranho e maravilhoso na casa de meus avós: torneiras separadas para água fria e quente, o braço da agulha do toca-discos que se deslocava automaticamente para permitir o que elepê seguinte caísse com o som de um tapa, o telefone privativo não conectado a nenhum ramal. Cada manhã descíamos para o pórtico a fim de pegar o leite — leite com chocolate — distribuído em suadas garrafas de vidro.

A casa na Avenida Virgínia se tornou um refúgio. Nossas brincadeiras rudes, que poderiam merecer uma surra em casa, meus avós achavam engraçadas. Quando deixava aquela casa no fim de uma visita, eu deixava para trás alguma coisa calorosa e amorosa.

Na infância, não senti falta de meu pai. Como eu poderia? Mal tendo um ano de idade quando ele morreu, nunca o conheci. Duas fotos granuladas me ajudavam a visualizá-lo. Numa aparece um esbelto, jovial marinheiro apoiando-se numa cerca de madeira, com seu boné de marinheiro de lado num estilo garboso. Um retrato mais formal o mostra com óculos de metal e parecendo um pouquinho mais velho, até mesmo erudito; está vestindo terno transpassado com largas lapelas e uma larga gravata, o cabelo crespo repartido de um lado e amontoando-se no alto da cabeça.

"Este é o seu pai", dizia-me muitas vezes minha mãe apontando para as fotos, mesmo antes de eu poder compreender as palavras. Ela se referia a ele como "seu pai", mas eu nunca o chamei por nenhum nome. Ele morreu antes que eu conseguisse falar.

Meu irmão, com três anos de idade quando nosso pai morreu, tem o nome dele (Marshall Watts Yancey Jr.), bem como três lembranças concretas. Uma vez, ele saiu correndo ao encontro de nosso grande Pontiac preto na entrada para a garagem e nosso pai se inclinou para pegar um pirulito no porta-luvas. Noutra ocasião, ele relembra, eles escalaram juntos o que para ele parecia um morro enorme de argila vermelha da Geórgia. Nosso pai puxava Marshall com um braço enquanto aninhava um bebê — eu — no outro. Marshall voltou para casa gabando-se: "Eu escalei uma montanha! O Philip nem consegue andar".

A terceira lembrança sempre o assombrou. Aquele mesmo homem, agora paralisado e lutando para respirar, lentamente virou a cabeça num travesseiro hospitalar e com esforço pronunciou as palavras, uma ou duas por vez, entre forçadas respirações: "Filho... enquanto estou... aqui dentro... você é... o homem... da... casa. Você deve... cuidar... da sua... mãe... e do seu... irmãozinho". Marshall fez um aceno positivo com a cabeça e aceitou o peso daquele fardo com toda a solenidade que uma criança de três anos podia mostrar. Informou minha mãe que de imediato ele devia ficar responsável por bater em mim.

Anos mais tarde descobri uma foto tirada quando eu tinha poucos meses de idade. Pareço-me com qualquer outro bebê: bochechudo, meio calvo, com uma expressão brilhante e desfocada nos olhos. A foto está amassada e mutilada, como se um cachorrinho tivesse se apossado dela. Minha mãe explicou a condição daquela foto: "Quando seu pai estava no pulmão de aço, ele pediu algumas fotos minhas, de você e Marshall. Tive de encaixá-las entre alguns botões metálicos. É por isso que estão amassadas".

Senti uma súbita contração no peito. Pela primeiríssima vez, senti uma ligação emocional com meu pai. Parecia estranho imaginá-lo: ele, um virtual estranho, preocupando-se comigo. Durante os últimos meses de vida, meu pai passou suas horas de vigília olhando para aquelas três imagens de sua família, *minha* família. Não havia nenhuma outra coisa em seu campo de visão.

Ele orava por nós? Sim, com certeza. Amava-nos? Sim. Mas não havia nenhum jeito de expressar aquele amor com seus filhos banidos de seu quarto.

Pensei muitas vezes naquela foto amassada, um dos poucos vínculos que me conectam com o estranho que é meu pai. Alguém de quem não tenho nenhuma lembrança, nenhum conhecimento sensorial, passou todos os dias pensando em mim, devotando-se a mim, amando-me do melhor modo que podia. Depois, antes de poder deixar algo mais marcante, partiu deste mundo.

Meu relacionamento com meu pai terminou exatamente quando começou. Daquele ponto em diante, a mãe esteve no comando.

4

O juramento

> Uma memória é o que sobra quando alguma coisa acontece e não desacontece completamente.
>
> Edward de Bono, *O mecanismo da mente*

Ao crescer, sinto a ausência de meu pai mais como uma presença. Ele é uma figura fantasma, conjurada como um gênio por nossa mãe em momentos-chave. *Seu pai está de olho em você. Seu pai ficaria tão orgulhoso.*

Na escola, não ter um pai me torna diferente, e eu gosto disso. Às vezes os valentões pegam leve comigo. Outras vezes, comportam-se de um modo ainda mais maldoso, porque não tenho nenhum protetor para marchar até a casa deles e confrontar seus pais.

Alguns não sabem fazer nada melhor do que perguntar a Marshall ou a mim: "Como seu pai morreu?". Quando lhes dizemos que foi de pólio, nosso *status* cresce. Na década de 1950, a raiva e o suicídio não surtiriam um efeito mais dramático. Nos muros de todas as escolas viam-se cartazes da Marcha dos Tostões mostrando crianças usando suportes metálicos nas pernas, ou deitadas numa engenhoca de aspecto assustador. Quando acrescentamos que nosso pai viveu dentro de um daqueles pulmões de aço, os olhos se esbugalham como quando as crianças não sabem o que dizer em seguida.

Marshall e eu recebemos muita atenção na igreja. "Pobre menino", cacarejam as mulheres enquanto tascam lambidos beijos na minha cabeça. "Você parece exatamente seu papai, com esse mesmo emaranhado de caracóis", dizem. Os maridos delas assumem um súbito interesse nas unhas ou estudam as roupas procurando fios de bigodes desgarrados. Eu exulto com a compaixão que o drama de minha família desperta.

Às vezes gente da igreja profere palavras com a intenção de nos consolar: "Seu pai terminou seu trabalho na terra, e Deus o promoveu para o céu". Ou pior: "O Senhor deve precisar dele mais do que vocês precisavam". Meu irmão timidamente abaixa a cabeça quando ouve comentários assim. Dois anos mais velho que eu, Marshall sabe como parecer triste, provocando mais palavras bondosas daqueles que tentam nos confortar.

As pessoas também tentam confortar minha mãe, que granjeou seguidores como professora de Bíblia. "Declaro que nunca conheci ninguém igual a seu marido. Que tragédia! Imagine o casal de missionários que vocês dois teriam sido." Ela faz um aceno de concordância, e seu rosto mostra uma respeitosa expressão de viúva ferida. "Deve haver alguma razão para Deus tê-lo levado tão cedo", dizem algumas, e isso cala fundo. *Nós* somos a razão, decidiu ela — Marshall e eu.

Marshall sabe o que ajuda a acalmar nossa mãe quando de repente ela deixa a mesa de jantar e vai para o seu quarto para dar um tempo. Certa feita, ele a vê esfregando os olhos com um pano de prato e diz: "O pai está mais vivo do que nós". Nossa mãe reconta essa história ao pessoal da igreja, ou ao telefone, e o pequeno Marshall exulta ante sua própria sabedoria.

Quanto a mim, o único fato indiscutível é que meu pai se foi. Embora eu queira parecer triste como Marshall, não sei fazer isso. Consigo entender que a morte faz a gente chorar, e de algum modo entendo que o que aconteceu com meu pai é a maior tragédia de nossa vida — mas dentro de mim não sinto nada. Meu pai não é nem sequer uma memória, apenas uma cicatriz.

Percebo que a morte é coisa séria. Nossa mãe nunca deixa de ler uma página do jornal em letra pequena chamada Obituário. E sempre que estamos indo para algum lugar e passa uma procissão funerária, nós paramos e aguardamos com os outros carros, em sinal de respeito. A morte é a única ocasião em que todo zé-ninguém se transforma em alguém.

Acompanho minha mãe em vários enterros, que no Sul geralmente têm um caixão aberto. Pessoas mortas se parecem muito com pessoas vivas, só que elas não se mexem e ficam de olhos fechados. Quero tocar uma pessoa morta para ver como é o contato com ela, mas, sendo eu baixinho, isso se torna um desafio. Sempre que tento introduzir furtivamente meu braço no caixão, os botões de metal da manga do meu paletó raspam na lateral do caixão. Retiro o braço, na esperança de que ninguém tenha ouvido o ruído.

Meu pai jaz num antigo cemitério campestre escondido entre bosques, e nossa mãe com frequência nos para leva lá imediatamente depois do culto na igreja. O sol da Geórgia brilha forte, e Marshall e eu soltamos as gravatas, tiramos o paletó e desviamos com cuidado das poças. Circulamos entre os túmulos: os monumentos sofisticados, as estátuas de anjos e os poemas esculpidos no granito, os cordeiros e os querubins de pedra que indicam os bebês mortos.

Alguns dos túmulos contêm soldados mortos na Guerra Civil. Uma seção, a dos pobres, não tem indicadores, apenas dois pedaços de madeira pregados na forma de uma cruz. Umas poucas cruzes ostentam fotos das pessoas ali sepultadas. Elas estão cobertas com plástico incolor, e as formigas entram por baixo dele para beber o orvalho.

Enquanto nós meninos circulamos por ali, nossa mãe fica junto ao jazigo da família Yancey, demarcado por uma cerca de cimento caindo aos pedaços. A lápide de nosso pai, providenciada pela marinha, é uma das mais modestas: uma simples placa ao nível do chão registrando as datas de seu nascimento e morte. Nossa mãe tenta nos contar sobre os outros Yanceys sepultados lá, embora nosso interesse seja reduzido. Preferiríamos caçar cobras.

À medida que vamos ficando mais velhos, visitar o cemitério se torna uma tarefa difícil. Nossa mãe insiste para que removamos o lixo, pneus gastos, roupas íntimas descartadas que gente sem educação jogou por cima da cerca. Se fazemos uma pausa, ela começa a repetir as mesmas velhas histórias sobre parentes que nem sequer conhecemos.

Uma daquelas visitas, porém, é diferente. Não consigo me lembrar da idade que eu tinha — nove ou dez anos talvez —, mas minha lembrança daquela cena se destaca nitidamente como o presente.

Fizemos nossa visita ritual de domingo, voltamos para casa e cuidamos da limpeza. Por algum motivo nossa mãe nos pede que sentemos ao redor da mesa de fórmica na cozinha, onde fazemos nossas refeições, mesmo não sendo a hora de nenhuma refeição. Marshall e eu nos entreolhamos, perguntando-nos o que fizemos de errado. A mãe segura uma caneca branca de café na mão esquerda, com o cabo de uma colher saindo dela. Ela mexe o café, embora não o beba. Parece incomumente séria, esfregando os olhos e engolindo várias vezes antes de falar.

Começa lembrando-nos a história de Ana no livro de 1Samuel, que nós já conhecemos das aulas na escola dominical. Mais do que qualquer outra coisa, Ana queria ter um bebê. Ia para o templo e orava tão ardentemente e por tanto tempo que o sacerdote achou que ela estava bêbada.

A mãe lê partes da história de sua Bíblia na versão do Rei Jaime. "E disse-lhe Eli: Até quando estarás tu embriagada? Aparta de ti o teu vinho. Porém Ana respondeu e disse: Não, senhor meu, eu sou uma mulher atribulada de espírito; nem vinho nem bebida forte tenho bebido; porém tenho derramado a minha alma perante o Senhor."

Marshall e eu nos entreolhamos de soslaio. O tom da voz de nossa mãe nos avisa que este não é o momento para risadinhas sobre a bebida.

A leitura continua. "Ana era estéril, vocês sabem. Isso significa que não poderia ter nenhum filho. Mas Deus ouviu a oração dela: 'Por este menino orava eu; e o Senhor me concedeu a minha petição que eu lhe tinha pedido. Pelo que também ao Senhor eu o entreguei, por todos os dias que viver; pois ao Senhor foi pedido. E ele adorou ali ao Senhor'."

Nossa mãe faz uma pausa por um momento, e eu silenciosamente sinto-me confuso com a ideia de ser entregue daquela maneira, tomado emprestado por Deus.

"Deus atendeu à oração de Ana com um filho que ela chamou Samuel. Assim que Samuel foi desmamado, provavelmente por volta dos três anos de idade — sua idade, Marshall, quando seu pai morreu —, ela o levou para o templo e o concedeu a Deus." O rosto de Marshall mostra algo entre a surpresa e o mal-estar. *Como isso vai acabar?* Mesmo assim, não dizemos nada.

Nossa mãe hesita, como que insegura sobre o que dizer em seguida. "Vocês meninos não sabem disto, mas antes de eu me casar fiz uma operação para resolver alguns problemas que as mulheres têm. O médico me disse que provavelmente eu nunca teria filhos. Bem, o pai de vocês e eu oramos, e quase exatamente um ano após nosso casamento, você, Marshall, nasceu. Foi uma gravidez difícil, e eu quase morri. E depois, dois anos mais tarde, Philip, você apareceu."

Ela para a fim de limpar o nariz com um lenço de papel, e depois esfrega os olhos. Meu coração bate muito forte, e eu me pergunto se ela consegue ouvi-lo.

"Exatamente um ano depois disso, o papai morreu. Eu não sabia o que fazer. Todos os meus sonhos foram destruídos. Eu acreditava que Deus tinha me chamado para a África como missionária. Tínhamos todas essas pessoas unidas para nos ajudar e orar por nós lá na África, e de repente tudo desmoronou.

"Eu tinha prometido ao pai de vocês que não voltaria para a Filadélfia, e assim aqui estava eu numa parte desconhecida do país, com dois meninos para cuidar. Sem marido e sem emprego. Minha antiga igreja da Pensilvânia concordou em nos enviar cinquenta dólares por mês, mas só nosso aluguel custava cinquenta e três dólares. Eu não sabia se conseguiríamos sobreviver."

Ela gira a colher na caneca de café por um tempo antes de retomar sua fala. "Fui ao cemitério, ao túmulo que acabamos de visitar, um túmulo recente na época, ainda coberto de terra que não tinha se assentado. Joguei-me no chão de cara na terra e solucei e gritei para Deus. Como Ana. Esta é a história que Deus me deu. Lá mesmo, naquela hora, eu dediquei vocês dois a Deus. Pedi a ele que usasse vocês meninos para realizar o sonho que o pai de vocês e eu tivemos — tomar o nosso lugar como missionários na África. E pela primeira vez eu experimentei finalmente alguma paz em relação à morte dele."

Marshall e eu estamos imóveis. Meu estômago está agitado, e sinto medo até de respirar. Nunca vimos nossa mãe assim. Para chorar, ela geralmente vai a outro quarto. Ela dá umas fungadas, depois acrescenta mais uma coisa.

"Tomei a decisão de não me casar de novo. Meu emprego era cuidar de vocês dois. Vocês tinham problemas de saúde quando eram menores. Marshall, no Arizona, você pegou uma febre do deserto que os médicos diziam que era como uma febre reumática. Várias vezes tive de levar você correndo para o hospital com um febrão, quase convulsionando. Philip, você tinha asma e pneumonia. Tossia até quase virar do avesso. Um par de vezes tive de levar você também para o pronto-socorro. Cada vez, antes de colocar vocês dois no carro, eu me ajoelhava e orava: 'Senhor, se não queres que eles tomem o lugar do pai deles como missionários na África, vai em frente e leva-os agora. Eles são teus. E os dei a ti.'"

Ficamos lá sentados por um minuto que parece conter uma hora, sem saber como reagir. Quero dizer alguma coisa, mas a língua cresceu e minha boca ficou seca. Ponho a mão no braço dela enquanto ela chora. Marshall a abraça. E foi assim a primeira vez que colidimos com o tremendo poder do juramento de nossa mãe.

Deixo a mesa sentindo-me especial, como alguém escolhido. Não tenho nenhum indício de como será cruel o resultado final desse juramento.

Ana deu seu filho a Deus como um sacrifício de agradecimento. Marshall e eu fomos oferecidos como algo diferente — culpa, talvez, ou traição.

Com o passar do tempo, a história de Ana se tornará a minha menos preferida história da Bíblia.

PARTE II

MENINICE

5

Tempo de despertar

> A vida, sendo composta de pequenos incidentes separados que a gente vive um por um, tornou-se espiralada e inteira como uma onda que consigo levou a gente para o alto e consigo jogou a gente para baixo, lá, com um estrondo na praia.
>
> Virginia Woolf, *Ao farol*

Todas as minhas primeiras lembranças implicam o medo.

Quando eu tinha três anos de idade, meu irmão caiu do alto de nosso beliche. Sua cara assustada, amarela à luz noturna, passou pela minha em câmara lenta antes de bater na aresta aguçada de uma mesa. Gritos, manchas de sangue, uma ligação para a vizinha para que cuidasse de mim enquanto minha mãe corria para o hospital com o Marshall. Ele voltou depois de meia-noite com um pedaço de compressa cobrindo os pontos na testa.

Outra memória começa com uma forte batida na porta. Nossa mãe vai atender. "Deve ser um dos meninos da Sra. O'Brien. Está quase na hora de ela ter seu bebê."

Em vez disso, quando a porta se abre, uma mulher com hálito estranho entra cambaleando. "Tranque a porta!", diz ela numa voz chorosa enquanto se joga na direção de uma cadeira. Ela aperta um pano que envolve o braço direito, que está sangrando.

Nossa mãe conduz Marshall e eu para o nosso quarto. Ficamos na soleira da porta, esforçando-nos para ouvir as palavras abafadas da sala de visitas.

Logo o namorado da mulher aparece, espancando primeiro a porta e depois a janela. "Não o deixe entrar!", grita a mulher. "Ele quer me pegar. Tentei entrar na casa de minha mãe para me proteger, e foi assim que arrebentei o braço, quebrando a *maldita* janela." A palavra proibida, *maldita*, ecoa como um tiro em nossa casa.

Depois de um tempo a mulher vai embora, pedindo à nossa mãe que não tranque a porta depois que ela sair. Gritos no quintal, portas batendo forte, sirenes da polícia, luzes vermelhas piscando.

Moramos num projeto habitacional cheio de desafortunados brancos pobres. Durante o dia ouvimos cachorros latindo e bebês chorando, portas de tela rangendo, mães gritando: "Entra aqui! Tá na hora do almoço!". À noite ouvimos sons surdos de vizinhos que compartilham a parede de nosso quarto. "Ele está bebendo de novo", diz a mulher encolhendo os ombros quando nossa mãe examina suas escoriações.

Tenho mais uma lembrança de Blair Village, a primeira de todas. Sem nenhum bom motivo eu mordo Marshall, que imediatamente corre ao banheiro para contar à nossa mãe. "Mande ele vir aqui já", ela ordena, e eu me arrasto lentamente rumo à voz dela. Marshall deixou a porta do banheiro parcialmente aberta e lá encontro minha mãe sentada numa banheira totalmente nua, sem os óculos, o cabelo escuro solto. Nunca vi antes uma mulher nua — toda aquela carne arredondada reluzente por causa do sabonete. Meus olhos ficam muito confusos porque sei que não devia olhar.

"Venha aqui", diz ela, severa como um policial. Sinto minhas pernas rígidas. Os olhos dela ficam apertados, a voz mais firme. "Já!" Avanço pé ante pé para mais perto do som, mais perto dos montículos de pele.

"Me dê seu braço", diz ela. Eu o estendo, e ela o morde, forte, logo acima do pulso. Chocado demais para chorar, olho para as marcas enfileiradas de dentes ficando vermelhas. "Agora você sabe como dói", diz ela.

Saio tonto pela porta do banheiro, olhando para o braço, depois de experimentar algo novo e estranho para o qual não tenho nome.

Cresço num mundo de mulheres. Os homens são assustadores, com sua rudeza, seu silêncio, o sinal de perigo ao redor deles. Não sei dizer no que eles estão pensando. As mulheres geralmente, de um jeito ou de outro, deixam a gente saber.

No meu quarto ano de vida uma grande mudança acontece. Estamos na Filadélfia, visitando a família de minha mãe, os Diem, quando meus dedos são esmagados na porta do carro. "Foi culpa sua", diz minha mãe enquanto eu gemo. "Você devia ter tirado a mão do caminho." Aperto um pano em volta dos dedos para estancar o sangue, enquanto ela corre para dentro de casa para pegar uma bandagem. *Como é possível que tenha sido culpa minha, quando sou eu que estou sentindo a dor?*

Vamos à igreja e ficamos sentados durante um serviço que se arrasta por um milhão de anos. Em seguida, enquanto estou amuado no assento de trás com os dedos enfaixados, a porta do carro se abre. Vejo dois sapatos baixos, fechados com cadarços e duas pernas em meias de enfermeira da cor do leite com costuras na parte de trás. Depois uma pessoa estranha enfia a cabeça para dentro do carro.

"Marshall, Philip", diz nossa mãe, "quero apresentar a vocês a Tia Kay. Ela vai morar com a gente. É o novo papai de vocês."

No mesmo instante, esqueço os dedos doloridos. *Um novo papai?* A estranha entra no carro. Tem cabelo grisalho e olhos verdes e um rosto que já começou a enrugar-se. Ela não é de fato nossa tia, apenas temos de chamá-la assim.

Vamos para Atlanta naquele mesmo dia com Tia Kay sentada na frente do lado de nossa mãe. Tudo o que ela possui cabe em duas maletas cartonadas, agora no porta-malas. Fico em silêncio, olhando para a nuca da mulher, refletindo sobre o novo arranjo. Se ela vai morar com a gente, tenho de descobrir um jeito de conquistá-la.

Quando paramos para pernoitar num motel na Virgínia, eu anuncio: "Quero dormir na cama da Tia Kay!". Funciona. Ela me puxa para o seu lado da cama e me acaricia. Nenhuma criança, nenhuma pessoa jamais lhe pediu que dividisse a cama com ela. Uma porta de seu coração se abre de par em par, e daquele momento em diante eu sou o *pet* preferido dela.

Durante a longa viagem, nossa mãe explica que Tia Kay é uma resposta a suas preces. "Prometi ao pai de vocês que eu ficaria com vocês dois, mas simplesmente não consigo mais dar conta sozinha. Tenho de lecionar em meus clubes bíblicos. Tia Kay me ajudará nisso e também com os afazeres domésticos."

A própria história de Kay transborda. O pai dela foi embora quando o irmãozinho dela nasceu. Dali por diante, a mãe dela se mudou com a família de um lugar para outro, muitas vezes no meio da noite, sempre que o aluguel vencia. A pequena Kay perdeu sua boneca preferida quando um proprietário enfurecido os expulsou de casa e jogou fora os pertences deles. Acabaram morando num barco, com a mãe tentando ganhar a vida como faxineira. Quando Kay se formou na escola secundária, uma tia lhe disse que ela podia ser faxineira como a mãe ou, se ela concordasse em se esforçar muito, a tia lhe pagaria os estudos numa escola de enfermagem. Kay agarrou a oportunidade com unhas e dentes, e depois de anos de enfermagem decidiu achar algum serviço religioso. Foi então que a igreja da Filadélfia a indicou para a nossa família carente.

A chegada da tia Kay em nossa casa muda tudo. Conhecedora do mundo, ela sabe como usar ferramentas, lidar com bancos, até trocar o óleo do carro, de modo que nossa mãe a deixa encarregar-se dessas coisas. Kay tem um jeito rude e um sotaque da Pensilvânia que deixam os georgianos desconfiados, embora em geral ela consiga dar um jeito. "Os homens se aproveitam de viúvas", diz ela a nossa mãe. "Se você em alguma ocasião achar que alguém está tentando enganá-la, deixe-me cuidar do caso." Acho que ela tem um rancor contra os homens. Mas não contra meninos pequenos.

Tia Kay mora conosco por três anos, e de fato funciona como uma espécie de novo papai. Sendo enfermeira, ela sabe o que fazer para cuidar de um nariz sangrando ou de uma picada de abelha. Minha vida se ilumina. Aprendo como jogá-la contra a mãe, porque Tia Kay geralmente fica do meu lado. Prefiro que ela me dê banho: tem um jeito suave de usar o pano de lavar, enquanto minha me esfrega até queimar. Tia Kay nunca parece ter pressa, mesmo quando quero brincar com barquinhos ou bolhas de sabão.

Além do mais, ela às vezes convence nossa mãe a não bater na gente. Eu acho que ela não foi muito castigada quando criança.

Precisando de mais um quarto, nos mudamos de Blair Village para uma casa isolada em Ellenwood, uma cidade rural ao sul de Atlanta. Estamos agora numa propriedade agrícola, numa estrada de terra. Tia Kay diz que saímos do mundo de Charles Dickens e entramos no de Tom Sawyer. Não sei bem o que isso significa, mas gosto de nosso novo lugar. Em vez de vizinhos briguentos, ouvimos o canto das aves e o silêncio do campo, interrompido apenas pelos sons emocionantes de uma ferrovia próxima.

Na primeira noite fico acordado, mal conseguindo dormir por causa do silêncio. Depois vem o clique-claque dos vagões e o som desamparado de um apito que vai sumindo. Na manhã seguinte meu irmão e eu caminhamos até os trilhos da ferrovia, prateados pela chuva. Pulamos poças que brilham como um arco-íris devido à fina película de óleo na superfície. Passamos a maior parte da manhã encantados enquanto poderosas locomotivas regurgitando fumaça vão passando. Rangendo sob o peso, os trilhos se abaixam e se levantam à medida que cada longo trem vai passando. Contamos os vagões enquanto eles vão se movendo velozes... 79, 80, 81. Quando o vagão do pessoal do trem aparece, acenamos como loucos, tentando fazer o homem uniformizado lá dentro acenar para nós.

Não muito tempo depois que nos mudamos, alguns vagões descarrilam, espalhando centenas de melancias maduras ao lado dos trilhos. Algumas batem no chão e se racham completamente, e sua suculenta polpa logo atrai uma nuvem de moscas. Marshall e eu procuramos no meio da adocicada embalagem de feno melancias inteiras pequenas o suficiente para a gente levar para casa. Uma boa melancia sai por um dólar no mercado do produtor, e no dia seguinte vários camponeses montam barracas oferecendo melancias grandes por 25 centavos. Nós rimos dos motoristas bobos que param e pagam pelas melancias que poderiam pegar de graça.

As ferrovias produzem todos os tipos de tesouros. Outro descarrilamento despeja uma carga de pianos de cauda em East Point, em nosso caminho para a igreja. Contornando o cenário, vemos estupefatos a confusão de pernas, teclados e madeira preta envernizada espalhada pelos trilhos. Poucas semanas depois, nossa mãe fica presa num cruzamento onde o pessoal da emergência está fazendo a limpeza depois da colisão de um trem com um carro. A demora é tanta que ela nos deixa sair para caminharmos ao longo dos trilhos e descobrirmos um pedaço de carne de um branco pálido dobrado no meio — certamente o cotovelo de alguém. Eu o toco e o deixo lá, mas meus relatos dessa descoberta fazem que meus colegas de recreio de Ellenwood fiquem deslumbrados.

Nossa mãe julga que as crianças do campo oferecem menos perigo do que as de Blair Village, e assim nos deixa passear ao ar livre, onde um novo mundo nos acena. Garotos vizinhos nos apresentam cigarros de chocolate, que deixamos pender do canto da boca enquanto caminhamos. Mascar chiclete é proibido em nossa casa, mas aqueles garotos nos dão para morder balas duríssimas do tamanho de uma bola de pingue-pongue. O contrabando tem um prazer secreto, aprendo — desde que eu lamba os dentes e os deixe limpos antes de voltar para casa.

Nossa família tem uma regra contra armas de fogo, o que deixa Marshall e eu em desvantagem entre os meninos que usam chapéus de caubói e coldres com pistolas de brinquedo. Um dos garotos rouba uma bala de verdade do armário de seu pai, e nós olhamos para o objeto de latão como se fosse um ídolo. Ele diz que se pode disparar uma bala sem uma arma de fogo, golpeando o fundo do cartucho com um martelo. Inflamados com a ideia do perigo, tentamos muitas e muitas vezes, mas nunca conseguimos fazer a bala disparar.

Por volta dos cinco anos de idade, descubro meu próprio corpo. Não consigo evitar o hábito de roer as unhas — até que minha mãe as cubra com molho de pimenta. Mesmo enquanto estou dormindo meu corpo me prega peças. Sonho que vou para o banheiro e acordo em lençóis pegajosos e um colchão molhado. Sonho em pular de uma ponte e acordo com câimbras nas pernas. Certa vez, sonho que sou alvejado por um tiro, com sangue jorrando da barriga; é uma crise de gases causada pela ingestão de feijão refrito.

Volto das brincadeiras de cada dia com os joelhos esfolados e cobertos de terra da Geórgia, da mesma cor de sangue seco. Bebo da mangueira do jardim, aguardando até que a água aquecida pelo sol fique fria e deixando então que seu estranho gosto — de borracha por causa da mangueira e de metal por causa do poço — se derrame de minha boca sobre a roupa. Faço chover na cabeça, ou cubro o bocal da mangueira com o polegar e miro o esguicho na direção de um formigueiro. Ouvindo uma batida forte no vidro, ergo os olhos e vejo a figura de minha mãe de pé na cozinha, vigiando.

O mundo ganha vida no verão. Vespas amarelas cambaleiam ao redor de maçãs espalhadas sobre o chão, bêbadas devido à fruta em fermentação, tornando-se alvos fáceis de pedras ou maçãs estragadas. Caço vaga-lumes ao anoitecer. À medida que o céu escurece, aparecem morcegos, e eu atiro uma bola no ar, e eles a seguem sacolejando até o chão.

É preciso mais que o escuro para me mandar de volta para dentro de casa. É preciso minha mãe: "Philip, estou dizendo *agora*!".

Por volta dos dez anos, descubro que as palavras têm poder. Testo esse conhecimento repetindo listas de palavras rimadas — *debate, combate, resgate, biscate* — enquanto observo aquele entreolhar astuto trocado pelas duas pessoas adultas que fazem parte de minha vida. Geralmente, nem sempre, elas abrem um sorriso: "Cuidado, nós não falamos essa última palavra".

Percebo que posso frustrar, até mesmo enfurecer Marshall ao repetir cada palavra que ele diz. "Pare com isso." *Pare com isso.* "Eu falei pra parar!" *Eu falei pra parar!* "Você me ouviu?" *Você me ouviu?* "Vou contar à mãe." *Vou contar à mãe.* "Você está se metendo numa bela encrenca, Philip." *Você está se metendo numa bela encrenca, Philip.*

E às vezes estou. Tento pular uma poça d'água e caio nela. Deixo cair moedas dentro da grade do aquecedor no chão. No verão, o ventilador de chão pede para ser testado. Lembrando-me um inseto mecânico gigante, ele vira a cabeça para a frente e para trás, as lâminas girando como as de um helicóptero. Canto, e o ventilador corta cada sílaba de modo que minha voz parece a do Pica-Pau. Enfio papelão nas lâminas e chego meus dedos o mais perto delas possível sem que eles sejam decepados.

Uma voz sussurrante dentro de mim me leva a pisar nas poças, a explorar os bosques até me perder, a atirar bagas nos carros que passam. Estou simplesmente seguindo aquela voz. Não *quero* fazer aquilo.

"Eu tenho olhos na nuca", insiste Tia Kay, e por um tempo acredito nela, porque ela sempre me dá a impressão de saber quando fiz alguma coisa errada. Um dia entro na sala, e minha mãe e Tia Kay param de falar. Olham para mim, e a mãe diz: "As paredes têm ouvidos". *Ahn? Que paredes?* Deixo a sala e fico plantado junto à porta no caso de elas retomarem a conversa.

Aprendo que o mundo tem dois conjuntos de regras, um para os adultos e um para as crianças. As crianças devem fazer o que as pessoas grandes disserem a elas, faça sentido ou não, queiram elas ou não. As crianças devem pedir desculpas quando estão erradas; os adultos nunca pedem. Como Deus, os adultos criam todas as regras — e de acordo com meus companheiros de recreação, minha mãe temente a Deus tem regras demais.

Somente os adultos, não as crianças, têm permissão para guardar segredos. A frase "Isso é coisa que eu devo saber e você deve descobrir" cala minhas perguntas se quero saber de minha mãe por que ela sussurrou ao telefone. Se eu tenho um segredo, ela se abaixa ao meu nível, olha-me direto nos olhos, talvez até no meu cérebro, e exige que eu conte o que estou escondendo. "Diga a verdade. O que aconteceu? Não minta para mim!"

As crianças nunca podem rir dos adultos, mas o contrário é legal. "Olha aquele peixe fazendo beicinho", diz minha mãe quando estou amuado. "Olha aquele peixe feio soltando o beição." A lição cola. Se você mostrar seus sentimentos, os adultos riem de você. Se não mostrar — bem, como você pode não mostrar?

Marshall e eu sempre imaginamos que a comida aparece na mesa como que por encanto. Em Ellenwood nós de fato vemos de onde ela vem.

Compramos ovos de um vizinho, e Tia Kay me mostra como descartar os ovos fertilizados que já tem um bebê pintinho crescendo dentro deles. Evito ovos por um tempo, especialmente ovos fritos que amarelam todo o prato quando os furo. Será que isso seria um bebê pintinho líquido?

Naquele primeiro verão, Tia Kay cercou um lote do terreno para fazer uma horta e impedir a entrada de coelhos. Depois de muito cavar e plantar e capinar, começamos a ver os primeiros resultados acenando como coloridos ornamentos ao sabor da brisa: tomates, feijão de corda, pimentões, quiabos, espigas de milho. Inalo o cheiro quente e úmido das coisas crescendo. Aprendo que verduras e legumes exigem muito cuidado, com exceção das abóboras e pepinos, que crescem como ervas daninhas.

Perto do fim da estação, descubro um pepino gigante perto da cerca da horta. Essa monstruosidade, escondida pelo capim durante todo o verão, cresceu tanto que atingiu o tamanho de uma melancia. É tão grande que mal consigo levantá-lo. "Não podemos comer isso aí", diz minha mãe. "Por que não a dão de comer para a mula lá da estrada?" Com a ajuda de Marshall, faço exatamente isso, só para ouvir uns dias depois que a mula magra morreu. Por semanas me sinto culpado de ter matado a pobre mula, apesar de minha mãe me assegurar que alguma outra coisa deve ter causado sua morte.

Marshall e eu temos estilos diferentes de comer. Ele insiste na rigorosa separação: as almôndegas não podem tocar as batatas, que não podem tocar os legumes, que não podem tocar um pãozinho. Eu escavo elaborados túneis no purê de batatas e dentro deles derramo com cuidado o molho escuro antes de cobri-los, adicionando algumas ervilhas no topo como decoração. Temos de comer tudo o que está no prato: "Pensem em todas as pessoas passando fome na China", ouvimos dizer. Sempre começo com os alimentos menos preferidos e vou comendo até chegar à parte boa.

Para mim, os tomates pertencem a um tipo especial de comida — puro viscoso veneno. Segundo a opinião de nossa mãe, minha repugnância ao tomate começou quando Marshall anunciou: "Odeio tomates", depois de provar pasta de tomate. Ouvindo aquilo, eu associei a lustrosa fruta firme que dá em nossa horta com a viscosa massa marrom saída de uma lata e decidi que odeio tomates.

"Nunca vou me esquecer do dia em que você teve um ataque por causa de tomates", lembra Marshall. "Acho que que você tinha quatro anos.

A mãe amarrou você a uma cadeira, prendeu seus braços com uma corda de varal, e forçou você a comer."

Não me lembro da corda de varal. Mas de fato me lembro de minha mãe dizendo: "Vou lhe ensinar a gostar de tomates!". Eu gritei, me contorci, virando a cabeça de um lado para outro enquanto ela me empurrava tomates boca adentro — tomate com maionese, tomate com açúcar, tomate com sal e pimenta. Na minha lembrança, um suco vermelho azedo escorre pelo meu queixo misturando-se com minhas lágrimas. Choro tão sentido que os soluços se tornam engasgos, depois tosse, até que mais tomate acaba do lado de fora do meu corpo do que dentro.

Ainda odeio tomates.

Os animais de estimação são o ponto alto de minha infância, minha principal fonte de prazer, e por eles devo agradecer a Tia Kay. Quando Marshall e eu começamos a pedir um *pet*, qualquer *pet*, Tia Kay nos apoia. "Os meninos precisam ter um", diz ela a nossa mãe. "Temos um lugar ideal aqui no campo. Que tal um gato? Não precisamos domesticá-lo, os gatos são de longe mais limpos que os cães."

Mas nossa mãe detesta gatos. Depois de seu casamento, ela e nosso pai moraram por um tempo com sua tia Floss, que mantinha trinta e dois gatos em sua casa geminada. "São sorrateiros e entram em tudo quanto é canto", diz ela. "Eles me dão arrepios." Se um gato perdido mia na frente de nossa casa, a mãe ferve água e joga no gato.

Marshall, Tia Kay e eu continuamos fazendo pressão. Finalmente, depois de semanas de súplicas, conseguimos uma gatinha de seis semanas de vida, toda preta, exceto pelas "botas" brancas em cada uma das pernas, como se ela tivesse pisado num prato raso cheio de tinta. É óbvio que lhe demos o nome de Botas. Ela mora no pórtico cercado por uma tela e dorme sobre um travesseiro estofado com aparas de cedro. Tia Kay insiste que Botas deve aprender a defender-se antes de sair por aí e estabelece a data exata da Páscoa para o grande teste da gatinha.

Finalmente o dia chega: Domingo de Páscoa, no ano em que completo cinco anos. O sol da Geórgia, um buraco branco no pálido azul do céu, provocou o completo desabrochar da primavera, e o ar em si parece brilhar com muitas cores. Ainda usando nossos ternos de calças curtas depois de voltar da igreja, Marshall e eu levamos Botas para fora. Ela cheira sua primeira folha de capim naquele dia, bate em seu primeiro narciso acenando na brisa e ataca sua primeira borboleta, pulando alto no ar e errando o bote. Ela nos mantém alegremente ocupados até que crianças da vizinhança se juntam a nós para uma caça aos ovos de Páscoa.

Quando chegam os nossos companheiros de brincadeira da porta ao lado, o inimaginável acontece. Pugs, o *boston terrier* deles, que acompanhou as crianças até o nosso quintal, avista Botas. Emite um surdo rosnado e ataca. Solto um grito, e todos corremos na direção de Botas. Pugs já tem a gatinha na boca e a sacode como se fosse uma meia. Nós crianças formamos um círculo em torno da cena, gritando e pulando para cima e para baixo. Impotentes, observamos um rodopio de dentes faiscantes e tufos de pelo esvoaçando. Marshall pega uma vara e tenta bater no cão que rosna. Finalmente Pugs larga a gatinha estropiada na grama e sai trotando para casa.

Num instante, meu mundo feliz foge de mim. Botas ainda não morreu. Mia baixinho, e seu pelo preto está lambuzado da saliva de Pugs. Chegam os adultos, que logo afastam as crianças da cena.

A tarde inteira oro pedindo um milagre. *Não! Não pode ser! Me diga que não é verdade!* Talvez Botas não morra, ou talvez ela morra e depois volte. Acaso o professor da escola dominical não nos contou uma história assim sobre Jesus? Faço juramentos e promessas a Deus, e mil esquemas passam pela minha cabeça, até que a realidade é declarada vencedora, e eu finalmente aceito que Botas está morta.

Dali por diante, minhas Páscoas da infância são manchadas pela lembrança daquele dia no gramado. Para piorar o caso, tempos depois a mãe nos conta que Pugs de fato não matou Botas. "A gatinha ainda estava viva, mas tinha o pescoço quebrado." Então Tia Kay pôs Botas num saco e o segurou mergulhado na água numa parte mais funda do córrego até que não houvesse mais nenhum sinal de luta.

De noite sonho com Botas, louca e desesperada, arranhando e mordendo para sair do saco enquanto seus minúsculos pulmões se enchem de água.

Encontro consolo nos cães da vizinhança. Não sentindo medo algum de uma criança, eles emergem com suas pernas rígidas de suas casinhas e vãos sob as varandas só para me saudar. Os mais malvados rosnam até que eu, agachando-me, fico pequeno e estendo a mão com a palma para cima. "Bom menino!", digo, e o rabo deles se mexe cautelosamente de um lado para outro. Como um flautista encantador de cães, levo a matilha pela estrada, distribuindo tapinhas na cabeça de cada vira-lata, enquanto eles cheiram meus sapatos e checam meus bolsos em busca de alguma coisa gostosa.

Minha mãe não se comove com nenhum dos vira-latas que trago de volta para sua avaliação, nem mesmo com um lamentável cão de três pernas que não tem casa nenhuma. "Esse cachorro é repelente", diz ela. "Lave as mãos, ele pode ter uma doença."

Peço um cão que seja só meu. Por acaso estamos jantando, e a conversa gira em torno do trabalho escolar de Marshall, e eu interrompo: "Outra coisa boa sobre cães é que..."

Milagre dos milagres, um bondoso casal da igreja nos presenteia com um sinuoso filhote cor de esquilo, que dizem ser um *cocker spaniel* de pelo curto. Nós lhe damos o nome de Buster Brown, inspirando-nos numa marca de sapatos que mostra um cão em seus comerciais, e eu o apelido Buggy Brown. Em suas primeiras noites ele dorme numa caixa com uma toalha, uma garrafa de água quente, e um relógio de tique-taque para lembrá-lo das batidas do coração de sua mãe. Ante suas primeiras lamúrias eu o ajeito na cama comigo. Ele sai caminhando debaixo das cobertas até chegar aos meus pés e depois vai se esgueirando e subindo até acabar dormindo encostado no meu rosto. De manhã sinto o cheiro de seu bafinho de filhote quando ele boceja, botando para fora sua rosada língua comprida e estalando os lábios.

Somos inseparáveis. Se me sento no sofá, Buggy Brown senta no meu colo com a cabeça repousando sobre o meu braço. Prefiro que o braço adormeça em vez de mexê-lo, e assim não vou perturbar Buggy Brown. Se entro no banheiro, ele senta do lado de fora e fica arranhando a porta. Ao ar livre, ele rola escada abaixo, tropeça nos próprios pés, fareja as verduras na horta. Todas as noites o penteio como um macaco, tirando carrapichos do pelo e carrapatos das orelhas. Às vezes o carrapato sai com um pedacinho de carne rosada de Buggy em suas mandíbulas, mas meu cãozinho confiante nunca se queixa.

A vida de Buggy Brown gira ao meu redor. Ele dorme sobre minhas meias ou roupas descartadas, qualquer coisa que tenha meu cheiro, e trota atrás de mim como um companheiro constante. Se saio sozinho, ele fica sentado junto à janela até eu voltar, e então dá pulos de alegria e emite ganidos muito agudos. Ele me considera como um adulto que tem todas as respostas, não como uma criança nova demais para frequentar a escola.

Em compensação, eu redescubro o mundo através do meu cão. Ligo o rádio, e ele dá um pulo para trás, assustado. Acendo uma lanterna, e Buggy inclina a cabeça, depois ataca, hesitando e lambendo o nariz quando toca o vidro quente. Juntos exploramos os bosques e o riacho, e ele para a fim de farejar (e comer) cogumelos e bichinhos que eu nem sequer notei. À noite ele uiva para a lua como se ela não devesse estar lá em cima.

Tal como acontece com os humanos, os cachorrinhos têm suas disposições de ânimo. Buggy Brown dispara pela casa vibrando de alegria, as unhas dando estalidos no linóleo, depois, de repente, freia e para diante de sua cama e pula nela para uma soneca, suspirando de contentamento. Se a mãe bate nele com um jornal enrolado ou enfia o focinho dele na sujeira que ele fez dentro de casa, ele fica deprimido por horas. Se eu o repreendo — coisa rara — ele se aconchega a mim, encostando o queixo nos meus pulsos, batendo-me com as patas, numa tentativa de insinuar-se de novo em minhas boas graças.

Testo a lealdade dele um dia tirando-lhe o osso que está roendo. Ele passa no teste, olhando-me com uma expressão intrigada, mas sem rosnar. "Você é o melhor cão do mundo", digo e repito muitas vezes, e todo o seu corpo se agita em sinal de gratidão. Buggy Brown é a bondade mais confiável de minha vida.

Num dia fatídico Buggy Brown cai num buraco aberto em nosso terreno nos fundos da casa, escavado por alguém que veio consertar a fossa séptica. Depois de chamá-lo, ouço um choramingo vindo do fundo do que parece ser uma enorme caverna. Pobre Buggy Brown — seu pelame está coberto com a lama mais nojenta que consigo imaginar, e ele nunca pareceu tão triste. Ninguém sabe o que fazer até que um homem da vizinhança se apresenta para realizar o feito mais corajoso que já vi. Ele desce devagar por uma prancha inclinada até o fundo do buraco, apanha meu sujo, imundo cão e, segurando Buggy contra o peito, volta à superfície. Normalmente, Buggy Brown odeia banhos, mas nesse dia ele fica parado feito pedra enquanto o borrifamos, ensaboamos e enxaguamos várias e várias vezes.

Alguns meses depois, Buggy Brown fica doente. Nosso leal guardião permanece deitado na sombra em vez de correr para saudar os cachorros dos vizinhos ou as crianças de bicicleta. Tosse o tempo todo. Seguro seu corpo febril e passo vaselina em seu nariz endurecido e nas patas inchadas. "Cinomose", diz o veterinário. "Podíamos ter impedido isso com uma vacina, vocês sabem." Não, não sabíamos, e provavelmente não teríamos gastado esse dinheiro, fosse o que fosse.

Na sala do veterinário, Buggy Brown tem uma espécie de ataque. Seus lábios ficam arreganhados e os dentes estalam como tesouras. Um líquido da cor de leite coalhado escorre de sua boca, manchando minha roupa. Minha mãe tem de arrancá-lo dos meus braços. O veterinário aceita ficar com ele por alguns dias, e nunca mais vejo Buggy Brown. Eu me pergunto se o veterinário realmente cuidou dele ou se o botou logo para dormir — ou o afogou num córrego, como Botas.

Depois de um período de luto, volto de novo à questão de ter um cachorro. Prometo que vou cuidar de toda a alimentação, fazer a limpeza da sujeira e dos lixos e proteger os móveis. "Sim", diz minha mãe, "mas eles cortam seu coração, Philip. Você sabe o que acontece por aqui. Um carro dá uma freada violenta, ouvimos um ganido, e o cachorro de alguém acaba de ser atropelado."

Numa tarde de domingo estou caminhando ao longo dos trilhos, e Deus atende a minha oração. Descubro um filhote de cachorro em pele e osso enrolado sobre si mesmo. Esbaforido de tanta esperança, aninhando o filhote em minhas mãos, volto depressa para casa. Oro ardentemente por ele enquanto Tia Kay lhe serve leite com um conta-gotas. Durante as noites seguintes, ela programa um despertador para várias sessões de alimentação, esmaga aspirina no leite e de algum jeito consegue recuperar a saúde do filhote vira-lata. Ele é da cor da fuligem a não ser por uma mancha branca sobre um dos olhos. Então que outro nome posso lhe dar que não seja Blackie?

Blackie tem mais energia do que Buster Brown, e muito menos vontade de comportar-se bem. Espalha o lixo no quintal lá fora e mordisca os móveis aqui dentro — e, como ela muitas vezes me lembra, a mãe termina ocupando-se mais do que eu na alimentação dele e na limpeza do quintal. Blackie é expulso para fora de casa. Ele foge por horas seguidas. Eu o amarro na linha do varal, que ele logo derruba. Prendo-o com uma corrente a uma árvore, e ele enrola a corrente de um jeito que mal pode se mover, e então uiva até que o liberto.

Tento pensar como um cachorro. Se eu me aproximasse das coisas com a boca, sem usar as mãos, eu também iria querer morder tudo. Sempre descubro um jeito de ficar do lado do cachorro, e Blackie sabe disso.

Sempre que me vê, seu rabo gira em círculos. Se o solto da trela, ele dança ao meu redor como se fosse o melhor dia de sua vida.

Meus livros para crianças contam histórias acerca de animais que conseguem falar e entender palavras. Eu me pergunto se isso poderia ser verdade. No meu tom de voz mais suavizante, digo: "Blackie, você é o cão mais tonto que já vi. Você é um idiota, e eu não posso aturar você. Você é pura encrenca". Ele sacode o rabo e me olha com olhos brilhantes, ansiosos. Alguns minutos mais tarde digo do modo mais duro possível: "Blackie, agora me escute! Você é um grande cão e eu gosto de você!". E a cabeça dele se abaixa, e ele ergue os olhos para mim com a expressão de *O que fiz de errado agora?* Esse é o meu primeiro experimento científico.

Blackie me deixa segurar o focinho dele com as duas mãos enquanto lhe conto sobre o meu dia. Talvez ele não entenda inglês, mas entende meus sofrimentos e ouve minhas queixas. Deixo-o lamber minhas feridas, porque todo mundo sabe que cuspe de cachorro as cura. Também sempre pergunto a ele sobre seu dia. "Você foi um bom cachorro? Ficou no quintal? Cavou embaixo da cerca do jardim?" Ele gentilmente toma minha mão em sua boca e emite ganidos felizes como que respondendo às minhas perguntas.

Blackie jamais consegue conquistar minha mãe. Ele invade as lixeiras dos vizinhos bem como a nossa. Deposita seus excrementos nos caminhos mais batidos, de modo que Marshall e eu temos de extrair a duras penas cocô úmido de cachorro das fendas da sola de nossos calçados. Arranca a grama sempre que o amarramos, e assim logo nosso quintal parece uma extensão da estrada de terra. Minha mãe registra e vai computando todos esses desaforos e às vezes lhe aplica uma surra de vara.

A gota d'água acontece quando um vizinho espia o Blackie perseguindo seus patos e galinhas. Um homem num macacão de brim e chapéu de palha aparece em nossa porta. "Senhora", diz ele a minha mãe, "acho que aquele cachorro lá é seu, aquele preto, não é?" Ela acena concordando. "Bem, lamento dizer isso, mas aquele cachorro matou três das minhas galinhas. A senhora precisa dar um jeito de controlar aquele cachorro." Minha mãe agradece, e ele toca a aba do chapéu e vai embora. Tento negar o crime — *talvez tenha sido um cachorro muito parecido com ele* — mas o bafo de galinha morta do Blackie é uma denúncia evidente.

Na tarde do domingo seguinte carregamos Blackie no carro e saímos para dar uma volta. Sabendo o que está prestes a acontecer, meu coração está explodindo. Blackie não suspeita de nada. Eu o seguro no colo enquanto ele bota o nariz para fora da janela, fazendo uma leitura rápida do ar a caminho de sua aventura. De vez em quando ele se vira e lambe meu rosto em pura alegria.

"Dê adeus a ele", diz minha mãe quando o carro para numa estrada de terra num bosque, a quilômetros de casa. Ela fica no carro enquanto Blackie e eu saímos. Seguro-o bem apertado, digo-lhe que ele ficará bem e tenho certeza de que alguma outra pessoa lhe proporcionará uma bela casa. Ele tolera essa conversa por um minuto ou dois, e depois se solta para explorar o novo território. Sai correndo pela estrada para marcar uma árvore e late para um esquilo que farfalha no alto entre as folhas.

Retorno para o carro e me ajoelho no banco de trás, olhando pela janela traseira. Blackie se senta, ofegando, o rabo se movendo para cá e para lá atrás do corpo, alisando o chão de terra. Ele olha para o carro com um jeito indagador. Depois salta de pé e vem correndo em nossa direção.

Blackie não é páreo para um carro. Minha última visão dele é a de uma sombra escura em movimento que mal consigo distinguir numa nuvem de pó. Finalmente, até a sombra desaparece.

6

Riscos

> O escritor tenta fechar a ferida da infância com palavras, sabendo o tempo todo que, se aquela ferida sarasse, ele já não seria mais um escritor.
>
> Richard Selzer, *Down from Troy*

Aos cinco anos de idade, vou ao dentista.

Já perdi alguns dos meus dentes de leite. A primeira vez que senti um dente mexer, empurrei-o com os dedos de um lado para outro até ele soltar-se o suficiente para sacudi-lo com a língua. "Melhor é você amarrar essa coisa a uma maçaneta e fechar a porta com força", disse Marshall. "Caso contrário o dente cai de noite e você vai morrer engasgado."

Não querendo muito morrer, amarrei uma ponta de um barbante grosso no dente e a outra na maçaneta e... fiquei com medo. Foram necessárias duas ou três tentativas antes de eu criar coragem e bater a porta. Senti um alívio imediato, como a sensação que se tem quando um pedaço de alimento preso na garganta finalmente é engolido. Durante alguns dias depois disso formei feridas na língua de tanto sondar com ela o macio, delicado espaço entre o dente arrancado e seus vizinhos com afiadas arestas.

Mas agora dois dentes pontudos apareceram em lugares errados, formando uma nova fileira na frente dos dentes de baixo. Isso exige uma visita ao dentista. "Então este é seu filho Philip", diz ele a minha mãe e me aperta a mão como se eu fosse um adulto. É um senhor com excesso de peso, jeito de avô, com nariz grande, que minha mãe escolheu porque cobra mais barato.

O dentista me conduz a uma cadeira almofadada que sobe quando ele pressiona um pedal igual ao de uma bicicleta. "Vamos ver o que você tem aqui, meu rapaz", diz ele. Inclino a cabeça para trás contra um papel enrugado sobre o encosto da cabeça e abro a boca. Uma luz presa à cabeça dele me faz piscar, e escuto seus resmungos: "Uh, huh… humm", enquanto ele vai remexendo na boca. Consigo ver os pelos no nariz dele e sinto o cheiro de seu almoço. No fim, ele declara: "É isso, parece que esses dois têm de sair daí". Meu coração pula algumas batidas.

"Nada de injeção, por favor!", peço eu. "Detesto agulhas."

O dentista olha para a minha mãe, que dá de ombros.

"Bem, normalmente usaríamos novocaína", diz ele. "Sei não. Se é isso que você quer…" Ele procura dentro do que parece uma pequena geladeira, embora quando a porta se abre saia fumaça. Tira dela um par de alicates que formam um ângulo esquisito. Com suas mãos carnudas ele sacode o primeiro dente um pouquinho para a frente e para trás, depois se levanta e se prepara. Ouço um forte *crac*, como quando um bastão de beisebol se quebra — e tudo fica escuro.

Ele acaba de arrancar um dente canino adulto com sua longa raiz. Eu tremo com aquela dor pungente e me inclino sobre a pia de porcelana ao lado da cadeira e cuspo um fluxo de sangue quente e salgado. Não consigo inspirar ar suficiente em meus pulmões.

"Caramba, que coisa! Esse não é um dente de leite de jeito nenhum." Segura o dente mais perto para examiná-lo. "Mesmo assim, estava no lugar errado. Você é um rapaz corajoso. E já que você está aqui, bem que podemos tirar o outro também."

Ele me dá alguns minutos para me recuperar, e eu sorvo água de um cone de papel e continuo cuspindo até ela sair bastante clara. Ele enche a cavidade ainda sangrando com um chumaço de algodão, pega os alicates, e o pesadelo se repete. Quando ele acaba, noto pontinhos de sangue em seu jaleco branco.

"Está vendo, não foi tão ruim assim", diz minha mãe, enquanto ainda estou tentando voltar à respiração normal. A caminho de casa, ela para a fim de comprar sorvete, e o choque do frio em contato com as gengivas embaça minha visão.

Estou aprendendo que o mundo é um lugar perigoso, mesmo dentro de casa. Duas vezes caí sobre o registro do aquecimento central da residência, e durante semanas depois disso exibo uma grelha de queimaduras nas mãos e nas pernas. As aranhas viúvas-negras e as violinistas escondem-se nos cantos do vão embaixo da casa, e sempre que sinto coceira na pele à noite, pulo da cama assustado.

Fora de casa há mais riscos. Corremos descalços sobre espinhos e latas enferrujadas, e arranhamos as costas passando por baixo de cercas de arame farpado. Abelhas, mamangabas, vespas vermelhas e vespas amarelas zumbem ao nosso redor procurando rapazes pequenos para atacar. Um ferrão de mamangaba é um distintivo de honra: investigo com uma agulha para ter certeza de que o ferrão saiu, depois examino a pequena cratera com uma mancha de sangue inchando e ficando vermelha.

Os adultos gostam de assustar as crianças. Envesgue os olhos, e eles vão ficar presos nessa posição para sempre. Engula um caroço de pêssego, e você vai morrer engasgado. Masturbe-se — o que é isso? — e você vai ficar cego. Brinque demais num dia de verão, e você pode pegar uma insolação e acabar num hospital ou num caixão. Cuidado com a raiva, adverte minha mãe pedindo-me para evitar cachorros que babam ou ficam andando em círculos. Eu a ignoro e faço amizade com todos os cachorros que encontro.

Minha tia Doris me contou histórias assustadoras sobre gente que morreu de algo chamado "envenenamento do sangue". Sempre que piso num prego ou num estrepe, inspeciono o ponto com intervalos de poucas horas, sempre atento àquela listra vermelha que poderia subir pela perna como o mercúrio num termômetro e disparar para o coração.

Em tempos pré-vacinação, pego as doenças normais da infância: catapora, caxumba, coqueluche, escarlatina, infecção de garganta, sarampo. Tia Kay, que é enfermeira, assume o controle nesses casos. A maioria desses males causa febre, coisa de que eu quase gosto. A febre torna tudo mais claro e nebuloso ao mesmo tempo, como sonhar estando acordado. Estou em meu mundo particular. O tempo para, e eu já não sei o que é sentir-se normal. E depois, certa manhã, quando acordo com o travesseiro ensopado de suor, Tia Kay anuncia toda feliz: "A febre acabou!".

A mais assustadora das doenças, a pólio, com ela não nos preocupamos. O Dr. Salk e o Dr. Sabin vinham competindo para descobrir uma vacina, e o Dr. Salk vence a corrida com um tratamento que exige três injeções. A sua vacina tem um mau começo, paralisando várias centenas de crianças e alarmando pais em todo o país. "O pai de vocês pegou pólio, então vocês estão seguros", garante nossa mãe, e eu respiro mais aliviado. Depois o Dr. Sabin produz uma vacina que se pode tomar por via oral, na forma de cubos de açúcar. Marshall tira a máxima vantagem disso. Amante do açúcar e convencido de que está imune, ele procura hesitantes colegas de escola e se oferece para comer suas doses de Sabin.

No fim os cientistas dominam o procedimento e a pólio quase desaparece nos Estados Unidos. Isso me leva a pensar que talvez meu pai simplesmente nasceu cedo demais.

Apesar do desconforto, estar doente tem suas vantagens. Posso tomar quanto sorvete quiser, servido em copinhos de papel com uma pazinha de madeira. A regra contra refrigerantes também é suspensa, e eu sorvo o de gengibre borbulhante e gelado que faz cócegas na garganta.

Não só isso. A doença traz o melhor de minha mãe. Por um tempo eu me torno o centro de sua atenção. Durante o dia ela improvisa uma cama no sofá da sala de visitas e lê livros para mim. Mais ou menos a cada hora pergunta como estou me sentindo, e eu a ouço passando relatórios a suas amigas pelo telefone. "Ele está melhor hoje. Um perfeito mocinho. Nunca se queixa de nada." Gosto de ouvi-la falando de mim, como se eu tivesse importância.

Suas mãos frias tocam minha testa e pressionam um pano molhado contra o meu rosto quando vomito. Ela me fala das noites em que ficou sentada ao meu lado numa tenda de vapor em Blair Village quando eu tive pneumonia, minha respiração tão pesada que os vizinhos podiam ouvi-la através das paredes. "Com sua asma, você está sempre correndo o risco de que ela se torne uma pneumonia", explica.

Um dia ela me leva a um quiroprático. Surpreende-me que ela ainda confie neles. Ele lhe diz que minha asma foi causada no parto quando um fórceps machucou um nervo atrás da orelha. Faz alguma coisa nas minhas costas que provoca sons de quebrar, mas não dói muito. Depois de apenas uma sessão de tratamento ele me declara curado, e escreve sobre isso num jornal. Mais tarde, depois de eu cair e bater a cabeça, a asma volta de novo, e o quiroprático tem de repetir sua cura milagrosa.

Poucos meses mais tarde, quando eu fico dizendo "Não!", minha mãe estica o braço e me dá um tapa, e eu caio e bato a cabeça no chão. "Foi isso que finalmente curou você", insiste ela. "Sua asma parou, e eu nunca mais tive de levar você ao quiroprático de novo."

As enfermidades têm seu papel no mito da família. Depois da visita ao cemitério, quando nossa mãe nos contou a história de Ana e Samuel, ela disse: "Deus salvou vocês para uma finalidade. Vou fazer tudo o que posso para preservá-los porque doei vocês a ele. A vida de vocês agora é sagrada, e Deus tem grandes planos para vocês". A cada doença, a cada visita a um hospital, a cada situação perigosa da qual se escapa por um triz, o mito cresce.

Sinto-me dividido dentro de mim, dividido entre a mãe gentil que flutua ao meu lado quando fico doente e a mãe que castiga quando menos espero. Às vezes a raiva dela explode sem avisar, como uma trovoada de verão. Não posso correr para ela sem antes checar os sinais de seu estado de espírito. À noite, quando ela me aconchega na cama, ela está me afagando ou agarrando? E eu?

Pelas crianças da vizinhança com quem ando, descubro que nossa família é diferente. Outras crianças falam da *Mamãe* ou *Mâmi* delas; nossa mãe não gosta dessas palavras informais. Eu nunca tive um cobertor para carregar comigo ou um bichinho de pelúcia. Nunca tive uma chupeta e se eu tentasse chupar o dedo quando tinha uns três anos de idade, minha mãe colocava nele pimenta malagueta. "Você está chupando o dedo de novo?", dizia. "Bebezinhos fazem isso. Você é um bebezinho?"

Quero ser notado. Fico de pé no alto de um escorregador e grito: "Olhe para mim! Veja como estou no alto, mãe!". Mas parece que ela nota mais as coisas negativas. Diz a outros parentes como sou osso duro de roer, como rejeito tomates e recuo quando vejo uma agulha. Muitas vezes ela se refere a um incidente específico que me faz parecer bobo.

Aconteceu durante uma tarde num dos clubes bíblicos em que minha mãe ensina na casa das pessoas. Duas dezenas de crianças acanhadas empilham-se numa sala de visitas por mais ou menos uma hora, sentadas sobre móveis e no chão para cantar hinos e ouvir suas lições, que ela ilustra com coloridas figuras fixadas sobre um flanelógrafo. Boa contadora de histórias, minha mãe consegue fazer a Bíblia ganhar vida.

Ela ensina com muita energia e mantém a ordem. Se uma criança se comporta mal, ela ameaça: "Vou ter uma conversa com sua mãe" ou então "O Senhor quer que você fique quieto. Ele me disse isso!". Os clubes bíblicos sempre terminam com agrados como bolachas de baunilha e refrigerante, e também com prêmios pela memorização de trechos da Bíblia e a surpresa de uma "cadeira especial" com doces colados embaixo dela.

Eu não sou candidato à surpresa de uma "cadeira especial" ou a outros prêmios, mas me orgulho de ser filho da professora.

Sua fama se espalha. Logo ela adere a um grupo chamado Movimento Clube da Bíblia e leciona nesses clubes bíblicos quatro ou cinco tardes por semana. Como ela não pode pagar uma babá, eu acabo assistindo a cada uma de suas aulas como pré-escolar. Entediado com a repetição, procuro maneiras de me distrair.

Numa preguiçosa tarde, na hora do lanche, enfio um grão de uva-passa no nariz. É muito mais fácil enfiar uma uva-passa no nariz do que tirá-la dele, descubro então. A uva-passa absorve a umidade e incha, bloqueando a narina. Aperto a outra narina para fechá-la e sopro. Nada. Cutuco a passa com um dedo, o que só a empurra mais para dentro. No fim, tenho de confessar.

"O que você está fazendo com uma uva-passa no seu nariz?", interpela minha mãe.

Congelo, apanhado me comportando mal de novo. "Não sei. Ela simplesmente foi parar ali."

A solícita anfitriã providencia um arsenal de instrumentos — palitos, pinças, uma colher, um garfo, uma faca, um espeto — e minha mãe entra em ação. As outras crianças ficam ao meu redor e sorriem maliciosas. Logo o interior da narina é uma massa sangrenta, e tudo o que minha mãe faz é enchê-la de lenços de papel e me levar ao pronto-socorro. Lá, um amigável médico residente usa algum tipo de instrumento que tira a uva-passa do meu nariz.

Parece que estou fazendo sempre coisas desse tipo, ou por tédio ou por pura ousadia. Quase sempre sou pego e punido.

Cada criança que conheço leva palmadas. A maioria delas vive com medo da ameaça "Espere até seu pai chegar!". Como não temos pai, nossa mãe faz o papel dele. "Vou lanhar seus traseiros", grita ela. Quando protestamos ela grita que está pegando leve com a gente. "Recebi um tratamento muito pior da minha mãe", diz ela.

Marshall recebe uma sonora surra por dizer "filho da mãe", uma frase da lista das proibições, e outra por não parar quieto na igreja. Eu levei uma por desenhar no jornal da escola dominical em vez de prestar atenção ao sermão. Essas duas punições foram executadas no corredor da igreja, onde, para nosso embaraço, todo mundo pode ouvir. Em casa, surras acontecem por batermos a porta de tela, por não limparmos o quarto, por mentirmos, por lutarmos entre nós, por respondermos à mãe — crimes normais da infância.

Às vezes ela opta por uma pá BoLo, um brinquedo de madeira com o formato de uma raquete de pingue-pongue. A meu ver, parece errado usar um brinquedo como arma. Ela também experimenta com outras coisas: cintos, varas do quintal, um mata-moscas. O mata-moscas é o que machuca menos, mas deixa meleca de insetos nas pernas.

Enquanto bate ela vai falando. "Quantas vezes tenho de lhe dizer? Não responda à sua mãe! Vou fazer você lamentar por ter um dia nascido." Suas palavras caem como tijolos.

Finjo que choramingo, tentando fazê-la parar. "Eu vou lhe dar um motivo para chorar", diz ela, e não para. Depois vem o confuso oposto: "Vou continuar batendo até você parar de chorar."

Tento argumentar. Digo-lhe que quero morrer, porque daí vou para o céu e conto ao papai como ela é má. Ela dispara imediatamente sua resposta: "Eu queria morrer também. Iria para o céu e diria a ele o que você fez de errado".

Sua frase preferida é "Espero que quando você crescer tenha dez exatamente iguais a você. Daí você vai saber, vai ver".

Às vezes Marshall e eu nos unimos como aliados, e às vezes viramo-nos um contra o outro. Sendo o mais velho, Marshall geralmente leva vantagem. "Você está encrencado! Melhor ir imediatamente para casa. Ela está FURIOSA!", anuncia ele com aquela cara de *Ha ha, você está frito*.

Minha pior traição imposta a Marshall envolve um livro que Tia Kay e minha mãe nos fizeram solenemente jurar que não iríamos ler. Conta a história dos Shakers, uma comunidade religiosa cujos membros não se casam nem praticam atos sexuais. Cada vez que passo pela estante, aquele livro sibila para mim como uma serpente. De noite Marshall e eu discutimos que tipo de material picante se oculta entre as capas daquele livro.

Um dia surpreendo Marshall deitado atrás da cama da mãe, não apenas folheando, mas devorando o livro. Guardo o segredo por várias semanas até que ele faz alguma coisa totalmente injusta. Então eu conto. Minha mãe troca um olhar com Tia Kay, e em seguida as duas me elogiam por eu fazer a coisa certa.

No fundo, sei que escorreguei para um novo patamar de deslealdade para com meu irmão. Sinto um gosto ruim na boca e uma sensação de enjoo no estômago. Por um tempo Marshall já não confia em mim e me exclui. Sinto-me sozinho, como se ninguém estivesse do meu lado. Prometo-lhe nunca o denunciar de novo. Pelo que sei, ele não é punido por ler o livro, e eu mantenho a promessa de não o trair daquele jeito de novo.

Nós dois somos rotulados. Marshall é *preguiçoso*, a maldição do filho talentoso. No segundo ano, antes de eu entrar na escola, ele me confidencia que vai para as aulas aterrorizado todo santo dia, porque não fez sua tarefa. "Sinto um formigamento no couro cabeludo, a cabeça dói e eu suo. Tenho certeza de que a professora vai me chamar."

"Por que você não faz sua tarefa?", pergunto.

"Não vejo motivo", diz ele. Dito e feito, ele racha de estudar na noite antes de uma prova e ainda tira a melhor nota da turma. Aceita o rótulo de *preguiçoso* e não muda.

Tenho meu rótulo também. Descubro isso um dia enquanto estou sentado com um livro de histórias no meu canto preferido enquanto minha mãe passa roupa no quarto ao lado. Consigo sentir o cheiro do calor que sai do ferro e o cheiro azedo quando ele passa uma velha camisa de algodão. Ela está falando ao telefone com seu fio comprido enrolado, o pescoço dela inclinado para segurar o fone junto ao ombro. "Ah, você deve estar se referindo ao Philip...", diz ela à pessoa do outro lado da linha. "Ele é o lerdo. O irmão dele é que é rápido e inteligente."

Quando nota a expressão magoada no meu rosto depois do telefonema, ela tenta se explicar. "Você sempre demorou mais em tudo", diz ela. "Para caminhar, para falar, para amarrar os sapatos. Até para nascer. Você já estava quase um mês atrasado antes de decidir fazer sua solene entrada em cena."

Minha reação ao julgamento dela difere daquela de Marshall. Eu resolvo provar que o rótulo dela é errado. Conheço os contos sobre pessoas como a Cinderela — ou José da Bíblia — que são maltratadas e, no entanto, um dia chegam ao auge da fama. *Vá em frente, Philip. Você vai achar alguém que vai notar você. Vai superar Marshall em algum ponto algum dia.*

Marshall é ao mesmo tempo meu herói e meu rival. Como passa a maior parte de seu tempo lendo, ele raramente se mete em encrencas. Aos sete anos de idade, anuncia que quer crescer para ser um missionário, exatamente como seu pai, e a partir daí nossa mãe lhe dispensa um tratamento especial. Pensa nele como seu "filho bom". Isso me dá vontade de vomitar.

Sei que ele é mais relaxado em relação à casa, que não faz sua tarefa, que uma vez falsificou a assinatura dela num documento da escola. Ele é esperto demais para se deixar apanhar.

"Isso não é justo!", queixo-me. "Você permite que ele vá dormir mais tarde, e a semana passada foi para a casa do Frank e ficou vendo tevê! Eu nunca consigo fazer nada para me divertir."

"Você terá suas oportunidades", responde ela. "Ele é mais velho", como se isso explicasse qualquer coisa.

Quando Marshall faz alguma coisa, quero copiá-lo. Depois que o vi andar de bicicleta sem as rodinhas, passei os dias seguintes pedindo à mãe que tirasse as rodinhas da minha bicicleta também, assim posso andar como o Marshall. Depois de muito bufar e resmungar, ela mexe com alicates e parafusos enferrujados até conseguir tirá-las. Cerca de cinco minutos numa bicicleta maluca e desgovernada, percebo que cometi um erro e imploro que ela coloque de novo as rodinhas. Pressentindo encrenca, Tia Kay se oferece para recolocar as rodinhas em seu lugar.

Um mês mais tarde estou pronto para uma nova tentativa. "Você tem certeza?", pergunta minha mãe, e dou a entender que tenho. O mesmo resultado humilhante. De novo Tia Kay recoloca as rodinhas.

Na terceira vez que menciono esse assunto, minha mãe me adverte: "Se essas rodinhas forem tiradas, elas não vão ser recolocadas nunca mais. Está me ouvindo? Não vamos fazer isso de novo". Durante vários dias tento dominar o equilíbrio, e a cada tentativa acabo no chão com a bicicleta por cima de mim. Enchendo-me de coragem, peço-lhe que recoloque as rodinhas de segurança. Ela enxuga as mãos no avental e me conduz com minha bicicleta para a estrada de terra, tirando as folhas de um galho recém-arrancado enquanto vai indo. Sinto um nó no estômago.

"Vou lhe ensinar a andar de bicicleta", diz ela. "Agora, sente-se no selim!" Ela me bate com o galho, e eu monto no selim e vou em frente balançando. Por mais alto que eu grite, ela continua brandindo o galho, mesmo quando começo a oscilar. Minha única saída é pedalar para a frente, e é o que faço, gritando, com lágrimas e ranho escorrendo pelo rosto.

Anos mais tarde resgato essa lembrança e a examino, como uma cicatriz antiga. Descrevo para minha mãe os sentimentos de amor e ódio pelas bicicletas que tive de superar. "Deveria ter sido um tempo alegre, um triunfo da infância", eu lhe digo. "Mas foi uma alegria escura. Muitas vezes, quando eu queria sentir prazer, acabava em vez disso sentindo dor."

Naquela altura eu já tenho ciência de sua própria dura infância e me pergunto se ela será compreensiva.

Ela me encara como se estivesse perplexa. "Bem, você aprendeu a andar de bicicleta, não aprendeu?"

Durante os dois primeiros anos de Marshall na escola, fico em casa com duas pessoas adultas, de modo que as probabilidades estão dispostas contra mim. Sempre me apanham. Daí, um dia me ocorre que minha mãe não sabe realmente tudo e Tia Kay não tem olhos na nuca. *Tem uma parte de mim que elas não conhecem. Elas não podem ler minha mente.*

Trabalho a capacidade de guardar segredos. Enquanto eu ficar de boca fechada e não deixar nada transparecer, um segredo permanecerá oculto. Não contar as coisas me dá uma nova espécie de controle. Nada deixa os adultos mais furiosos do que uma greve de silêncio, descubro eu.

"O que você ficou fazendo com aqueles garotos a tarde inteira?", pergunta minha mãe no jantar.

"Nada, só brincamos", respondo.

Tia Kay entra na conversa: "Posso dizer, pela sua cara, que você está escondendo algo".

Penso em alguma outra coisa, qualquer coisa, que me impeça de contar a elas sobre a competição de revólver de ar comprimido. Aguento o olhar delas, tentando não piscar. Elas voltam a me olhar, estudando minha cara para descobrir algum indício do que eu poderia estar escondendo.

Essa tática me propicia outro rótulo. "Você é um fingido!", declara minha mãe, um rótulo com que não me importo muito.

Quando a surra não funciona, a mãe e Tia Kay fazem ameaças. A maior ameaça de minha mãe é assim: "Se você não se comportar, chamo os homens de jaleco branco de Milledgeville para que venham buscar você". Milledgeville é o asilo para doentes mentais da Geórgia. Às vezes ela ri ao dizer isso, embora eu não possa ter certeza. Crianças podem ser "isoladas" como acontece com um cachorro maldoso?

O pior ato de traição sucede depois de uma das ameaças de Tia Kay. "Se você não se endireitar, vou mandar você para um orfanato", diz ela, repercutindo um aviso de minha mãe. Durante alguns dias pondero o que é pior, o asilo para doentes mentais ou um orfanato.

Conto a minha mãe sobre a ameaça de Tia Kay, em parte para ter a compaixão dela e em parte para ouvir se é verdade. Recebo mais do que pedi. Minha mãe diz a melhor coisa que jamais me disse. Segurando-me o queixo com uma de suas mãos, olha-me nos olhos e diz: "Doçura, o que quer que aconteça, eu nunca, jamais vou mandar você para um orfanato".

Acredito nela. Entendi o que realmente importa. Por pior que eu seja, jamais serei isolado.

O que não sei naquela altura é que Tia Kay combinou nunca lançar mão de castigos físicos com a gente, deixando isso para a nossa mãe. Ela mencionou a ameaça do orfanato num momento de desespero. Mais tarde, nossa mãe discute isso com seu pastor, que a aconselha a dispensar Tia Kay.

Logo em seguida essa boa mulher, minha defensora, que nos deu vários anos de sua vida, começa a fazer planos a fim de mudar-se para o Kentucky, tudo por minha causa.

Talvez eu seja um fingido. Não consigo confiar em ninguém — a começar por mim mesmo.

7

Igreja

> É mais fácil viver no mundo sem ser do mundo do que viver na igreja sem ser da igreja.
> Henri J. M. Nouwen

A igreja define minha vida. Nossa família frequenta os cultos todas as manhãs e tardes de domingo e também nas noites de quarta-feira para encontros de oração. Além disso, espera-se que eu compareça à Escola Bíblica de Férias, às atividades da mocidade, aos "reavivamentos", e em qualquer outra ocasião em que as portas estejam abertas. A igreja me diz em que acreditar, em quem confiar, de quem desconfiar e como me comportar.

Minha primeira igreja foi uma clássica estrutura de tijolos com uma agulha de torre branca apontando para o céu. "Seu pai algumas vezes pregou ali", nossa mãe nos lembrava, "e foi ali que ele teve sua cerimônia fúnebre." Todavia, alguns anos mais tarde depois da morte dele aquela igreja se dividiu em torno da questão de pintar ou não pintar de branco os tijolos externos, de modo que nossa mãe achou outra congregação da Convenção Batista do Sul à qual se juntou.

"É muito maior", ela nos diz com antecedência. "Quase mil membros." A Igreja Batista Colonial Hill ocupa a maior parte de um quarteirão residencial da cidade de East Point, não muito longe do aeroporto de Atlanta. Na primeira visita que fazemos, olho boquiaberto para todas aquelas fileiras de assentos ao estilo de um teatro dispostas no santuário. O prédio anexo da Escola Dominical parece maior que a escola primária de Marshall. É aqui que passaremos nossos anos de formação.

Cada semana aspiro o aroma da igreja, um misto de perfume de mulheres, cera do chão, Bíblias com capas de couro, madeira manchada de suor e um cheiro de queimado dos registros do sistema de aquecimento. Nada de velas ou incenso, é claro: somos batistas. Minúsculas luzes cintilam num mapa pintado na parede do lado esquerdo, uma para cada missionário que a igreja sustenta. Na parede do lado direito brilha um conjunto de tubos de órgão, de longe a parte mais vistosa do santuário.

Nosso pastor, Paul Van Gorder, tem um diploma da Universidade Bob Jones, mas nenhuma formação de seminário. Homem bonito, com uma ondulada cabeleira escura, ele atrai uma multidão apesar de ser nortista, da Pensilvânia. Podemos dizer que ele não é "daqui por perto" pela maneira como pronuncia certas palavras. Às vezes ele fala numa linguagem exatamente igual à da Bíblia: "Devemos tardar um pouco mais até o retorno de Jesus".

Sou demasiado jovem para acompanhar seus sermões, mas devem ser bons, porque o programa nacional *Radio Bible Class* o escolheu como um de seus principais locutores. Nós nos orgulhamos de nosso pastor, famoso o suficiente para estar no rádio e às vezes até na televisão. Muita gente, inclusive minha mãe, vai anotando quando ele fala, e outras pessoas marcam suas Bíblias com tintas de várias cores. Quando o Irmão Paul diz "Abram suas bíblias em Ageu", o som das finas páginas virando farfalha no santuário. Na nossa igreja, todos sabem como encontrar um profeta menor como Ageu.

Para a nossa mãe, o domingo é o ponto alto de cada semana. Outras mulheres falam sobre o trabalho maravilhoso que ela vem fazendo em seus clubes da Bíblia e perguntam se ela poderia encaixar mais um dia em sua agenda. Ela apresenta Marshall e eu como seus filhos. "Eles podem às vezes dar muito trabalho", diz ela rindo e humildemente aceitando os elogios que vêm depois. "Eu simplesmente não sei como você consegue fazer tudo isso, Mildred."

Nossa mãe acredita que as crianças deveriam agir como adultos na igreja, e assim eu tenho de descobrir maneiras de matar o tempo. Testo a telepatia mental fixando o olhar na mocinha duas fileiras à minha frente. Será que eu consigo fazer que ela se vire e olhe? Ou estudo os integrantes do coro, sentados em fileiras atrás do púlpito. O homem gordo com uma marca de nascença está cochilando — na igreja! Aquela mulher com um penteado em forma de colmeia parece ridícula com aqueles óculos de gatinho. Eu devaneio: *Se um comunista invadir nossa igreja com uma metralhadora, quem do coro será alvejado primeiro?*

Marshall e eu inventamos jogos durante o canto dos hinos. O condutor do canto pede que as mulheres cantem o segundo verso e os homens o terceiro: "Vamos ouvir agora só os homens. Quero que vocês soltem a voz!". Marshall me dá uma cutucada, na esperança de que eu me engane e cante no momento errado, com as mulheres. Ou então nos alternamos, cada um cantando uma palavra: Marshall canta *Quando*, eu canto *se*, sua vez *fizer*, minha vez *chamada*. Folheamos o hinário procurando nomes esquisitos entre os autores, tais como Augustus Toplady. Todavia, nenhum supera P. P. Bliss.

É engraçado, mas toda fala sobre alma e espírito na igreja me torna mais consciente do meu corpo. Nos meses mais quentes, quando uso calças curtas, farpas da madeira picam minhas pernas. Pratico piscar os olhos, estalar os dedos, qualquer coisa que me ajude a passar o tempo. Fecho os dedos com força, enfiando as unhas na palma das mãos. Suspendo a respiração pelo maior tempo que consigo, observando no relógio o indicador dos segundos. Aperto o banco com toda a força, tentando fazer as veias do braço saltarem, como as de um levantador de pesos.

Às vezes minha mãe percebe e estende o braço para me beliscar. "Preste atenção no sermão!", ela sussurra alto o suficiente para que outros ouçam. Numas poucas humilhantes ocasiões ela me arrasta para fora segurando-me pelo pulso e me surra.

Sempre que é possível, tento sentar-me perto do Sr. Baker, que é cego e está sob os cuidados de um pastor alemão que o guia por aí. Nós crianças recebemos ordens para não acariciar seu cão-guia, a não ser que o Sr. Baker nos dê permissão, e assim estabeleço para mim o objetivo de tornar-me amigo desse homem amável. Invejo o cão dele, que tem permissão de dormir durante o serviço religioso. O coitado deve ficar aborrecido o tempo todo porque tem sempre de obedecer ao seu dono. Não pode nem sequer ser acariciado sem permissão.

Tudo muda quando a mãe aceita lecionar para um grupo de mulheres durante o horário do culto. Ela nos deixa aos cuidados de outras mulheres, que descobrem maneiras de nos entreter. De bolsas enormes tiram chaveiros, trocados para a oferta e guloseimas como balas de caramelo e suculentos chicletes. Essas mulheres têm cheiros diferentes daqueles a que estou acostumado — baunilha, flor de maçã, laquê — e algumas até têm cheiro de cigarro. Um domingo fico aos cuidados de uma mulher cujo marido, um antigo marinheiro, arregaça a manga para me mostrar uma tatuagem de uma mulher de seios grandes, talvez a primeira tatuagem que vi e definitivamente a primeira na igreja.

Gosto especialmente de me sentar ao lado da Sra. Horton, que usa uma enfiada de animais peludos sobre os ombros — uma "estola de *vison*", como ela diz. Os *visons* mortos têm olhos duros, brilhantes e bocas estreitas cheias de dentes ameaçadores. A boca de cada animal prende-se ao traseiro do animal a sua frente. Suas caudas felpudas e minúsculos pés pretos pendem, pedindo para a gente brincar com eles.

Enquanto o culto se arrasta, a Sra. Horton desenha caretas na minha mão — uma adulta, desenhando na igreja! — de tal modo que, se eu mexer os dedos, os olhos piscam. Ela me enlaça com seu braço e me aperta carinhosamente. Oferece-me uma bala de hortelã, que eu tento pôr no bolso até que ela sussurra: "Não tem problema, pode chupar". Parece pecado, bala na igreja, mas isso deixa o gosto ainda melhor. Ela me deixa depositar dinheiro na bandeja das ofertas e guardar uma moeda para mim. Pela primeira vez na vida, a igreja fica divertida.

Os cultos das tardes de domingo são mais descontraídos. A Colonial Hills convida palestrantes para uma "noite da mocidade". Mágicos evangélicos fazem aparecer pombas e desaparecer pessoas. Um cientista de Chicago prende-se a um gerador e descarrega um milhão de volts de eletricidade em seu corpo. Miniaturas de relâmpagos faíscam da ponta de seus dedos, e quando um assistente joga nele pedaços de madeira, eles queimam nas mãos dele, enchendo a igreja com um cheiro de lareira. Ninguém, todavia, consegue competir com Paul Anderson, "o homem mais forte do mundo", que de uma posição agachada levanta uma balança gigantesca com oito adolescentes sobre ela, quatro de cada lado.

Em seguida nos retiramos para uma sala grande ao lado para uma refeição leve. Ali o Sr. Wharton é o encarregado. Embora seja um secretário, com pele pálida e olhar disperso, ele logo se torna um dos favoritos das crianças, porque tem sua própria máquina de algodão-doce. Despeja açúcar num tubo no centro do que parece uma máquina de lavar de inox e liga um interruptor. Pronto! Tudo o que tenho de fazer é apresentar um cone de papel, e fios pegajosos do algodão-doce magicamente aparecem, desenhando espirais em volta do papel e dos meus dedos.

Meu mais extraordinário culto vespertino dominical acontece quando o Dr. M. R. DeHaan, um astro do rádio de Michigan, nos visita para uma conferência de fim de semana. É como a final do campeonato mundial da igreja. Chegamos cedo para achar onde estacionar, e mesmo assim temos de caminhar muito. Tanta gente nova aparece naquela noite de domingo que Marshall e eu temos a permissão de nos juntarmos aos adolescentes na galeria geralmente fechada. Tenho a sensação de estar num estádio de esporte, olhando por sobre todas as cabeças carecas e os chapéus das mulheres, com o coro e o pregador lá longe à distância.

Na plateia embaixo, centenas de leques estão ondulando, como agitadas ondas do oceano. São pedaços de papelão afixados ao que parece ser o palito de um picolé, e a pessoa agita o leque na frente de sua cara para criar uma brisa. O lado da frente do leque tem uma imagem: Cristo no Getsêmani ou o Bom Pastor ou talvez uma foto de nossa igreja. O lado oposto tem o anúncio de uma empresa funerária.

Os adolescentes sentados perto de mim decidem editar os anúncios funerários. A *capela com ar-condicionado* acrescentam "Não deixa o cadáver feder". Ao lado de *serviço de ambulância* escrevem "Oops, tarde demais", e ao lado de *oxigênio 24 horas por dia* acrescentam "Bem quando não precisamos dele". Passamos a maior parte do sermão do Dr. DeHaan competindo para apresentar as melhores frases. Marshall sugere um lema que engloba tudo para referir-se à funerária: "Sempre a postos para pôr todo mundo para baixo".

Depois do sermão, nosso pastor anuncia que vamos fazer uma "coleta de amor" para o Dr. DeHaan. Enquanto os guias se espalham pelo santuário, um dos adolescentes mais arruaceiros deixa cair dois M&Ms na plateia abaixo de nós. Alguns minutos depois, ele propõe deixar cair um alfinete direto na cabeça de um careca. No mesmo momento, outro adolescente "acidentalmente" derruba do parapeito uma cesta cheia de esmolas. Notas de papel flutuam no ar, impelidas para cima e para baixo pelos ventiladores do teto, e centenas de moedas rolam ruidosamente pelo chão inclinado da plateia. Algumas moedas encontram as grades do aquecimento e caem dentro delas com um sonoro *plink*! O pastor faz carrancas horríveis e os diáconos sobem correndo os degraus da galeria para reestabelecer a ordem.

Essa é a última vez que sentamos na galeria.

A Colonial Hills celebra anualmente dois eventos de capital importância. Durante a conferência missionária anual, bandeiras estrangeiras pendem da galeria, enfeitando a igreja. Em turnos de cinco minutos, os missionários se alternam contando suas aventuras no exterior. Presto muita atenção quando eles descrevem coisas como comer carne de macaco e trabalhar com pigmeus. Alguns mostram *slides* que sempre terminam com um pôr do sol.

Depois do culto, os missionários ficam postados ao lado de barracas atrás do santuário, que exibem zarabatanas, crocodilos empalhados, borboletas e até algumas cabeças encolhidas. Naquelas barracas aprendo sobre geografia e estrangeiros. Enquanto vejo as exibições e converso com filhos de missionários, de repente me alegro por meus pais nunca terem conseguido ir para a África. Tenho pesadelos com aquele continente de aranhas que comem aves e cobras escondidas no teto das casas que caem sobre quem está dormindo, e com uma coisa chamada verme-da-guiné que se move lentamente debaixo da pele da gente.

Na noite de encerramento, as pessoas assumem compromissos de promessas de fé. A Colonial Hills presta assistência a 170 missionários, e seus membros arrecadam anualmente quantias respeitáveis de dinheiro. Sobre a plataforma um senhor opera uma máquina de somar com um rolo comprido de papel. Enquanto os assistentes recolhem cartões de compromissos, o pastor os proclama: "Aqui está um compromisso de cem dólares. Sei que essa pessoa está doando tudo o que pode, com sacrifício". Depois, com voz retumbante: "E todo o povo de Deus diz...", e nós no mesmo tom respondemos: "Amém!". De vez em quando ouvimos o compromisso de mil dólares, e todo mundo bate palmas e diz: "Aleluia".

Durante vários anos economizei moedas de um centavo na esperança de comprar uma bicicleta nova quando eu tivesse oito anos. Pouco antes da conferência missionária, digo a minha mãe que o Senhor está me orientando, em vez disso, a doar minhas moedas aos missionários. Ela põe as moedinhas nunca sacola, 865 centavos e um punhado de dólares de prata, e na noite do encerramento ela me instiga a subir na plataforma e entregar tudo pessoalmente ao Irmão Paul. Quando faço isso, ele me para, põe a mão no meu ombro e anuncia a toda a igreja: "Este menininho está doando todos os seus centavos aos missionários em vez de comprar uma bicicleta nova! Louvado seja o Senhor!". Todos batem palmas, e eu nunca me senti mais orgulhoso, ou mais santo.

Um profundo conhecedor do "fim dos tempos", Paul Van Gorder também organiza uma conferência anual da profecia. Por acreditarmos que

IGREJA

Jesus retornará em breve e o mundo acabará, nossa igreja leva a profecia a sério. Estudamos a Bíblia procurando indícios do futuro. Durante a conferência, grandes faixas pendem em volta da plataforma: tiras de lona costuradas uma na outra e cobertas com desenhos de criaturas que parecem de ficção científica. Os desenhos representam visões dos livros de Daniel e Apocalipse, e palestrantes brandindo grandes ponteiros explicam como os vários dedos dos pés e chifres e olhos e rabos de escorpião representam várias potências mundiais.

A Rússia aparece nos cartazes. Um conferencista exibe uma reportagem de jornal sobre o plano da Rússia de criar cavalos em preparação para uma guerra que se aproxima e será combatida a cavalo. Diz que o Anticristo surgirá de uma Europa novamente unida e conduzirá exércitos de milhões de homens do Norte para descer e atacar Israel, detonará bombas nucleares e causará a batalha do Armagedon. "Onde estão Gogue e Magogue, como estão mencionados no livro de Apocalipse?", pergunta ele, e faz uma pausa para impressionar antes de bater num mapa sobre o painel. "Se você traçar uma linha reta subindo de Jerusalém, atingirá Moscou, na Rússia!" Uma mulher atrás de mim suspira surpresa. Enquanto vou escutando, parte de mim quer ser arrebatada antes da Grande Tribulação, ao passo que outra parte quer ficar por aqui e assistir à queima de fogos.

Nossa igreja fala muito sobre acontecimentos atuais. Em 1959, quando completo dez anos, a Colonial Hills distribui centenas de exemplares de *Se a América eleger um presidente católico*, um livro "Dedicado aos milhares de cristãos que sofreram por Jesus nas mãos do romanismo". Apesar do medo, John F. Kennedy é eleito e, pelo que posso dizer, os cristãos não sofrem nada mais do que o normal.

À medida que o movimento pelos direitos civis começa a acontecer, democratas tradicionais tornam-se republicanos da noite para o dia. E depois que o presidente manda tropas para obrigar as escolas do Sul a admitir alunos negros, a tensão enche nossa igreja. Onde eles forçarão a integração depois disso, eu me pergunto — restaurantes, hotéis, *igrejas*? A Colonial Hills abre uma escola particular como um porto seguro para brancos que não querem frequentar escolas públicas integradas.

Somente uma vez vi pessoas negras num culto da igreja. Quando o famoso locutor Dr. DeHaan nos visitou — aquela vez em que me sentei na galeria — ele insistiu que alguns de seus apoiadores negros tivessem permissão de estar presentes. Contei cinco pessoas negras naquele fim de semana, sentadas juntas numa parte da igreja isolada por uma corda.

Certa semana, na escola dominical, ouço falar sobre a "Maldição de Cam". A professora lê uma passagem esquisita em Gênesis 9 que fala de Noé, bêbado e nu, amaldiçoando seu neto Canaã por algum indefinido pecado de ordem sexual. "Servo dos servos seja aos seus irmãos", declarou Noé. Segundo a professora, o pai de Canaã era Cam, e a palavra *Cam* significa "negro queimado", de modo que nessa passagem Deus estava condenando a raça negra a um futuro de escravidão. Ninguém se dá ao trabalho de observar que um Noé bêbado, e não Deus, pronunciou a maldição, e que ela se aplicava a Canaã, não a seu pai, Cam.

Ocasionalmente Lester Maddox visita nossa igreja. Das pessoas que conheço, Maddox é a que mais se aproxima de uma celebridade. O pessoal da igreja gosta de comer em seu restaurante de frango frito, o Pickrick Cafeteria. Nossa mãe nos levou lá algumas vezes, e eu me lembro de entrar na fila passando pelo poço dos desejos junto à entrada onde se lia "Faça um pedido em favor da segregação". O restaurante vende camisetas, um despertador "Desperta América" de Lester Maddox e *souvenirs* no formato de cabos de machado parecidos com os usados pelos policiais para bater em quem protesta pelos direitos civis. A loja exibe três tamanhos: Papai, Mamãe e versão menor Júnior, que parece um cassetete da polícia. Cada semana Maddox publica anúncios nos jornais de Atlanta acusando o governo federal de ameaçar tirar-lhe os direitos à propriedade. Na reunião da Irmandade dos Homens da igreja, ele anuncia que fechará o restaurante se os federais o obrigarem a servir negros. Dito e feito, ele fecha — e alguns anos depois é eleito governador da Geórgia.

Em 1960, os ativistas dos direitos civis anunciam planos para integrar igrejas de Atlanta. Nossa igreja recruta esquadrões de vigias, que se alternam no patrulhamento das entradas contra "desordeiros". Os diáconos imprimem cartões para dar a qualquer manifestante que possa tentar se infiltrar:

> Acreditando que os motivos de seu grupo são ulteriores e estranhos ao ensinamento da palavra de Deus, *não podemos dar-lhe as boas-vindas* e respeitosamente solicitamos que deixe o recinto discretamente. As Escrituras NÃO ensinam "a fraternidade do homem e a paternidade de Deus". Ele é o Criador de tudo, mas só é o Pai daqueles que foram regenerados.

IGREJA

Se algum de vocês está aqui com um sincero desejo de conhecer Jesus Cristo como Salvador e Senhor, será para nós um prazer tratar com você individualmente a partir da Palavra de Deus.
(Declaração Unânime do Pastor e dos Diáconos, Agosto de 1960)

Uma vez que nenhum manifestante aparece, a igreja finalmente suaviza sua posição e permite que algumas famílias de negros a frequentem — especialmente estudantes e professores do Instituto Bíblico Carver (só para negros), onde meu pai outrora lecionou. O diretor dos estudantes de Carver envia um requerimento para que sua filha possa frequentar o jardim da infância da escola particular da igreja, na esperança de que ela venha a ter uma educação cristã de boa qualidade. Seu requerimento é negado. Mais ou menos nessa mesma época, um estudante de Carver, Tony Evans, se apaixona tanto pelo ensinamento bíblico da igreja que se candidata a tornar-se membro da congregação.

O pedido de Tony Evans provoca um grande debate sobre a Colonial Hills estar ou não preparada para a integração. Um membro numa reunião aberta pergunta: "Faz parte da política desta igreja excluir de seus quadros e de sua escola irmãs e irmãos em Cristo por serem negros?". Silêncio no salão. Finalmente o diácono principal, de rosto afogueado e veias saltadas no pescoço, bate o martelo e declara: "A reunião está adiada". A igreja não se importa que algumas pessoas negras bem-comportadas a frequentem. Elas só não podem tornar-se membros ou matricular-se na escola.

Quando uma professora da escola dominical começa a nos premiar com fitas e brilhantes troféus de metal, eu me torno um cristão exemplar. Ofereço-me para ler as lições em voz alta, memorizar os versículos recomendados da Bíblia e liderar a turma nas orações. Marshall trapaceia. A professora realiza um concurso para ver quem consegue convidar mais gente para um culto especial para jovens. Um sujeito convida 150, e metade deles comparece. Marshall faz 240 chamadas telefônicas — só que, assim que alguém atende o telefone, ele desliga, aguarda por alguns segundos o tom de discagem, e *então* finge convidar a pessoa. Ele me faz prometer que não vou contar e ganha o troféu.

Os cultos da igreja em geral terminam com um convite. Com todas as cabeças abaixadas e todos os olhos fechados, ouvimos o pastor ou o evangelista fazer uma súplica para que aqueles que não foram salvos aceitem

Cristo. "Vocês não vão para o céu por serem bons. Nem mesmo por frequentarem a igreja. Só há um jeito, meus amigos, e vocês podem fazer isso neste exato momento. Talvez alguém aqui não tenha certeza de que vai para o céu. Meu amigo, este é o dia de salvação. Levante a mão se você a deseja. Sim, sim, estou vendo aquela mão. Abençoada seja. Sim, por todo este salão... Deus abençoe vocês, sim, sim."

Como um mosquito esvoaçando ao meu redor, as palavras do orador parecem chegar cada vez mais perto, e meu sentimento de culpa se avoluma. "Você tem certeza de que seus pecados foram lavados de vez? Talvez você esteja pensando: 'Pregador, eu vou ter certeza algum dia, mas por enquanto não. Deixe que me divirta por um tempo, deixe que eu dissemine minhas ervas daninhas'. Ou vocês jovens: 'Talvez depois do fim das aulas neste verão...'" O medo me cerca cada vez mais, apertando o coração e os pulmões.

O órgão ataca, e em uníssono cantamos hinos. "Manso e suave, Jesus convidando / Chama: Vem, pecador, vem!" Como as cruzadas de Billy Graham no rádio, esses convites terminam com o hino "Tal qual estou". Cantamos todas as sete estrofes. A terceira estrofe é a que me impressiona:

Tal qual estou, atribulado
Luto e duvido calado,
Temores por todo lado,
Cordeiro de Deus, cá estou.

Nada me perturba mais do que saber se estou *realmente* salvo. Repeti a Oração do Pecador tantas vezes que posso soletrá-la de rabo a cabo. Dou meu passo para a frente e recebo as orações dos anciãos da igreja enquanto fico com as mãos entrelaçadas e os olhos firmemente fechados. Faço isso de novo, várias vezes, temeroso de que a salvação seja como uma vacinação que pode não pegar. Apesar disso, não consigo nunca silenciar as importunas perguntas: *Será que estou levando isto a sério de verdade? Isto é genuíno?*

Lembro-me de como minha mãe me ofereceu a Deus, como Ana fez com seu filho na Bíblia, e sei que nunca estarei à altura disso. Não importa com que frequência eu ore: "Meu Deus, ajuda-me a ser mais santo", sempre incorro nas mesmas velhas ciladas. Quando um novo aluno se apresenta na escola dominical como Doug Turnipseed, eu faço piada com o nome dele, "Semente de nabo". Ele nunca mais volta, e suponho que é por minha culpa. Em outra ocasião, junto-me a amigos caçoando de uma garota ingênua que enxerga muito mal, furtivamente batendo no ombro dela e fugindo depois em disparada, só para enganá-la.

A culpa parece ácido no meu estômago. *Como posso saber com certeza se vou para o céu?* Olho para o meu irmão, Marshall, que deu o solene passo do batismo. Talvez essa seja a chave. Pergunto a minha mãe, e ela diz que ainda não estou pronto. "Você ainda não chegou à idade da razão", diz ela, mas sem explicar quando isso acontece. Espero, dividido entre agir como o bom menino da escola dominical que ganha troféus e o menino esperto que nada mais é do que um fingido. Assim que eu ultrapassar aquela nebulosa idade da razão, as probabilidades de eu ir para o inferno com certeza irão aumentar.

Um hino da escola dominical capta perfeitamente o pavor que me acompanha:

Cuidado, olhinho, com o que vê!
Cuidado, olhinho, com o que vê!
O Nosso Criador está olhando pra você,
Cuidado, olhinho, com o que vê!

Outros versos expandem a anatomia: "Cuidado, mãozinha, com o que pega… / Cuidado, pezinho, onde pisa… / Cuidado, boquinha, com o que fala…"

Sei sobre um Pai lá no céu, porque minha mãe usava isso como uma ameaça. Meu próprio pai, eu sei, pode ver todas as vezes que cutuco o nariz, todas as vezes que trapaceio às costas dela e desobedeço, todas as vezes que conto uma mentira. Deus, um Superpai, é muito mais assustador, equipado com visão de raio-X, um olho sem pálpebras.

Quero muito tomar a Ceia, que supostamente lava nossos pecados. Mas minha mãe me faz esperar também por isso, e a espera cria suspense. A Colonial Hills só celebra a Ceia uma vez a cada trimestre. Em cada caso, ouço o ruído da mastigação do pão e observo os pequenos recipientes de vidro da comunhão ampliando a língua das pessoas.

"O que acontece quando você toma a Ceia?", pergunto a Marshall depois de uma das cerimônias trimestrais.

"Não é nada de especial", responde ele. "É apenas suco de uva, e não vinho. E o pão é como as bolachas crocantes que você come quando está doente, só que com menos sal."

Ele tem razão. Quando a mãe finalmente me deixa tomar a Ceia, eu deixo o pão sobre a língua até ele ficar polpudo em vez de mastigá-lo. Quando a bandeja vai passando em seguida, recoloco meu copo num dos buraquinhos redondos como aqueles do jogo de damas chinesas. O sentimento santo logo se esvai, e quase nada muda. Ainda preciso ser batizado.

Finalmente, quando completo dez anos, a mãe decide que estou pronto. Tripudio sobre Marshall, que teve de esperar até completar onze anos. Primeiro, sento-me durante um nervoso encontro com o Irmão Paul Van Gorder em seu escritório forrado de livros. Ele se reclina em sua cadeira de couro do outro lado da escrivaninha e pergunta: "O que significa o batismo para você, Philip?".

Recito a resposta correta que ensaiei: "Quero tornar pública a mudança que aconteceu dentro de mim quando aceitei Jesus em meu coração".

"Acredito que Deus tem grandes coisas reservadas para você, Philip", diz ele. "O batismo é sagrado. É permanente, sem volta. Não se batize se não estiver preparado para comprometer-se pelo resto da vida." Engulo seco, e tenho a sensação de que alguma coisa está presa na garganta. Finjo ser forte, acenando que estou preparado.

Nossa igreja planeja os batizados para o culto vespertino de domingo. Atrás da plataforma, cortinas escondem um batistério embutido na parede central, e nas noites de batismo as cortinas se abrem revelando uma banheira com um degrau e no fundo uma pintura do rio Jordão.

Quatro de nós somos batizados na mesma noite. Depois do sermão, o coro começa a cantar um hino, e nós quatro nos encaminhamos para o vestiário. Estamos descalços, e o pastor entrega a cada um uma túnica branca. Embora o recinto não seja frio, eu tremo enquanto visto a túnica sobre a camiseta e calças brancas.

O Irmão Paul revê as instruções. "Segurem minha mão e não a soltem. Não se preocupem, eu seguro vocês. Vou trazê-los para cima. Simplesmente relaxem." Eu digo a mim mesmo para relaxar, mas não sei como.

A solene cerimônia começa. Observo com o canto do olho quando duas mulheres desaparecem embaixo d'água e reaparecem com o cabelo pingando e finas túnicas grudadas a suas roupas brancas embaixo. É estranho ver mulheres adultas tornando-se flácidas nos braços do pastor. Uma delas está chorando, com marcas negras escorrendo dos olhos.

Sinto cheiro de mofo vindo do batistério e ouço um zunzum nos ouvidos. O coração está deslizando incerto no meu peito. *E se as pessoas puderem ver através de minha roupa? E se eu me soltar e me afogar?* Não paro de pensar que preciso ir ao banheiro, mesmo tendo acabado de ir. Concentro-me em pensamentos santos em vez disso.

O Irmão Paul acena para mim, e eu entro na água que está fria o bastante para me fazer aspirar bruscamente. Tento segurar a respiração e controlar os dentes, que batem de frio. "Em obediência à ordem de nosso Senhor e Salvador, Jesus Cristo, e baseado na profissão de sua fé nele, Philip, eu o batizo em nome do Pai, do Filho e do Espírito Santo. Amém."

De repente estou debaixo d'água, os olhos firmemente fechados, sentindo uma forte mão nas costas e outra apertando-me as narinas, meus braços cruzados diante de mim. Em seguida, volto à tona e encho os pulmões. Acabou, foi só isso. Dirijo-me para os degraus sobre pernas que parecem não ter articulações.

"Agora caminhe em novidade de vida", diz o pastor, e meio que me empurra degraus acima.

8

Aprendizado

Lemos para saber que não estamos sós.
William Nicholson, *Terra das Sombras*

Muito cedo, percebi o misterioso poder das palavras. Mas qual era o segredo delas? Antes, quando Tia Kay morava com a gente, ela e minha mãe falavam numa espécie de código. Tia Kay soletrou uma palavra numa noite de quarta-feira enquanto voltávamos da igreja: "Será que deveríamos parar para tomar s-o-r-v-e-t-e?". Eu tinha ouvido esse código antes: sons minúsculos que de algum jeito faziam sentido quando ligados entre si — faziam sentido, de qualquer forma, para os adultos.

Os livros usavam os mesmos códigos. Eu olhava para uma figura em meus livros infantis, apontando alegre para elas à medida que me lembrava das cenas que elas representavam. Mas os adultos conseguiam olhar para as marcas pretas, espalhadas na página como pimenta, e repetir a história usando exatamente as palavras que eu tinha ouvido antes.

"Mãe, o que é isto?", eu apontava para as marcas pretas.

"Isso é uma palavra para dizer gato. Está vendo a imagem?" Ela colocava o dedo sobre as quatro marcas, uma por vez: "G-a-t-o quer dizer *gato*". Eu repetia a pergunta "O que é isto?" muitas e muitas vezes, importunando-a enquanto ela passava roupa ou lavava pratos ou lia sua Bíblia. Com cada resposta eu armazenava mais uma peça do código.

Se a importunava demais, ela se recusava a me dar mais dicas naquele dia. "Espere até você ir para a escola. Esse é o trabalho deles." Eu insistia, desgastando-a. O código misterioso deve ser muito importante, imagino, porque os adultos conseguem folhear um jornal cinza embaçado, não fazendo nada mais do que mexer os olhos, e de algum modo sabem que vai chover amanhã e que os russos testaram um novo foguete.

Pouco antes do meu quarto aniversário, eu decifrei o código. Tínhamos alguns preciosos discos de 45 rotações por minuto com gravações de algumas de minhas histórias preferidas, tais como *O negrinho Sambo*, que derretia um tigre transformando-o em manteiga, e *A pequena locomotiva*, que conseguiu escalar a montanha até o topo. Enquanto o homem com voz rachada lia a história que eu conhecia tão bem, eu acompanhava as marcas pretas com o dedo, enchendo-me de alegria quando topava com uma palavra que eu reconhecia. Quando o cachorro Nipper do disco latia, *Au Au*, eu sabia virar a página.

No dia da superação do obstáculo, desliguei o toca-discos, e ainda assim conseguia acompanhar a história. Embora tropeçando em algumas palavras, descobri um número suficiente delas para captar o significado. As palavras saltavam diretamente da página para dentro da cabeça, e o choque me deu calafrios. *Eu sei ler!*

Dali por diante, eu brincava menos e lia mais. "Ele fica com o nariz enfiado num livro o tempo todo", dizia minha mãe a suas amigas. Tinha fome de ler, como um daqueles musaranhos em nosso quintal que devoravam o dobro de seu peso todos os dias. Mas enquanto o musaranho passava a vida debaixo da terra, a leitura me dava asas. Permitia-me viajar para a Inglaterra ou a África ou para a ilha de Robinson Crusoé. Ou para o Alasca: *O chamado selvagem* e *Caninos brancos* de Jack London doeram no meu coração. Eu mal conseguia ler por entre as lágrimas enquanto o filhote de lobo jazia moribundo.

Esforcei-me muito para não ficar atrás de Marshall, que passava os fins de semana chuvosos deliciando-se com os grossos volumes de *O livro do conhecimento* ou da *Enciclopédia Delta universal*. Marshall tinha lido todos os livros de ficção da biblioteca de sua escola primária. "Aqui está um objetivo para você", disse. "Tente ler cem livros antes de entrar no primeiro ano." Avidamente aceitei o desafio.

Muito do que li não entrou na minha cabeça. Nos meus livros, os professores *davam safanões* em alunos malcriados, e eu imaginava um professor lançando anões pela sala de aula. Como é que se *range os dentes*, eu me perguntava. Eu ria de descrições de uma mulher *fazendo sua toalete*. E ficava repetindo até coisas que não entendia.

– – –

Aos cinco anos de idade, decido que já estou preparado para o livro mais amedrontador de todos, a Bíblia. Minha mãe tem um Bíblia fantástica, couro preto, com minúsculas meias-luas douradas marcando cada um dos 66 livros entre as capas. Tem o cheiro de uma luva de beisebol, e ela a trata como tal, com reverência. A Bíblia tem seu próprio vocabulário, logo percebo: palavras como *gerou, Mamom, regozijo, abominação*.

Gosto das histórias do Antigo Testamento, a parte mais volumosa da Bíblia. Não lemos contos de fada em nossa casa, e nem é preciso, pois o Antigo Testamento é igualmente estimulante e também verdadeiro. Daniel domando os leões, seus amigos passeando numa fornalha ardente, Elias matando os profetas de Baal, Sansão ateando fogo em caudas de raposas, Davi derrubando Golias — com a televisão e as histórias em quadrinhos banidas de nossa casa, os personagens da Bíblia desempenham o papel de super-heróis.

Logo Marshall e eu descobrimos as partes picantes da Bíblia. "Ei, escuta essa", anuncia ele um dia. "Você lembra daquelas duas mulheres que estavam brigando por causa de um bebê diante do rei Salomão? Eram *prostitutas*!" Eu não conheço essa palavra, mas claramente significa alguma coisa para Marshall. Ele me explica que a frase na Versão Rei Jaime "aquele que urina contra a parede" é simplesmente um jeito esquisito de se referir a alguém "do sexo masculino". Durante os sermões tediosos, nós procuramos as partes picantes de Cantares de Salomão.

Às vezes o Antigo Testamento me faz rir, e às vezes me faz tremer. Como você ama um Deus de quem tem medo? Sinto-me estranhamente atraído pela cena de Abraão sacrificando seu filho Isaque em resposta a um pedido de Deus. Não questiono Deus — somente os hereges fazem isso — no entanto não posso evitar perguntar-me acerca de como Deus prova seu ponto de vista. Será que Isaque algum dia confiou de novo em seu pai, ou em Deus?

Conforta-me um pouco saber que Deus tinha um ponto fraco por Jacó, o fingido que manipulou seu irmão mais velho, embora ainda me sinta culpado em relação a minha própria tendência a enganar.

Sempre, a história de Ana entregando seu filho a Deus aparece no pano de fundo.

Mesmo antes do primeiro ano já tive uma amostra da escola — em uma escola particular "para negros" no porão da casa da diretora do estabelecimento. Cerca de sessenta crianças frequentam a academia da Sra. Henley de uma única sala. Ela cuida do jardim da infância até o oitavo ano. Muitas vezes acompanhei minha mãe em suas aulas de Bíblia lá. Ela explica que as escolas segregadas de Atlanta são tão ruins que os pais negros pagam um dinheiro extra para que seus filhos aprendam com a Sra. Henley.

A Sra. Henley administra sua instituição como um campo de treinamento do exército. Dá palmadas em qualquer um dos alunos cuja atenção se desvie e bengaladas em quem se comporta mal na sala de aula. Quando minha mãe entra, todos se levantam e dizem: "Bom dia, Sra. Yancey".

Nos dias de inverno, os alunos se amontoam ao redor de um fogão a lenha, suas capas de chuva fumegando com um cheiro de borracha. No recreio, todos me rodeiam, como se eu fosse alguma criatura exótica. Noto os diferentes tons de pele, variando da cor de mel até uma tonalidade escura que minha mãe chama de "preto *preto*" ou simplesmente "mais preto impossível". Fico surpreso ao descobrir que as palmas das mãos deles são rosadas, como as minhas. Alguns timidamente pedem para tocar minha pele, que, dado o contraste, de repente parece sem graça.

A disciplina imposta pela Sra. Henley me deixa nervoso em relação a eu mesmo frequentar uma escola, mas minha mãe me assegura que os professores da escola pública não batem em seus alunos com uma bengala — não pelo menos nas escolas para brancos.

Por meu aniversário ser em novembro, minha mãe tem de pedir uma permissão especial para matricular-me na escola aos cinco anos de idade. Quando o dia do início finalmente chega, minha mãe me leva até um prédio atarracado de tijolos vermelho-alaranjados, a três quilômetros de casa. Marshall me conduz até minha sala. Algumas letras recortadas presas ao quadro de avisos enunciam: "Bem-vindas, crianças do Primeiro Ano".

Mal consigo ficar sentado quieto de tão cheio que estou de expectativa. "Oi, turma! Sou sua professora, e meu nome é Srta. Honea", diz uma mulher sorridente que usa o cabelo preso num rabo de cavalo. Fala com uma cristalina voz sulina. "Quero aprender o nome de vocês. Assim, por favor, me ajudem. Tenho um mapa dos assentos. Por favor, peguem suas coisas e sentem-se onde eu lhes disser."

Sendo um Yancey, acabo ocupando o último assento na última fileira, a quilômetros da Srta. Honea. Fico magoado, pois já me apaixonei por ela.

Ela escreve seu nome com giz branco sobre um quadro negro e nos diz que ele rima com *pony*, não com *money*. Naquela noite escrevo um poema sobre a "Srta. Honey que monta um *pony*".

Dentro de uns poucos dias me dou conta de que já sei tudo o que ela planeja nos ensinar. Quando ela distribui livros fininhos sobre Dick e Jane e seu cachorro, Spot, fico irritado porque esses livros apresentam ilustrações coloridas em vez de palavras perfeitamente comuns como *esquilo*, como se nós não conhecêssemos a palavra. O fato é que nem todas as crianças conhecem.

Entediado, agora procuro maneiras de me entreter: remexendo coisas, desenhando, rolando o lápis debaixo do pé, acompanhando com o dedo as veias da madeira de minha carteira, tentando pegar uma mosca só usando as mãos, arrancando as asas de uma vespa amarela morta.

Quando me pega atirando o invólucro de um canudinho de beber na menina sentada na minha frente, a Srta. Honea me manda vir para o quadro negro. Ela desenha um círculo no quadro e ordena que eu mantenha o nariz naquele círculo, como castigo por mau comportamento. Aquilo dura alguns minutos, até eu descobrir que posso jogar o jogo da velha no quadro negro, ou virar a cabeça e fazer caretas para as outras crianças. A Sra. Honea marca uma reunião com minha mãe, que recomenda espancar-me com uma raquete BoLo.

"Eu jamais poderia fazer isso", diz a Srta. Honea, e me derreto com sua misericórdia. Em vez disso, ela me chama para ficar de pé diante da turma e conduzir um exercício de leitura.

Em meados daquele primeiro ano, nos mudamos do campo para um lugar com um aluguel mais barato em Forest Park, um subúrbio onde não há nenhuma floresta e um único parque. Sinto-me acanhado na nova escola porque todos esses alunos já se conhecem. Mais malvados que as crianças do campo, eles mostram a língua, dizem palavras feias, dão cusparadas e riem de qualquer um que faz a lição de casa. Quando a professora faz uma pergunta, ninguém levanta a mão para responder.

A bondosa professora me acolhe sob suas asas, atribuindo-me projetos especiais que eu reviso com ela depois da aula. Um dia, ela me leva ao diretor, o Sr. Lewis, que só tem um braço. Tento não olhar para a manga vazia pendendo de seu lado esquerdo. "Este rapaz tem uma capacidade de leitura fora do comum", minha professora lhe diz. Depois que leio algumas coisas em voz alta, o Sr. Lewis se põe subitamente de pé e diz: "Meus alunos do sétimo ano poderiam ser positivamente inspirados", e me leva pela mão para a sala do sétimo ano.

Quando entramos na sala, a professora se afasta para o lado e o Sr. Lewis assume a aula. "Mocinhos e mocinhas, quero que vocês ouçam este aluno do primeiro ano, que sabe ler melhor do que alguns de vocês. Vá em frente, Philip, leia esta história do livro deles."

Tomado de pânico, olho para os rapazes grandões revirando os olhos e cutucando-se. "A primeira palavra é *Jeremy*", orienta-me o Sr. Lewis, fazendo-me voltar à realidade. Todos riem. Eu leio a história do livro do sétimo ano e logo entendo que acabo de violar uma regra básica da escola: Não parecer muito inteligente e não se exibir a ninguém. O resto daquele ano, os alunos do sétimo ano batem na minha nuca e me insultam.

No fim do ano, o Sr. Lewis telefona para a minha mãe. "Eu gostaria que a senhora considerasse a possibilidade de o Philip pular o segundo ano", diz ele. "O menino está entediado. Se passar direto para o terceiro ano, ele terá de dar duro para não ficar para trás, e o desafio poderia lhe fazer bem."

Minha nova professora, a Sra. Rose, tem o cheiro de seu nome. Usa batom vermelho brilhante e esmalte nas unhas da mesma cor dos lábios. Apaixono-me de novo e fico emocionado quando ela me segura depois da aula para orientações adicionais. Os alunos que passaram pelo segundo ano aprenderam a escrever algo chamado cursivo, enquanto eu só sei escrever em letras de forma. Aos seis anos, sou o menino mais novo e o menor no terceiro ano.

Pouco antes do Natal, a Sra. Rose engravida e uma substituta mandona se apresenta. Nos primeiros dias ela nos reúne todos num círculo e solicita um leitor voluntário. Levanto a mão, e ela acena concordando. Começo a ler o mais rápido possível e percorro facilmente dois parágrafos antes de ela interromper: "Pare! Já basta".

"Qual é o seu nome?", pergunta. Eu lhe digo. "Philip, deixe de se exibir. A leitura não é um teste de velocidade. O objetivo é comunicar-se. Agora volte, comece de novo, e desta vez leia devagar." Minhas bochechas ficam quentes, e sinto uma dor no fundo da garganta. Repito os parágrafos, desta vez pausando e fingindo tropeçar em algumas palavras. "Muito melhor", diz ela.

O prazer de aprender se esvai, e eu passo cada vez mais tempo com a cabeça apoiada no braço, suando na sala de aula superaquecida.

Passeios didáticos tornam-se minha parte preferida da escola. Num passeio pelo aeroporto de Atlanta, conto ao colega sentado ao meu lado no ônibus sobre voar para Filadélfia quando bebê e sentar-me no colo de uma milionária. Infelizmente, também digo "Não seria legal ver um avião cair?" descrevendo motores em chamas e ambulâncias com luzes piscando e sirenes rugindo enquanto correm atravessando a pista. A professora substituta me ouve, e enquanto todos os outros alunos visitam a torre de controle e o deque de observação, eu tenho de ficar sentado no ônibus sozinho com um motorista gordo e sonolento. Pelas encardidas janelas do ônibus vejo os aviões decolarem, e acompanho as faixas brancas deixadas no céu enquanto eles vão desaparecendo.

No meio do terceiro ano, mudo de novo porque minha mãe não consegue pagar as contas do aquecimento, e eu entro outra vez numa nova escola. Agora moramos numa coisa chamada duplex, que na verdade é meia casa.

Sobrevivo ao terceiro e ao quarto ano, e depois de outra mudança entro no quinto ano em ainda uma outra escola primária. Esta, Kathleen Mitchell, se revela a melhor de todas. A diretora, uma mulher rechonchuda, posta-se junto à entrada e abraça cada aluno que vai entrando. Passo todo o quinto e o sexto ano lá — dois anos inteiros na mesma escola.

A Escola Primária Mitchell abre-me os olhos para a ciência, o que preocupa minha mãe. "Cuidado", diz ela. "Vão lhe contar histórias sobre evolução e dinossauros que vão contra a Bíblia. Você não pode acreditar em tudo o que se ensina na escola hoje em dia."

No mundo lá fora, os Estados Unidos e a União Soviética estão procurando maneiras de se destruírem um ao outro, e assim ambos os governos despejam dinheiro na educação científica. Ultramoderna, minha escola tem a novidade de um circuito fechado de televisão. Se o professor não sabe muito sobre, digamos, precipitação nuclear, então um perito nos faz preleções de uma sala de estúdio enquanto nós alunos ficamos sentados em nossas carteiras e o observamos num monitor da tevê.

Durante uma dessas preleções, assistimos a um clipe de um filme e aprendemos uma canção animada:

Havia uma tartaruga que se chamava Berta,
E essa tartaruga estava sempre alerta.

Do perigo, ilesa saía sempre a esperta.
Sabia muito bem o que fazer!
Ela se escondia! E se cobria.
Se escondia! E se cobria...

O perito diz que se a Rússia jogar uma bomba atômica em cima da gente, devemos afastar-nos das janelas, desviar os olhos do clarão ofuscante e enfiar-nos debaixo das carteiras com os braços sobre a cabeça. Isso nos ajudará a sobreviver à guerra nuclear. Durante as semanas seguintes, quando um alarme dispara, nós praticamos o esconderijo e a cobertura, como Berta.

A escola está sempre à procura de maneiras de instigar o interesse pela ciência. Um sujeito que se autodenomina Sr. Ciência organiza no auditório meu programa preferido envolvendo toda a escola. Ele mergulha uma banana em nitrogênio líquido e a espatifa em cacos no chão, como se fosse vidro. Provoca um tornado em miniatura dentro de um cilindro de vidro para demonstrar como funciona o clima. Depois da apresentação passamos a contar histórias sobre raios. Um rapaz garante que conhece um menino que foi fulminado por um raio quando saiu de um barco de metal e pisou num ancoradouro de metal. "Ele desapareceu por completo, simplesmente assim", diz o rapaz, estalando os dedos. "O raio o pegou. Os mergulhadores se esforçaram, mas não acharam nada mais que a fivela do cinto derretida."

A biologia me atrai acima de tudo. Mantenho um viveiro de formigas em casa e fico impressionado com todas elas cooperando como se compartilhassem um cérebro comum. Compro feijões saltadores mexicanos, abrigando-os nas mãos para aquecê-los e sentir as vibrações dentro deles. Com uma faca, cuidadosamente corto e abro um deles e acabo descobrindo um vermezinho em seu interior — vida dentro da não vida.

Compro um modelo plástico transparente chamado O Homem Invisível e passo horas pintando o fígado, os rins, o estômago e outros órgãos com tinta para aeromodelos, usando as ilustrações em camadas de uma enciclopédia como meu guia das cores. Cobiço A Mulher Invisível, mas me sinto embaraçado demais para comprar um modelo com aqueles seios de plásticos pontudos.

No sexto ano tenho meu primeiro docente do sexo masculino, o Sr. Roth, que é também o primeiro judeu que conheci na vida. Ele age praticamente como os meus docentes não judeus, só que dá pouca importância à ciência. Prefere a língua inglesa e sua literatura. Espreitando de olhos encapuzados sob suas cerradas sobrancelhas, ele se reclina na cadeira e cita poemas. Meu interesse nas palavras ganha nova vida.

Um dia o Sr. Roth nos passa uma tarefa. "Descubram o maior número de palavras que for possível usando as letras da palavra *entertainment*", diz ele. Aquela noite descubro 43: *eat, ate, tent, meant, main, taint*, e assim por diante. Ao chegar na escola no dia seguinte descubro que Julie, uma menina de cabelo castanho escuro que toca violino, compilou uma lista de oitenta palavras.

Uma vez que o ônibus escolar me deixou na escola cedo, corro para a biblioteca e folheio rapidamente o dicionário, letra por letra, examinando as páginas em busca de palavras curtas que possam servir. Muitas delas, como *en* e *em*, são novas para mim, e não faço ideia do que significam. Sucesso — agora tenho 130 palavras na minha lista.

De volta à sala de aula, o Sr. Roth me convida a postar-me na frente da turma para revisar minha lista vencedora. À medida que pronuncio cada palavra, os alunos sugerem uma definição. Julie, que está em segundo lugar, fica sentada com um enorme dicionário completo para verificar as palavras obscuras. A turma detecta algumas repetições e adições questionáveis, mas a maioria das minhas palavras é aprovada no escrutínio — até que a pressa matinal começa a aparecer. Quando anuncio *teat*, os rapazes todos dão risadinhas. Quando proclamo *enema*, a turma toda explode numa risada, e o Sr. Roth interrompe o exercício.

Mais tarde naquele ano, ele declama para nós o poema "Se", de Rudyard Kipling. Nunca ouvi nada tão profundo. Parte dele diz:

Se és capaz de esperar sem te desesperares,
Ou, enganado, não mentir ao mentiroso,
Ou, sendo odiado, sempre ao ódio te esquivares,
E não parecer bom demais, nem pretensioso;

Se és capaz de pensar — sem que a isso só te atires,
De sonhar — sem fazer dos sonhos teus senhores; [...]

Se és capaz de, entre a plebe, não te corromperes
E, entre reis, não perder a naturalidade,

E de amigos, quer bons, quer maus, te defenderes,
Se a todos podes ser de alguma utilidade,
E se és capaz de dar, segundo por segundo,
Ao minuto fatal todo valor e brilho,
Tua é a terra com tudo o que existe no mundo
E o que mais — tu serás um homem, meu filho!*

Mesmo que eu não saiba descrever o que o poema significa, as palavras em si me estimulam. De certo modo entendo que se você consegue controlar-se interiormente, nada do mundo exterior pode afetá-lo. Eu quero esse tipo de controle.

Quando conto ao meu tio Winston a respeito de "Se", ele me oferece cinco dólares para eu decorar o poema inteiro. E eu decoro: é a primeira literatura não bíblica que memorizei na vida.

Mudamo-nos de novo, assim que começo o sétimo ano. Tenho de adaptar-me a outra nova escola, a quinta em seis anos. Nosso sistema escolar não tem o ginásio, e assim, enquanto eu termino a escola primária, Marshall entra no colegial como aluno do oitavo ano. Como garotos nômades, nós ocupamos a rabeira na ordem de importância. A esta altura, uso óculos e Marshall sofre a humilhação de usar lentes bifocais. Agora não sou apenas o "Crespinho" e o "Yancey da calça engraçada", mas também o "Quatro olhos".

Candidato-me a ser patrulheiro, com a tarefa de escolher crianças mais novas a atravessarem a rua quando o farol muda de vermelho para verde. Meus colegas de turma detestam esse tipo de trabalho beneficente. Atormentam uma garota que tem seis dedos e um garoto apelidado "Homem de Lata" que usa um colete de metal devido à pólio contraída na infância. Quando eu protesto, eles me cercam feito um enxame. "Ei, quem você pensa que é, um policial?" "Ei, Quatro Olhos, estou falando com você. Você não gosta disso?" "Ei, metidinho, cuidado, você vai acabar apanhando!"

E apanho mesmo. Os brigões da turma armam uma emboscada quando estou voltando da escola para casa. Três rapazes me derrubam e me chutam

---

* Na famosa tradução de Guilherme de Almeida, em *Paulo Bonfim, Guilherme de Almeida*, RGE, selo Prosa e Poesia, 1989. (N. do T.)

enquanto tento proteger a cabeça. Vejo estrelas, exatamente como nas histórias em quadrinhos. Liberto-me e corro para casa, o som de sangue pulsando nos ouvidos. Tenho muitíssimo medo de voltar para a escola.

Duas coisas me salvam. Primeiro, peço a meu irmão que volte para casa comigo depois de eu cumprir meu dever de patrulheiro da escola. Ele está passando por um estirão de crescimento, e quando os valentões se aproximam avisa: "Sou irmão do Philip, e se vocês brigarem com ele eu vou brigar com vocês". Ninguém ousa enfrentar um aluno do colegial. Vejo Marshall através de novos olhos: meu rival tornou-se meu protetor.

O segundo ponto de virada acontece durante um jogo de beisebol interno quando surpreendo todo mundo — especialmente a mim mesmo — fazendo uma jogada dupla complicada na segunda base. De repente meus atormentadores estão torcendo por mim, batendo-me nas costas, gritando: "Bela jogada, Yancey!". Não consigo acreditar que me custou só isso.

O Sr. Epp, meu professor do sétimo ano, é meu segundo docente do sexo masculino. Ele tem um grande bíceps e um belo bronzeado e usa um corte de cabelo bem curto. As garotas começam a caprichar nas roupas e a usar maquiagem na escola. Quando os rapazes descobrem que ele jogou beisebol numa liga menor, ele ganha o *status* de um deus.

O Sr. Epp deve saber que não tenho pai, porque várias vezes me chama à parte, põe seu braço sobre meu ombro e me pede para ajudá-lo num projeto da turma. Eu caminharia descalço até o centro de Atlanta se ele me pedisse.

9

Ralé do *trailer*

> Pois os homens e as mulheres não são apenas eles mesmos; são também a região em que nasceram, o apartamento da cidade ou a fazenda onde aprenderam a andar, os jogos que jogaram na infância, os contos que por acaso ouviram das avós, a comida que ingeriram, as escolas que frequentaram, os esportes que acompanharam, os poetas que leram e o Deus em que acreditaram.
>
> W. Somerset Maugham, *O fio da navalha*

Em algum momento durante os anos de minha escola primária, sinto o golpe do fato de que somos pobres. Foi por isso que tive de mudar de escola tantas vezes. Minha mãe acha um lugar com um aluguel mais barato, nos mudamos, e mais ou menos um ano depois aquele aluguel também sobe, e nos mudamos de novo.

Moramos em vizinhanças esquálidas de bangalôs que têm as paredes externas revestidas com telhas de betume. De vez em quando uma família de nosso quarteirão atrasa os pagamentos do aluguel, e quando volta para casa do trabalho ou da quitanda encontra seus pertences amontoados na calçada. O resto de nós desvia os olhos daquela cena, como quando a gente vê alguém nu.

Conheço crianças de pais militares — "moleques do exército" eles se autodenominam — que dizem que mudar de um lugar para outro torna a pessoa mais resistente. Não é o meu caso. Parece uma espécie de amputação. Cada vez eu penso ou pelo menos espero: *Esta nova escola será diferente. Minha professora vai gostar de mim; eu de repente vou me tornar popular; ninguém vai saber de fato a minha idade.* Cada vez, tenho de começar tudo de novo e descobrir novos amigos.

É possível facilmente reconhecer crianças pobres na cantina da escola, porque nós não podemos nos dar ao luxo de um lanche preparado na hora. Fico salivando com o cheiro de sanduíches recheados com molho e carne moída, que os outros garotos apelidam de "batida de trem". Em vez disso, trago meus sanduíches de casa: abacaxi enlatado um dia, atum no dia seguinte, depois banana, carne seca ou mortadela. Minha mãe os embrulha em papel encerado e os coloca num saco de papel pardo que reutilizo até sua beirada em cima ficar por demais gordurosa.

Na época, *Rainha por um dia* é um programa popular da tevê, ao qual às vezes assisto na casa dos meus avós. O anfitrião, Jack Bailey, começa perguntando: "*Você* gostaria de ser rainha por um dia?", e depois as mulheres concorrentes compartilham suas dolorosas histórias. Uma tem um filho aleijado pela pólio; outra acaba de perder tudo num incêndio doméstico; uma terceira foi abandonada pelo marido que é alcoólatra. Depois de ouvir cada história, a plateia vota, por meio de aplausos, para escolher uma vencedora. Bailey coroa a nova rainha, veste-a com uma túnica de veludo vermelho e lhe dá uma dúzia de rosas e alguns presentes caros, tais como uma geladeira e uma máquina de lavar.

Vendo esse programa, fico pensando: *Nós estamos numa situação pior do que a de algumas daquelas pessoas.* Nossa mãe com frequência nos lembra que estamos vivendo com os 120 dólares mensais de sua pensão de viúva paga pela Seguridade Social, mais algumas contribuições de apoiadores da igreja de sua terra natal na Filadélfia. "Por que você não se candidata para o *show*?", eu lhe pergunto. "Pense nos prêmios que você poderia ganhar."

"Não, é exatamente assim que as coisas são", responde ela. "Além disso, as pessoas têm de pagar impostos sobre todos aqueles prêmios."

Nossa mãe raramente se queixa, embora fique ansiosa perto do fim do mês quando o dinheiro vai acabando. "Estou servindo ao Senhor", diz ela, explicando por que não podemos comprar roupas novas. "Isso significa que temos de fazer sacrifícios."

No verão em que ingresso no sétimo ano, a mãe pergunta como nós nos sentiríamos morando num *trailer*, ou "uma casa móvel", como ela chama isso. "Eles fabricam alguns bonitos hoje em dia", diz ela. "Assim podemos ter nossa própria casa sem precisar ficar sempre mudando."

"Isso, e talvez a gente possa ter outro cachorro", acrescento entusiasmado com a perspectiva.

Alguns dias depois vamos às compras. As casas móveis, assim como os carros e as árvores de Natal, são vendidas em áreas abertas. Um jovem vendedor de camisa branca e gravata nos saúda, nos faz entrar num dos modelos mais luxuosos e começa a tagarelar. "Este tem uma lava-louça embutida! E notem a beleza dos armários da cozinha. Parece um palácio, de verdade. Vejam o candelabro sobre a mesa da sala de jantar, com aquela beleza de janela saliente para ampliar a vista durante uma refeição. O fabricante não poupou dinheiro, acreditem."

Enquanto ele vai falando, a mãe segura o queixo com a mão direita, olha para o assoalho e não dá sinal de estar prestando atenção. Para o vendedor, a atitude dela parece uma greve de silêncio, mas eu reconheço aquilo como puro terror. Ela congela toda vez que faz uma compra importante.

Marshall e eu corremos de um *trailer* para outro, comparando os modelos: "Ei! Veja só, este tem três metros e meio de largura e o piso da cozinha e da área de jantar é elevado". *Isso não é nada, aquele lá tem vinte metros de comprimento e três quartos: não vamos ter de dividir.* Arrastamos a mãe de um *trailer* para outro, apontando características. No fim ela decide comprar o menor e mais barato de todos. Com uma hipoteca de 3.500 dólares, conseguimos uma casa que ninguém pode nos tirar.

O *trailer* de alumínio, de cor creme com listras azuis, dois metros e meio de largura e catorze de comprimento, será a casa de nossa família pelos próximos cinco anos. Quando nos mudarmos, nós o levaremos conosco, como uma lesma carregando sua casca.

Assim que entramos, eu gosto de nossa casa móvel. Tem o cheiro fresco de um carro novo, com painéis imitando madeira, piso recoberto de linóleo e armários embutidos melhores do que qualquer coisa que já tivemos nas casas que alugamos. Marshall e eu dividimos as gavetas no nosso quartinho. Os projetistas conseguiram encaixar uma máquina de lavar roupa no espaço em frente à porta sanfonada do banheiro, de modo que já não precisamos frequentar a lavanderia. Todos os aparelhos domésticos — máquina de lavar, fogão, geladeira — são cor-de-rosa brilhante, e vêm completos com manuais de instrução de uso.

O lado de fora da nova casa é outra história. Durante a maior parte daquele verão, estamos estacionados num quarteirão de *trailers* sem árvores numa rua movimentada, cercados pelo asfalto da cidade. Homens em camisetas manchadas e mulheres em roupões de banho e de chinelos batem portas e gritam agredindo-se em discussões que podem ser ouvidas a pelo menos cinco *trailers* de distância. Criancinhas sarnentas percorrem o quarteirão só com a roupa de baixo, disparando pistolas de água umas contra as outras. Quando elas levam uma surra, seus uivos ecoam de um *trailer* para outro. Ouvimos televisores num volume muito alto dia e noite.

Nossa mãe insiste que não podemos pagar por um aparelho de ar-condicionado, e eu nunca senti um calor que queima os olhos como este. O *trailer* concentra os raios do sol como um forno gigantesco, e eu ouço sons de cliques enquanto o teto metálico se dilata. À noite fico virando e revirando o travesseiro em busca de um ponto que não esteja encharcado de suor. O único alívio chega com a chuva, que retumba no teto como granizo.

"Quanto mais custaria um ar-condicionado?", pergunto a minha mãe.

"Não se preocupe", ela nos assegura. "Não vamos ficar aqui por muito tempo. Vamos ter um belo terreno assim que chegar a vez do nosso nome na lista de espera." E bem a tempo para o ano letivo, uma vaga aparece num parque de *trailers* melhor. Um caminhão se engata à nossa casa e vai embora com ela pela rodovia. Seguimos o caminhão da mudança até um parque sombreado entre outros 97 *trailers* na Rodovia Jonesboro, onde o pessoal do caminhão recua o *trailer* para a posição certa e o iça colocando-o sobre blocos de concreto.

Logo conheço o mais famoso morador daquele parque, Gypsy Joe, um lutador profissional que parece um turco e usa o cabelo preso num rabo de cavalo. Gypsy Joe tem um dos maiores *trailers*, estacionado num local excelente perto da entrada. Às vezes meus amigos do parque me deixam ver tevê na casa deles enquanto Joe luta contra lendas como Haystack Calhoun, Gorgeous George e Freddy Blassy — homens gordos e peludos, vestindo sungas. Sabemos que os lutadores fingem muito e mergulham no chão, mas é uma forma muito dura de ganhar a vida, e no nosso parque Gypsy Joe reina supremo.

Marshall e eu ficamos com os garotos do parque de *trailers*, que fumam cigarros nos bosques e exploram a malcheirosa instalação de tratamento do esgoto que fica ali perto. Meu preferido é um rapazinho forte chamado

Neil, que sempre está com o nariz escorrendo e o cabelo sujo. Neil me conta que seus pais são divorciados, a primeira vez que me lembro ter ouvido essa palavra. Enquanto a mãe fica em casa bebendo, Neil passeia livre pela vizinhança. Gosta de ficar no meio da rua e gritar: "Carro, carro, C-A-R-R-O, enfia a cabeça num jarro!", enquanto um carro para de chofre na frente dele, e depois ele sai correndo para longe do motorista furioso. Eu vi Neil assustado uma vez. Ele fugiu e veio abrigar-se em nossa casa para esconder-se de seu pai, que tinha acabado de arrebentar as janelas de um carro trancado usando uma garrafa de cerveja. A mãe de Neil estava no assento do motorista, buzinando e gritando por socorro.

Um dia meu novo amigo Larry soca nossa porta, esbaforido. "Marshall, Philip, venham rápido! Vocês precisam ver isso." Ele nos leva para um *trailer* que foi arrastado sobre o chão de terra para longe de todos os outros. "Um homem morreu lá dentro. Vi os funcionários da ambulância tirando ele de lá. Morreu faz sete dias, na opinião deles, e suas tripas... elas se esparramaram por tudo lá. O cheiro poderia matar vocês. Espalharam alguma coisa lá dentro, mas ainda fede pra burro."

Larry tem razão no que se refere ao cheiro de linguiça podre. Passo a maior parte da tarde tapando o nariz e espiando pelas persianas a confusão lá dentro. Na mesa da sala de jantar está uma travessa com frango frito comido pela metade e batata frita, junto com algumas garrafas de uísque. Entre os garotos espalha-se um boato de que o homem bebeu uns seis litros de uísque, e seu estômago explodiu. Há manchas e marcas nas paredes e no chão que suspeitamente se parecem com sangue e órgãos secos. Na minha cabeça de dez anos de idade, esse foi o ponto alto do verão.

Os garotos do parque de *trailers* me apresentam um nível completamente novo de diversão. Travamos batalhas com uvas muscadíneas, que deixam borrões nas roupas do inimigo. Quando os pais se queixam das manchas (que por acaso têm um cheiro parecido com o do vinho), passamos a usar vagens do liquidâmbar, armas com o formato de um Sputnik que não deixam marcas mas ardem como a picada de uma vespa quando acertam a gente.

Juntos fazemos casas nas árvores e formamos clubes com senhas secretas. Um dos garotos consegue arrotar o alfabeto inteiro, letra por letra. Outro fala como o Pato Donald, e o irmão dele consegue tocar o próprio nariz com a língua. Em regra, nenhuma garota é admitida, com exceção da briguenta loira de onze anos chamada Linda. Nós a chamamos "Unha

Afiada" porque ela lima as unhas dos pés deixando-as pontudas para picar outras crianças enquanto está andando de bicicleta.

A Unha Afiada me mostra como acender um fogo focando a luz do sol através de uma lupa sobre folhas secas. Uma minúscula imagem do sol incide sobre uma folha seca, um fio de fumaça aparece, as margens das folhas ficam pretas e de repente uma chama alaranjada ganha vida. Tento isso em formigueiros, focalizando a lupa na saída de um túnel enquanto as formigas vermelhas vêm correndo e acabam se encolhendo, queimadas, e caindo formigueiro abaixo.

Larry tem uma coleção de modelos de foguete, que começa com miniaturas de Nike Hercules lançadas por tiras de borracha e atinge o auge com fabulosos lançamentos impulsionados por explosões químicas. O foguete salta rumo ao céu com um grande *wuush*, e todos nós corremos rumo ao lugar onde ele poderá cair, a dezenas de metros de distância. Fazemos experiências com cargas animais — um gafanhoto, um besouro, uma rãzinha — e a maioria sobrevive, embora fiquem um pouco bamboleantes.

A coragem é nossa qualidade mais admirada. Disputamos para ver quem é o mais destemido usando fogos de artifício, verificando quem consegue segurar uma estrelinha por mais tempo enquanto as faíscas de fogo vão descendo rumo a seus dedos, ou por quantos segundos um valentão consegue segurar uma bomba de cereja antes de jogá-la e livrar-se do perigo.

A gangue do parque dos *trailers* me torna mais durão no sétimo ano. Já não preciso apelar para a proteção do meu irmão maior. Tenho agora meus próprios amigos. Nós somos as tropas de assalto dos joelhos ralados, os senhores absolutos do lançamento de foguetes, da criação do fogo e do arremesso de uvas muscadíneas do parque de *trailers*.

Sinto uma espécie de orgulho perverso em relação a morar num *trailer*, exatamente como sinto em relação a ser órfão de pai. Os garotos da escola sabem quais de seus colegas de turma moram no parque da Rodovia Jonesboro e nos desprezam como "ralé do *trailer*". Mas nunca tive amigos tão leais na escola ou na igreja, e assim uso esse apelido como um distintivo.

Às vezes sinto inveja quando visitamos famílias que moram em casas com ar-condicionado, sistemas de intercomunicação, mesas de bilhar e portas de garagens que se fecham ao aperto de um botão. Tenho fantasias sobre um quarto só meu, onde posso fazer minhas tarefas numa escrivaninha em vez de ficar encurvado de pernas cruzadas no beliche de cima. No entanto, a vida deles parece sem graça comparada à minha, com vizinhos como Gypsy Joe e aquele homem cujo estômago explodiu.

Apesar de a renda de minha mãe ficar abaixo da linha oficial da pobreza, temos comida suficiente, um cachorro fiel, e um aro de basquete torto e sem rede nenhuma. Além disso, Marshall e eu temos uma atração por duas outras atividades, nenhuma das quais é apreciada por nossos vizinhos do parque de *trailers*: livros e música clássica.

Os livros me conectam com um mundo maior: a Guerra Civil, o Monte Everest, os índios do Oeste selvagem, os cavalheiros e castelos da Europa, os assustadores animais da África e aqueles bizarros da Austrália. Sempre que tenho de acompanhar minha mãe a um encontro de adultos, faço questão de levar um livro comigo. Os adultos se sentam em círculos discutindo as mesmas velharias; os livros, como um tapete voador, me transportam para lugares novos.

A música faz o mesmo. Na quitanda, a mãe acumulou uma quantidade de pontos suficiente para ganhar caixas de discos da gravadora Longines Symphonette Society. Cuidadosamente tiro um elepê de seu invólucro de papel, prestando atenção para não tocar os sulcos com os dedos, e o coloco sobre o prato giratório. Ele chia por alguns segundos enquanto abaixo a agulha, e em seguida a máquina produz sons que eu nunca soube que existissem. Por um momento fico suspenso em pura beleza, um estado totalmente diferente dos ambientes miseráveis de minha vida.

O problema é que moro numa casa com Marshall. Na escola primária seus professores de banda e orquestra deliravam: "Nunca vimos uma criança com esses dons musicais. Ele é extraordinário". Eu escolhia um instrumento de palheta, como um saxofone ou clarinete, e lutava para produzir qualquer som. Em poucos minutos Marshall estava tocando escalas e melodias. Como seus lábios sabiam fazer aquilo?

Quando Marshall estava no sexto ano, o diretor da banda marcial precisou de tocadores de metais, e assim rapidamente ensinou Marshall a tocar tuba, o que exigia um novo conjunto de habilidades bucais, fazendo os lábios "zumbir" num grande bocal côncavo. Mais tarde naquele ano, o condutor da orquestra da escola recrutou meu irmão para tocar o sousafone, o maior de todos os instrumentos de metal. A geringonça enroscava-se nele como uma jiboia com uma bocarra escancarada um pouco acima de sua cabeça. Durante algum tempo, tive de dividir meu quarto não apenas com Marshall, mas também com essa estrondosa monstruosidade. Eu protestava todas as vezes que ele removia o bocal e o sacudia despejando o cuspe sobre o chão do quarto.

Ao ouvir falar da habilidade natural de Marshall, uma generosa senhora da igreja de nossa mãe na Filadélfia se ofereceu para pagar suas aulas de música, e meu irmão concentrou seus interesses no trompete e no piano. Isso provocou um conflito com a mãe: "Tem gente se sacrificando para pagar suas aulas, e você é preguiçoso demais para treinar! Está desperdiçando o dinheiro delas conseguido a duras penas".

Felizmente, Marshall já se limitou ao trompete quando nos mudamos para o *trailer*. Imediatamente ele consegue uma cadeira na orquestra do colegial, como aluno do oitavo ano. Assisto ao concerto de abertura, que exige que os músicos vistam calças pretas ou saias e camisa branca. As calças de Marshall têm um furo no joelho direito, que ele acha que pode esconder dobrando o programa em cima dele. Não dá certo. O trompetista da primeira fileira lhe pergunta: "Por que diabos você está usando calças que têm um furo?".

Ele pode ser preguiçoso e usar calças furadas, mas Marshall tem um talento musical que me deixa de queixo caído. Seus dedos flutuam sobre o teclado do piano como beija-flores, caindo sobre o teclado para produzir exatamente o som perfeito. "Você só pode controlar duas coisas no piano", ele me ensina: "volume e tempo. O timbre está embutido. Assim, é importante imprimir com precisão a pressão certa com cada um dos dedos."

Ele toca uma peça curta, alternando para enfatizar cada dedo — agora o polegar, depois o dedo mínimo, depois os outros. Por mais que eu me esforce, os sons que consigo parecem toscos em comparação com os dele. Dou-me por satisfeito por simplesmente tocar as notas certas.

Em parte para defender-me, dedico-me ao violino. Com um presente da benfeitora da Filadélfia e os últimos dólares de prata que poupei, minha mãe e eu visitamos uma loja no centro de Atlanta. Entre os brilhantes trompetes e flautas, os instrumentos de corda parecem serenos e sérios — mais no meu estilo. O violino, a elegante figura em forma de oito de um instrumento esculpida a partir da madeira de uma árvore, parece natural e ao mesmo tempo classudo. Jogo na mesa 167 dólares por um violino feito na Alemanha. "Você vai gostar", diz o vendedor. "Ele vem de uma cidade famosa por seus violinos."

Escolhi o violino achando que seria fácil aprender porque ele só tem quatro cordas numa comparação com as oitenta e oito teclas de um piano. Eu não poderia estar mais errado. O violino tem doze diferentes posições subindo e descendo pela escala do instrumento, todas sem marcação nenhuma. Como vou saber exatamente onde meus dedos deveriam incidir, digamos, na posição oito? "Pratique, pratique, pratique", diz meu professor, o Sr. Lortz, que toca na Orquestra Sinfônica de Atlanta.

O Sr. Lortz só ensina aos sábados, quando eu poderia estar explorando os bosques ou treinando o lançamento de uma bola com efeito. Em vez disso, fico praticando numa sala sem janelas, com a queixeira de um violino irritando-me o pescoço e o suor escorrendo em minhas costas, ouvindo o Sr. Lortz me dizendo o que estou fazendo errado — isto é, tudo. Posso adivinhar pela expressão penosa do professor que seus ouvidos sensíveis doem mais do que qualquer coisa que estou sentindo.

Minhas aulas de violino chegam a um fim misericordioso quando um ladrão invade nossa casa e rouba o instrumento. Naquela altura eu já havia notado que o violino em si era provavelmente fajuto. A etiqueta dentro dele diz: "Feito em Mittenwald, Alemanha Ocidental, 1944". Até eu sei que não existia nenhuma Alemanha Ocidental em 1944.

Assim, o que sobra é o piano. De algum modo, conseguimos encaixar um velho e tosco piano vertical na sala de estar do nosso apinhado *trailer*. Ele havia servido muito além de seu tempo numa igreja, onde alguns querubins da escola dominical o haviam pintado na cor verde-limão e decorado com decalques do Pato Donald. Faltam-lhe algumas teclas, e o pedal de sustentação funciona, mas não o pedal macio da esquerda — infelizmente, pois um pedal macio seria bem-vindo em nossos espaços apertados.

Esse é o instrumento que meu talentoso irmão domina. Marshall me diz que os pianistas de concerto têm uma desvantagem em comparação com outros solistas, porque geralmente eles tocam instrumentos com os quais não estão familiarizados. Olho para o nosso maltratado piano decorado com personagens de desenhos animados. "E um instrumento familiar é uma vantagem?", indago.

Usando os presentes da Filadélfia, minha mãe contrata um professor de piano de nível avançado para Marshall e me destina aos cuidados da Sra. Wiggins, uma mulher alegre, de cabelos brancos, que se senta no banco ao meu lado e vai cantando numa trêmula voz de soprano enquanto toco. Cada vez que estico o braço visando uma nota baixa, esbarro em seu busto enorme com o cotovelo. Embaraçado, paro e, corando, começo de novo do princípio, mas ela nunca sai do caminho.

Em casa, Marshall pratica Brahms e Tchaikovski, enquanto eu trabalho com "Maria tinha um cordeirinho", "Brilha, brilha, estrelinha" e "Brilha, pequeno vaga-lume". Ele ri de minhas desajeitadas tentativas de tocar trinados e mordentes. "Vem cá, é fácil. Aqui, veja isto…"

Eu nunca domino o piano. Lembro-me, sobretudo, das horas em que fiquei sentado num *trailer* mormacento, atrapalhado com teclas ensebadas enquanto o suor vai escorrendo das axilas, dos joelhos, dos cotovelos, do rosto. Se mudo de posição, o banco de madeira prende minhas pernas suadas. Se ligo um ventilador, as páginas saem esvoaçando, e tenho de recolocá-las em ordem atrás dos hinários. Meus esforços desmentem a teoria de que a prática faz a perfeição. Pratico com diligência e praticamente não progrido; Marshall quase nunca pratica e consegue tocar qualquer coisa de memória.

Só tenho um recital, um caso humilhante em que eu, o aluno-estrela da Sra. Wiggins, magnificamente destruo minha peça. Toco num ritmo duas vezes mais rápido do que devia, mecanicamente, sem vivacidade, e com uma óbvia falha da memória bem no meio. "Você foi brilhante", diz minha sempre-alegre embora nem-sempre-sincera professora enquanto me abraça depois do recital. "Você só teve um tropeço no meio. Isso acontece com os melhores pianistas."

Minha mãe diz muito pouco. Marshall não diz nada, embora sua expressão facial deixe transparecer o que ele está pensando.

O *trailer* não nos dá privacidade, e temos a impressão de desagradar nossa mãe cada vez mais à medida os anos passam. Marshall ainda não leva a escola a sério, e eu ando na companhia de garotos espertalhões que ela desaprova. Cada um de nós dois descobre um mundo particular onde nos refugiamos.

Quando Marshall enfrenta um exame na escola ou briga com nossa mãe, ele se isola com o piano, o único lugar onde pode extravasar emoção sem ser punido por isso. Aprendo a ler seus estados de ânimo pela música que ele escolhe — dos calmantes Chopin ou Mozart até o tormentoso Rachmaninoff — e observo seu rosto enquanto toca. Ele entra num mundo que é só dele, de mais ninguém, e ouve uma linguagem que só fala com ele.

Eu encontro conforto no bosque. Quando me sinto atormentando na escola, ou quando a tensão sobe dentro do *trailer*, dirijo-me para dentro do bosque, com o grito da mãe "Quantas vezes tenho de dizer para não bater a porta?" se desvanecendo. Quando saio do apertado *trailer* e seu ambiente barulhento, cruzo o limiar de outro mundo, mais calmo, um mundo que não me pede nada a não ser atenção.

Alguma coisa dentro de mim ganha vida durante essas caminhadas. Meu tio Winston me deu uma Kodak Brownie Hawkeye, e eu a levo comigo em incursões nos bosques. A câmera combina com meu papel preferido de observador. A vida vai acontecendo ao meu redor; eu simplesmente a registro. Debruçado sobre o visor, sinto-me seguro, numa situação de controle.

Caminho por entre a densa vegetação rasteira até encontrar uma tora em deterioração, onde descanso à sombra e respiro inalando o úmido cheiro verde. Logo a floresta se acostuma com a minha presença. Quanto mais tempo fico sentado quieto, mais pássaros escuto. Presto atenção àqueles nomeados pelos sons que produzem: a codorniz bob*white*, o noiti*bó*, e o *bem-te-vi*. Gosto da sensação de estar sozinho com a natureza, sabendo que, de todas as pessoas do mundo, eu sou a única ouvindo estes sons neste lugar. O estado de ânimo tranquilo parece vagamente religioso, o que eu deveria sentir na igreja, mas poucas vezes sinto.

Na primavera, a beleza espontânea chega ao meu próprio quintal. Trepadeiras em flor cobrem geladeiras e carros abandonados bem como monturos de lixo, e nosso esquálido parque de *trailers* agora fervilha em cores. Flores silvestres brotam ao longo de vias asfaltadas fendidas. Azaleias do campo crescem sob as árvores, e cachos de glicínias revestem os verdes pinheiros com uma cascata de lavanda. Sinto pena de meus amigos que preferem ficar em casa vendo um filme numa granulosa tela de tevê.

Um dia, enquanto passeio pela floresta, ouço sons provenientes de uma choupana abandonada. Encontro o chão dela coberto de feno, e diante de mim está uma criatura tão mágica quanto um unicórnio. Meus olhos estão fascinados. É uma espécie de cavalo minúsculo, de pelo dourado e uma longa crina branca que se derrama sobre seus olhos e atrás sobre suas costas. Tem pernas curtas e grossas, pescoço curto, e sua altura mal alcança meus joelhos.

Um som me assusta, uma voz rascante e rouca como nunca ouvi igual. "Procurando alguma coisa?", pergunta.

Um homem com botas de couro, *jeans*, camisa xadrez e um chapéu de caubói aparece. Cada vez que fala leva a mão a uma echarpe em volta do pescoço e assobia como um fole. "Você é… sss… de algum lugar… sss… aqui perto?" Devo parecer assustado porque ele estende a mão livre e diz: "Oi… sss… eu sou o Gus".

Gus explica que, depois de uma operação na garganta, ele tem de falar através de um dispositivo que liga o orifício em seu pescoço e capta vibrações das cordas vocais. "E esta aqui é Míni, minha miniatura de pônei Shetland."

Eu lhe conto que moro perto e gosto de explorar os bosques. Gus assobia: "Bem, então vamos simplesmente manter o segredo entre nós, tá bom, parceiro?". Ele me dá um cubo de açúcar, e Míni o lambe da minha mão com sua áspera língua quente.

A partir de então, guardo uma cenoura ou uma maçã no bolso e, assim que a escola nos libera, vou para a choupana. Escovo a Míni, dou voltas com ela presa a um cabresto, e jamais conto a ninguém sobre ela. Como um cão fiel, Míni me olha com seus olhos escuros e escuta tudo o que lhe digo, empinando as orelhas e fuçando meus bolsos. Dentro de mim, sinto uma espécie de ternura quase parecida com uma alegria.

Volto para o *trailer*. Chegando perto, já posso ouvir Marshall e nossa mãe brigando por causa de aulas de música.

PARTE III

RAÍZES

10

Sul

Para estarmos preparados a depositar esperança no que não engana, devemos primeiro perder a esperança em tudo o que engana.

Georges Bernanos (em *Razão de ser*, de Jacques Ellul)

Na época em que estou frequentando o sétimo ano, 1961, o Prêmio Nacional do Livro é conferido a Walker Percy, um romancista do Mississippi. Quando um repórter lhe pergunta por que o Sul produziu tantos grandes escritores, ele responde: "Porque perdemos a guerra". Sua resposta se aplica a muitas perguntas sobre o Sul. Os vencedores podem esquecer. Os perdedores não.

Atlanta tem lembranças em toda parte. Bandas marciais tocam "Dixie" nos jogos de futebol do colegial. Edifícios públicos ostentam a bandeira da Geórgia que incorpora a bandeira de batalha de Robert L. Lee. Placas históricas sobre a batalha de Atlanta pontilham a cidade, e muitas vezes peço a minha mãe que pare o carro para que eu possa ler. Mais a leste ergue-se pesadamente a protuberância de granito chamada Stone Mountain, com sua sólida escultura de três heróis confederados.

Leal garoto sulista, devoro livros sobre a Guerra Civil. Aprendo que o número de soldados mortos nessa guerra é mais ou menos o mesmo dos que morreram em todas as outras guerras nas quais os Estados Unidos lutaram *somadas*. Ao entrar na guerra a Confederação contava com quatro soldados para um da União, e no fim as baixas por morte somavam um terço de seus soldados. A estratégia do Norte de drenar o sangue do Sul, custasse o que custasse, no final das contas funcionou.

Com apenas dez mil residentes, Atlanta não era sequer a capital do estado na década de 1860. Milledgeville tinha essa honra. Mas importantes linhas ferroviárias convergiam para Atlanta, e o General Sherman sabia que, se cortasse aquelas vias de abastecimento, ele estrangularia os exércitos confederados. Sherman escreveu para sua mulher: "Começo a considerar a morte e dilaceração de alguns milhares de homens como uma questão menor, uma espécie de depressão matinal". Incendiou a cidade, reduzindo moradias imponentes a chaminés chamuscadas que seus soldados chamavam de "sentinelas de Sherman". Em seguida, começou sua marcha rumo ao mar, que causou uma enorme devastação através da Geórgia.

Lembro-me de ter lido o amargo relato de uma testemunha ocular, uma senhora idosa que tinha cinco anos de idade quando o exército de Sherman atravessou a fazenda de sua família. Os soldados ordenaram que todos saíssem da casa, abasteceram-se de suprimentos, depois mataram os animais e queimaram os celeiros e a casa, deixando a família sem nada a não ser a roupa do corpo. "A gente nunca esquece uma experiência como essa", disse ela.

Na minha adolescência, cem anos depois da guerra, os sentimentos ainda são profundos. A expressão "Aqueles malditos ianques" foi abreviada numa única palavra conhecida por todos os sulistas brancos: *damnyankee*. Cresci sob o mito sulista da "Guerra da Agressão Nortista": Cavalheiros honrados lutaram bravamente contra probabilidades opressivas e perderam para brutos que invadiram sua terra e a deixaram queimada e ensanguentada. Os exércitos sulistas foram conduzidos por líderes íntegros tais como Stonewall Jackson, que evitava combater aos domingos, e Robert E. Lee, que estabeleceu um recorde para o menor número de deméritos de qualquer graduado da Academia Militar de West Point. O oponente de Lee, Ulysses S. Grant, estabeleceu um recorde para o maior número de deméritos, e passou grande parte da guerra bêbado.

Como todos os alunos brancos daquele tempo, aprendi a doutrina da Causa Perdida: que o Sul lutou defendendo o princípio dos direitos dos estados, não a escravidão. O direito de os estados tomarem suas próprias decisões era garantido pela Constituição, no final das contas. Como disse um dos meus professores: "Pensem nisto: somente treze por cento dos sulistas possuíam escravos. Será que travaríamos uma guerra por isso? E os nortistas eram igualmente racistas e mais hipócritas. Eles operavam navios negreiros e lucravam com os produtos do trabalho escravo".

Lembro-me que, na infância, colecionei um conjunto de brinquedos representando soldados da Guerra Civil. Joguei fora alguns dos azuis para dar uma vantagem aos cinzentos. Na sala de visitas de minha avó, amassei o tapete para criar montes e vales semelhantes àqueles ao redor de Atlanta e convenci meu irmão a assumir o lado dos nortistas. Diferentemente da história, a minha batalha produziu uma estrondosa vitória dos rebeldes.

Praticamente a cada ano peço a minha mãe que me leve ao Ciclorama, "a maior pintura a óleo do mundo", que recria a Batalha de Atlanta com quadros e imagens em tamanho real dispostos num prédio circular. Os acordes de "Dixie" e a visão de minha cidade em chamas sempre me levam às lágrimas.

Embora nossa família raramente saia para almoçar ou jantar, ouvimos amigos da igreja falar dos vários restaurantes mais populares de Atlanta, que mantêm vivas tradições do Velho Sul. A Cabana da Tia Fanny tem garçonetes negras vestidas como escravas de fazenda que cantam canções *gospel* para os fregueses, enquanto jovens em trajes de escravos apresentam o cardápio fixado em tabuletas penduradas no pescoço. Ali perto, fregueses brancos lotam o Johnny Reb's Dixieland para ouvir a apresentação noturna de "A Batalha de Atlanta", em que os garçons negros e seus ajudantes celebram o "ataque final da Confederação" com um coro de incentivos e gritos dos rebeldes.

Na escola escrevo resenhas de livros e ensaios sobre a Guerra Civil e seus heróis. Nas viagens de nossa família para a Filadélfia, convenço minha mãe a sair do roteiro para passar por locais de batalhas. Meu momento mais comovente acontece na Colina do Cemitério em Gettysburg, imaginando o Ataque de Pickett. Escrevi um trabalho na escola sobre essa batalha, e agora estou pisando exatamente no ponto onde a maré virou contra o Sul. Até aquele ponto, os rebeldes vinham acossando o inimigo, perseguindo-os até a Pensilvânia. Depois de Gettysburg, a marca d'água alta da Confederação, ocorreu um declínio implacável.

O último local da Guerra Civil que visito é o salão de Appomattox onde Robert E. Lee finalmente se entregou. Ouço o guia contar a história como se fosse um grande triunfo, o exato oposto do que aprendi na escola. Sinto um súbito choque térmico enquanto ele descreve a cena que pôs fim à guerra. Uma ponta de confusão sobre a Causa Perdida entra na minha mente naquele dia, e depois disso eu nunca mais quis visitar outro campo de batalha.

É preciso viver no Sul para entender, concluo.

– – –

De vez em quando, nossa mãe nos leva em passeios de verão pelo interior da Geórgia. Ela conhece algumas pessoas da igreja que se mudaram da grande cidade de Atlanta, e nessas visitas eu tenho a oportunidade de sentir o gosto de verdadeiro Sul. A primeira vez que vejo um campo de algodão me impressiona: a safra me parece ser de bolas de neve presas a galhos secos. Às vezes vemos as ruínas de uma velha chaminé da fazenda no meio do campo apontando para o céu, um inflexível resquício de como as coisas costumavam ser.

Cada sede de condado pela qual passamos parece a mesma coisa: uma praça com lojinhas e restaurantes familiares em torno de um tribunal de tijolos. Camponeses de jardineira vão matando o tempo ao redor do tribunal, conversando e mascando tabaco enquanto suas mulheres vão fazendo as compras de roupas e mantimentos. Reclinam-se em cadeiras com assentos de palhinha e se queixam de coisas que não podem controlar — a família, o clima, a economia, suas dores. Eles desconfiam de políticos de qualquer espécie. "São tudo falso. Eles num liga coisa nenhuma p'ras pessoa. Tão lá pelo dinhero. U governo devia era saí de cima di nóis i deixá a gente vivê".

Se paramos para um lanche, os locais se viram para olhar essa mulher e seus dois filhos que não estão no lugar deles. Mesmo assim, gosto de como esses perfeitos desconhecidos agem quando alguém lhes dirige uma pergunta. É como se tivessem todo o tempo do mundo. Ninguém parece estar tenso ou ter pressa, ao contrário da gente da cidade. Eles se dirigem a nossa mãe e a mim dizendo: "Sim, madame" e "Sim, senhor". O Sul açucara tudo: melancia, flocos de aveia, chá gelado e até sua fala.

Aprendo sobre minha região ouvindo — coisa de que sempre gostei mais do que de falar. Os sulistas aperfeiçoaram a arte de contar histórias, e ficando calado ouço um monte delas. Todo mundo parece ter um parente que atirou num primo por arrumar confusão com sua filha ou tem informações sobre uma pregadora pentecostal que retalhou o marido bêbado com uma tesoura. Tudo o que acontece de interessante acha um jeito de se transformar numa história.

Vá a uma clínica para buscar orientação acerca de uma erupção cutânea, e você pode acabar ouvindo o relato do doutor sobre alguém do condado vizinho que apresentou sintomas iguais aos seus. "Aquela mulher, ela tinha pústulas iguais a essas por todo o seu traseiro. E quero dizer por *tudo* mesmo. Misericórdia, Senhor! Ela era do tamanho de uma cama *queen size* — nós mal conseguimos abrir o zíper do vestido dela — e eu não consegui, juro pela minha vida, imaginar como ela pegou aquilo que parecia urtiga lá no traseiro. Chamei um especialista do Hospital Grady e perguntei se ele já tinha visto coisa parecida..."

Quanto mais saborosa a história, tanto melhor. "Você leu no jornal sobre aquele sujeito que matou o pai e a mãe? Superou tudo o que já vi. Deve ter sido a bebida que subiu na cabeça. Ele se dava tão mal com a bebida que a mulher largou dele — não sei bem, cinco ou seis vezes — mas ela sempre voltava. Bem, uma noite ele pegou uma arma e foi lá e atirou nos dois, na mãe e no pai. Deitou-se e dormiu até o meio-dia. Quando acordou, tentou fazer tudo parecer um assalto e chamou a polícia. Eles desconfiaram e conseguiram que ele confessasse. Imagine, fazer isso com gente da própria família. Onde este mundo vai parar?"

Escuto de outra sala enquanto a melhor amiga de minha mãe conta sobre sua cunhada que chefiava um departamento de anestesia num hospital. "Ela era lésbica, embora fosse casada com meu irmão. Tinha sido internada uma vez num manicômio para uma espécie de tratamento. Seja como for, esse sujeito — todo mundo o conhecia, o bebum da cidade — ele entrou falando um monte de palavrão. Ela disse que se ele não parasse ela iria costurar a boca dele bem fechada. E, por Deus, foi exatamente o que ela fez. Fez ele dormir e pegou uma agulha e costurou os dois lábios um no outro."

Ela faz uma pausa para causar efeito antes de prosseguir. "Bem, você não pode fazer uma coisa dessas, não importa quem você é. O hospital lamentou perdê-la, e assim lhe deram uma escolha: ou você volta para o manicômio para tratar-se mais, ou nós vamos tirar sua licença médica. Não há duas soluções para esse caso. Ela não apareceu para trabalhar no dia seguinte, nem no outro. No terceiro dia uma faxineira do hospital sentiu um cheiro esquisito e abriu um armário e lá estava ela, mortinha da silva. Tinha tomado uma overdose — acharam a agulha. A família ficou espumando de raiva porque no testamento ela deixou tudo para a amante."

Logo entendi onde os autores de canções *country* encontram seu material — simplesmente ouvindo a vida sulista como ela é.

Alusões à religião sempre acontecem. Vou à mercearia com minha mãe e o caixa pergunta numa voz nasal: "Que igreja você frequenta, querida?". Todo mundo frequenta alguma igreja, embora quando um de meus parentes se torna mórmon, os outros reagem como se ele tivesse virado comunista. Giro o dial do rádio e conto doze estações transmitindo hinos ou sermões. *Outdoors* e celeiros exibem várias frases pintadas: *Prepara-te para encontrar teu Deus. Cristo morreu por ti: tu não consegues viver por ele? Ele te amou tanto que dói* (esta aparece em tinta vermelha, como sangue, pingando das letras).

A morte está no topo da lista dos temas que as pessoas comentam. Um parente adoece, e a contagem regressiva começa. "Eles o abriram, e não havia nada que pudessem fazer, então simplesmente o costuraram. Já parece um cadáver de cemitério. Quando o toco, a pele dele parece fria e úmida como a de um sapo. Não vai durar muito. Eu lhe dou duas semanas, um mês no máximo."

A outra extremidade da vida recebe atenção igual. Acompanhando a mãe em uma de suas visitas, fico sentado numa sala de estar onde criancinhas parecem ser a principal forma de entretenimento. Consciente de ser o centro da atenção, uma criança corre pela sala atirando uma bola e acertando a irmãzinha. As mulheres parecem cativadas pelo drama sendo apresentado diante delas, que na minha opinião parece muito vulgar. "É um menino maluco, esse aí, igualzinho ao papai. Você se acha importante, Billy-John, não é? Você, coisinha doce, você: vem cá e dá um beijo na mamãe. Me dá um pouco de açúcar."

Aprendo nessas conversas que no Sul, do nascimento até a morte, as pessoas *importam*. Elas, não a economia ou a política exterior ou as descobertas científicas, são o principal tema de preocupação. De certo modo eu sei que se nossa casa fosse consumida pelo fogo ou se ficássemos sem dinheiro ou se eu fosse atropelado por um carro, este seria o lugar para morar. Os sulistas cuidam de seus entes queridos.

No início da década de 1960, o movimento dos direitos civis ganha força, e agora praticamente toda conversa gira em torno da raça.

Como verdadeiro filho do Sul, venho ao mundo e sou criado como um racista. Meu avô me conta que um ancestral, William Lowndes Yancey, liderou um grupo conhecido como "os comedores de fogo", que pedia a separação do Sul e assim ajudou a começar a Guerra Civil. "É isso mesmo", continua, "e até a Emancipação meu próprio avô tinha alguns escravos numa fazenda não sei onde chamada Prontos Para O Que Vier, na Geórgia. Ainda tenho a carta oficial ordenando-lhe que os libertasse."

Esse fato provoca uma forte impressão em mim, um garoto da favela. Ele também me diz que, depois da Emancipação, alguns daqueles trabalhadores escravizados, que não tinham sobrenomes, assumiram o de Yancey. Aquela noite folheio a lista telefônica de Atlanta na letra "Y", procurando nomes que soem como de negros, como Willie Mae e Deion, perguntando-me se meus ancestrais costumavam ter esses nomes.

Aprendi na escola que os escravos, em sua maioria, viviam satisfeitos na fazenda. Afinal, por que um dono de escravos iria querer maltratar os próprios trabalhadores dos quais dependia para ganhar seu sustento? Os Filhos da Confederação publicaram uma espécie de catecismo que pergunta: "O que sentiam os escravos em relação a seus patrões?". Bons filhos sulistas respondem feito papagaios: "Eles eram fiéis e devotados e estavam sempre prontos e dispostos a servi-los".

Cada Natal quando nos sentamos à mesa de minha avó Yancey, empregados negros da oficina mecânica de meu avô aparecem na porta dos fundos. Batem e depois ficam plantados lá sem jeito até que meu avô pega e deposita nas mãos deles alguns dólares de prata como bônus de Natal. Alguns deles eu conheço, como Buck, um ferreiro analfabeto com dedos grudados, que assina seu nome com um "X". Leroy, o musculoso capataz, sempre recebe o maior bônus. Ele se posta no pórtico dos fundos arrastando os pés e diz: "Só vim desejá a todo mundo um Bom Natal, Sinhô Yancey". Meu avô sorri e vai lá dentro pegar seis dólares de prata, um para cada membro da família de Leroy.

Certa noite estamos descansando na sala de visita dos Yancey quando o noticiário da tevê cobre um protesto pelos direitos civis em Atlanta, o que leva meu avô a relembrar o motim racial de 1906. "Eu tinha acabado de completar dezoito anos. Espalhou-se um boato sobre homens negros estuprando mulheres brancas. Bem, uma multidão de brancos se juntou e começou um grande motim no centro da cidade. Acho que lincharam várias dezenas de homens negros. Alguns dos amotinados cortaram dedos de mãos e pés como *souvenirs*."

Não ouvi essa história antes e não sei até que ponto devo acreditar nisso. "O senhor estava lá pessoalmente?", pergunto.

Ele acena que sim. "Eu vi com os meus próprios olhos. Meu pai me disse para ficar longe daquilo, mas desobedeci. Fui de bonde para o centro no dia depois do grande motim. Corpos ainda pendiam de postes de iluminação. Negros haviam sido amarrados vivos e usados como alvos para a prática de tiros. A sarjeta estava vermelha de sangue. Nunca vou me esquecer do que vi."

Ninguém sabe o que dizer até meu tio Winston, que ficou ouvindo, falar. "E eles querem fazer a gente acreditar que tudo mudou. O médico de nossa família é o membro que ocupa o posto mais alto na Ku Klux Klan na Geórgia. Todos sabem disso, embora é claro que ele nunca menciona nada. Ele foi colega de turma de seu pai no colegial. Diacho! Se você quer ver o poder da KKK, é só pegar o carro e ir agora até o condado de Forsyth, um pouco ao norte de Atlanta. Você vai ver uma tabuleta afixada na divisa: '*Nigger*, não deixe o sol descer sobre você no condado de Forsyth'. E eles falam a sério."

Eu me retraio ao ouvir a palavra com *N*, proibida em nossa casa. Minha tia Doris, como muita gente polida de Atlanta, cuidadosamente também a evita, embora apenas um pouco. "Chame um *nigra* para consertar o telhado", diz ela. Ou então: "Não sei que idade tinha o paciente. É meio difícil dizer no caso de *nigras*, você sabe."

O tio Jack demonstra ser o mais racista dos meus parentes. Depois que o Congresso aprova o Ato dos Direitos Civis de 1964, ele pega a família, faz as malas e se muda para a Austrália, que naquela época tinha uma política de imigração "só para brancos".

Para minha surpresa, meus parentes da Filadélfia não são menos racistas. Meus tios advertem sobre "escurinhos" comprando uma casa geminada a alguns quarteirões de distância. "Eles já estão invadindo os parques e as piscinas", meu tio Bob lamenta. "Logo vão tomar toda esta área da cidade." Ele diz que quando serviu na Coreia, até mesmo de olhos fechados ele sabia quando um soldado negro entrava na barraca. "Eles têm um cheiro diferente. É por isso que os cachorros não gostam deles."

Em nossas viagens de carro para a Filadélfia, eu fico me perguntando onde os negros comem, usam o banheiro ou passam a noite. Nos estados sulistas, nunca vemos negros e brancos no mesmo restaurante ou motel. Isso seria ilegal. Nossa mãe nos assegura que eles têm seus próprios lugares — *O livro verde do motorista negro* indica todos eles — mas eu vejo muito poucas placas de "Motel para pessoas de cor" ao longo das rodovias.

Com exceção das visitas à escola da Sra. Henley, eu raramente entro em contato com pessoas negras. Brincamos em parques segregados, frequentamos barbearias separadas e escolas e igrejas diferentes. Por lei as crianças negras não podem nadar numa piscina para brancos. E um médico ou enfermeiro negro não pode cuidar de um paciente branco. Alguns cemitérios para animais de estimação têm até uma área separada para gatos e cachorros de pessoas negras.

Os habitantes de Atlanta compartilham o mesmo espaço geral, mas sem se tocarem, como se estivessem sobre um invisível tabuleiro de damas com quadrados brancos e pretos. Prédios altos do centro designam um elevador para negros, carga e bagagem; os melhores são reservados para brancos. Prédios públicos têm normalmente três banheiros: Mulheres Brancas, Homens Brancos e De Cor. Bebedouros são marcados: Brancos ou De Cor, muitas vezes com água gelada disponível apenas para os brancos. Um amigo meu da igreja me disse na infância que ele ficava apertando o botão do bebedouro De Cor, esperando que saísse água colorida.

A Rich's, que é a mais prestigiada loja de departamentos da cidade, vende roupas para fregueses negros, mas não permite que eles provem as roupas, para não ofender clientes brancos. Essa loja também não admite negros em seus restaurantes. Durante meu sétimo ano, Martin Luther King Jr. participa de uma série de protestos estudantis passivos, forçando a Rich's a mudar.

O caminho para a casa de meus avós exige que atravessemos várias vizinhanças negras. Olho pelas janelas para as ruas e varandas cheias de vida. Velhos sentados em cadeiras de balanço, mascando rapé e cuspindo as sobras em latas de tabaco. Mulheres sentadas ao lado deles descascando favas ou costurando. As calçadas, onde existe alguma, são parquinhos para pular corda e brincar de amarelinha, ou marcar os limites para o jogo de bola de rua.

Aspiro os cheiros: churrasco, grama recém-cortada, fumaça de charuto e também um cheiro ácido de queimado que não identifico. "É cabelo", diz minha mãe. "Usam pentes de metal e prensadores aquecidos no cabelo para deixá-lo liso, como o dos brancos."

Em percursos de ônibus para o centro de Atlanta, começo a perceber anúncios para branqueadores de pele e alisadores de cabelo. Um deles diz: "Uma pele clara, mais branca é um trampolim para a popularidade, o amor, o romance e o sucesso nos negócios".

Meu próprio cabelo nunca foi liso, o que provoca a zombaria de meus colegas de escola. "Ei, onde você conseguiu esse cabelo crespo, hein? Você tem um pouco de sangue negro?" É uma questão séria. De acordo com a lei estadual, baseada na regra de uma gota só, quem tem uma fração mínima — simplesmente uma gota — de sangue negro é classificada como negro.

As pessoas negras nos proporcionam ter alguém para olhar com complacência, sentindo-nos superiores. Minha família viveu em projetos habitacionais do governo e em parques de *trailers*. Podemos nos classificar como "ralé de brancos pobres", mas pelo menos somos brancos. Até mesmo elogios ocultam uma propensão racista: "Ele é inteligente, para um negro... Ela é realmente bonita, para uma garota negra".

A cada dois ou três meses, nossa mãe contrata uma mulher chamada Louise para ajudar nas tarefas mais difíceis, como limpar o fogão ou descongelar a geladeira. Imagine, alguém ocupando um lugar mais baixo na escala do que nós! Nossa mãe a trata bem, mas Louise nunca come com a gente. Ela insiste em fazer seu lanche de pé, na cozinha. Certa vez, nossa mãe foi jantar na casa de Louise, e mesmo lá Louise comeu numa sala separada. Ela explicou, quase pedindo desculpas: "Dona, sem querer ofender, mas jamais comi numa mesa com uma mulher branca".

Só mais tarde vou aprender um outro aspecto do Sul, que a criança que fui não percebeu. Leio relatos de testemunhas oculares sobre a escravidão feitos por Frederick Douglass e outros que descrevem uma crueldade que mal posso compreender. Estremeço diante de descrições de soldados da Guerra Civil sobre cadáveres apodrecendo numa trincheira de lama, sobre membros serrados sem nada para aliviar a dor, sobre uma prisão da Geórgia chamada Andersonville onde mais soldados da União morreram de fome do que nas cinco mais sangrentas batalhas do Norte em conjunto.

Alguma coisa parece desmoronar dentro de mim à medida que vou lendo esses relatos, que ficam comigo como uma imagem colada à retina. O exército confederado já não parece tão nobre, nem a Causa Perdida tão justa. A guerra pode ter afrouxado as correntes da escravidão, mas mais de um século depois a hostilidade racial persiste. Sinto-me engolido por uma sensação de repugnância, não apenas por aquilo que antes acreditava ser verdade, mas também por mim mesmo. Crescendo, engoli o mito.

Culpa negada nunca se apaga. O Sul transforma a guerra, como faz com quase tudo, numa linguagem religiosa. O historiador Shelby Foote fala de um monumento confederado em sua cidade natal dedicado à "única nação que viveu e morreu sem pecado". Numa de minhas peregrinações da infância visitei em Richmond o túmulo de Jefferson Davis, que tem esta inscrição esculpida na pedra: "Bem-aventurados os que são perseguidos por causa da justiça, porque deles é o reino dos céus". Esse é o mito da Causa Perdida em que acreditei na infância e durante toda a adolescência.

O General Grant, que havia testemunhado o pior que a guerra tinha a oferecer, expressou uma visão diferente em Appomattox — tristeza "ante a derrota de um inimigo que havia lutado por tanto tempo e com tanta valentia, e havia sofrido tanto por uma causa, embora aquela causa fosse, creio eu, uma das piores pela qual um povo jamais lutou". Como sulista, atingir a maioridade significou para mim o despertar de uma mentira, de uma consciência de que estávamos vivendo com uma narrativa que era mentirosa e nos levava ao engano. A tensão que resultou disso plantou alguma coisa profunda em minha alma, uma incômoda sensação de traição.

Eu não conseguia conciliar as contradições de minha terra natal. Um lugar saturado de religião com tanta fofoca sobre amigos fraudulentos, abuso de crianças, estupro, bebedeiras e violência. Gente amistosa, hospitaleira que desconfiava de estranhos. Gente honrada que defendia sua honra com violência. Um povo derrotado que canalizou sua raiva contra uma raça até mais massacrada.

Ao ficar mais velho, uma rachadura se abriu naquilo em que eu sempre fora ensinado a acreditar, a primeira de muitas rachaduras por vir.

11

Filadélfia

> Eles, com certeza, não se consideravam incomuns a seus próprios olhos; eram como todos os outros, e sua conduta lhes parecia, até onde posso julgar, perfeitamente natural, simplesmente o que qualquer outra pessoa faria naquelas circunstâncias.
>
> Mary McCarthy, *Memórias de uma menina católica*

No fim de cada verão vamos de carro para a Filadélfia visitar a família de nossa mãe, os Diem. Lá, tenho um vislumbre da vida e criação de minha mãe.

A viagem dura dois dias, e nossa mãe se preocupa o tempo todo com o trânsito. "Ainda não tivemos nenhum problema, mas esperem até chegarmos a Richmond... Bem, não foi tão ruim, mas aguardem até chegarmos perto de Washington..."

No percurso, esbanjamos em restaurantes. "Escolham o que vocês quiserem", diz nossa mãe, sacando um envelope cheio de dinheiro vivo que ela veio economizando o ano inteiro. Marshall pede seu prato preferido, bisteca de vitela — no café da manhã, no almoço e no jantar. O ponto alto do dia acontece no fim da tarde, quando procuramos um motel que caiba no orçamento da família. Marshall e eu insistimos muito num motel com piscina, e às vezes conseguimos.

No quarto do motel, nossa mãe deposita as sacolas, dirige-se ao banheiro e retira o selo de papel onde se lê "Higienizado para sua proteção". Vestimos os calções de banho e, depois de um mergulho na piscina, retiramo-nos para o quarto, tremendo no incomum ar-condicionado, e nos enfiamos debaixo das cobertas para desfrutar o luxo de ver televisão. Isso é que é vida!

FILADÉLFIA

Quando nos aproximamos da Filadélfia, a vista fora do carro fica mais feia, mas também mais emocionante. Refinarias expelem chamas no ar. Atravessando pontes enferrujadas, observamos lá embaixo os navios enfileirados na água escura, aguardando para ancorar. Mergulhamos em túneis cobertos de fuligem e nos projetamos do outro lado contra o sol ofuscante. Susquehanna, Schuylkill, Tinicum, Passyunk — os nomes de placas de rodovias soam estranhos aos nossos ouvidos sulistas.

Para um garoto dos frondosos subúrbios de Atlanta, o sudoeste da Filadélfia, onde moram os Diem, bem que poderia ser outro país. Cada quarteirão se parece com qualquer outro quarteirão: uma fileira de casas geminadas de dois andares, com um jardim tão pequeno que você pode postar-se no pórtico da casa e cuspir uma semente de melancia até a calçada. O asfalto cobre quase tudo — a rua, as calçadas, os degraus da frente das casas — e as únicas plantas que vejo são mudas de cinco centímetros forçando sua saída através de rachaduras na calçada. A ruas têm números, nenhum nome — 70, 69, 68 em vez de Rua Pessegueiro ou Travessa Cotovia.

Perto do Dia do Trabalho aquelas ruas ficam como lava derretida. Como é possível que, depois de rodar dois dias rumo ao norte, tenhamos chegado a um lugar ainda mais quente que a Geórgia? Sempre fazemos nossa visita na época mais cruel do ano, por causa de uma conferência missionária que dura uma semana na igreja local de nossa mãe, a Tabernáculo Maranatha.

Alguns dos vizinhos me chamam: "Ei, rapaz, de onde você é?". Quando digo que sou da Geórgia, eles me pedem para dizer alguma coisa "falando em língua sulista" e acham graça no meu jeito de falar. "O que vem depois do treze?", perguntam, e quando eu digo catorze, riem como se eu tivesse contado uma piada. "Não é assim que se diz. É *catorze*, não *catorrrrrze*." Quando digo *ceis tudo*, riem ainda mais, dando palmadas nos joelhos e apontando para mim como se eu fosse um humorista.

O sudeste de Filadélfia agride os sentidos. Buzinas gritam, sirenes da polícia gemem. Um caminhão vai passando com um vendedor anunciando num alto-falante que range: "Milho branco, seis por um dólar, melão, bananas..." Ao anoitecer, luzes piscam por toda a extensão da Ponte Walt Whitman, e eu consigo ver chamas de gás formando penachos alaranjados saindo de chaminés de Nova Jersey. Cheiros — enxofre das refinarias, café torrando, pão quentinho da padaria alemã, linguiças assando no quintal de alguém, o charuto de um vizinho — tudo se mistura. Meu nariz trabalha mais na Filadélfia.

Numa cama de armar num pórtico protegido por uma tela, permaneço acordado durante a noite, piscando por causa das luzes da rua. Meu tio Jimmy fica sentado na sala de estar até meia-noite, assistindo a duas tevês e ouvindo um rádio, todos sintonizados em diferentes programas esportivos. Quando ele finalmente vai para a cama, eu fico preocupado com gangues da vizinhança. Ouço o ruído de passos se aproximando, mais perto, mais fortes, e prendo a respiração até eles terem passado. Mal flutuo rumo ao sono, o leiteiro deposita as garrafas no recipiente de metal nos degraus da frente, e todos os cachorros da vizinhança latem ao mesmo tempo.

A casa geminada da Rua 67 logo se torna tediosa. Uma rangente escada de madeira leva para o andar superior, e Marshall e eu descemos deslizando pelo corrimão ou descemos a escada sentados — *tump, tump, tump* — até o tio Jimmy nos fazer subir e descer os degraus trinta vezes como um castigo, tirando toda a graça da brincadeira. "Isso vai lhes ensinar", diz ele com um riso maldoso.

A comida é irreconhecível. Em vez de pão branco, os Diem comem pão de centeio com sementes e uma crosta que machuca a boca. Servem carnes estranhas, como linguiça de fígado e empadas de milho com carne de porco. Espalham generosamente maionese nas batatas cozidas e cozinham todos os legumes até virarem um mingau. Para o almoço, minha avó serve uma salada de frango cheia de calombos de gelatina e cartilagens. Como sulista, fico chocado ao vê-la servir chá gelado feito com uma mistura instantânea, *sem açúcar*. Meus tios lhe dão sabor usando um suco artificial tirado de um recipiente de plástico em forma de limão. Eu me pergunto como minha mãe sobreviveu a sua infância.

Meu tio Jimmy anda pela casa vestindo uma camiseta molambenta, sem mangas, com seu peito peludo de urso meio exposto. Bebe água gelada diretamente de um recipiente de Tupperware amarelo, e leite diretamente da caixa. Marshall e eu ficamos de olhos arregalados. As regras são diferentes aqui no Norte.

Dois tios adultos moram com meus avós na pequena casa geminada. Tenho muito medo de ficar com esses grosseirões, que se divertem azucrinando Marshall e eu. Na viagem de volta depois de cada visita, nossa mãe nos dá mais detalhes sobre sua família, preenchendo as lacunas.

"As desgraças de Jimmy começaram na Guerra da Coreia", diz ela sobre o irmão. "Ele se apaixonou por uma garota coreana que trabalhava como intérprete para a inteligência do exército. Jimmy queria se casar com ela, e ela conseguiu a permissão de vir para cá com ele, nada fácil naquele tempo. Quando ele contou para a avó de vocês, ela disse: 'Eu não quero uma dessas de olhos enviesados na minha família!' — e ele nunca mais foi o mesmo depois daquilo."

Quase completamente calvo, Jimmy tem uma testa muito franzida e olhos muito encovados e cansados, e isso faz que ele pareça ameaçador. Ombros peludos e arredondados saltam de sua camiseta regata. Todas as noites ele se isola no banheiro de uma lâmpada só e faz a barba com uma navalha, uma tarefa que exige quarenta e cinco minutos e deixa manchas de sangue em sua camiseta.

Tio Jimmy responde a perguntas de uma forma que mais parece uma réplica mordaz do que uma resposta. Se pergunto se os Phillies venceram ontem à noite, ele retruca: "O que você tem a ver com isso?". Se lhe peço que abaixe o volume do som da tevê à noite para que possamos dormir, ele diz: "Vocês e quantos fuzileiro navais?". Depois repete isso várias vezes: "É como eu digo, vocês e quantos fuzileiros navais? Você me ouviu: vocês e quantos fuzileiros navais?".

Jimmy usa um relógio que não funciona. Quando eu pergunto por que o usa, ele pensa por um minuto e diz: "Ele está certo duas vezes ao dia, não está?". Canetas esferográficas ficam espalhadas pela sala, mas só consigo achar uma que funciona. Mas Jimmy sabe qual é, e se eu não a recoloco no lugar exato ele me corrige. Exige que a minha avó lhe sirva o jantar exatamente às 16h30 diariamente, caso ele decida ir jogar boliche à noite. Às sextas-feiras quebra essa rotina saindo para comer um sanduíche de bife típico da Filadélfia. "Eles sabem o que eu quero assim que entro no restaurante", diz orgulhoso.

Com o tempo, a vida azeda quando meu tio faz sua primeira consulta com um médico em anos. Mais tarde irei conhecer esse médico e ouvir seu relato em primeira mão. "Então, peço a seu tio Jimmy que vá atrás da cortina e vista um avental. A sala é inundada por um cheiro horrível, como o de um cesto cheio de fraldas sujas. Ele sai, e juro por Deus que sua perna direita está fervilhando de vermes. Ali tem tecido necrosado, envenenamento de sangue, gangrena, o que você imaginar. Provavelmente ele tem uma neuropatia causada pelo diabetes e assim não sente tanta dor.

Mas como alguém poderia deixar de notar uma perna naquelas condições?! Borrifamos Lysol, Pinho-sol, qualquer coisa que se pudesse encontrar, e o cheiro levou semanas para sumir do meu consultório."

No dia seguinte àquela consulta, um cirurgião amputa a perna um pouco abaixo do joelho. Ele que já não tinha muita coordenação motora nunca consegue se adaptar a uma prótese. Desce ruidosamente os rangentes degraus pela manhã e senta-se em sua cadeira onde fica o dia inteiro, com um penico para suas necessidades. Acabou-se o boliche, dirigir nunca mais. Assiste a programas esportivos na tevê na maior parte do dia e lê três jornais diários de cabo a rabo.

Tudo o que na vida tio Jimmy agora perde, seu irmão mais novo, Bob, compensa. Imenso, bocudo, truculento, ele veste com orgulho sua reputação de filho pródigo. Em nossas primeiras viagens à Filadélfia, o adolescente Bob me atormentava sem parar. "Ei, vou para Atlanta, então reserve uma suíte para mim no Hotel General Sherman, tá bom, filhote de rebelde?", dizia e dava uma risada forte e comprida da piada que seria repetida várias vezes por dia. "Ah, e se aquele estiver lotado, tente o Hotel Ulysses S. Grant."

Torcia-me o braço atrás das costas e dizia: "Repita comigo: 'O Sul perdeu a Guerra Civil. Eu amo os ianques'". Se eu me recusava, era fechado fora de casa, mesmo na chuva torrencial. Passei horas embaixo de um toldo minúsculo, tremendo de frio, defendendo a honra da Confederação. "Ei, Jimmy, ouvi dizer que tem um rebelde rondando em algum lugar por aqui. Você viu algum? Não? Bem, acho melhor manter a porta trancada. O cuidado nunca é demais, sabe como é. Não gostaríamos de ter nenhum dos rebeldes nesta casa."

Tio Bob afirma que jogou futebol profissional, embora eu nunca consiga achar nenhum registro de seu nome numa súmula. Seu peso máximo acusou 147,50 quilos, e ninguém se metia com Bob Diem. "Fui penalizado por segurar uma vez e gritei com o árbitro: 'O que o senhor quer dizer com segurar?'. 'Bem, Bob, não vi você socando a boca dele com o antebraço, então deduzi que você devia estar segurando.'" Ele solta uma profunda gargalhada. "Minha filosofia é: Sacanear eles antes que eles me sacaneiem."

O ego enorme de Bob combina com seu tamanho. "Essa é a melhor coisa que você faz, vir para cá todos os anos", diz ele, "porque talvez algumas de minhas qualidades vão passar para você. Vou fazer de você um homem." Ao ficar sabendo que pretendo ser escritor, ele diz: "Legal. Você não poderia achar um assunto melhor. A história de minha vida vai render um sucesso de vendas".

Meu tio gosta do papel de ovelha negra da família. Nos anos por vir, ele porá em prática sua reputação de formas que escandalizam o resto da família. Divorcia-se da primeira mulher e deserda o próprio filho por ser *gay*. Uma segunda esposa se suicida com um tiro no chuveiro. Ele esbanja todo dinheiro que ganha na jogatina e declara mais falências do que consegue contar.

Eu lhe pergunto certa vez: "Você se arrepende de alguma coisa?". Ele mal considera a pergunta. "De nadinha. Sempre fiz exatamente o que quis."

Como seu irmão mais velho, Jimmy, Bob também tem um fim trágico. Ele não se cuida e ignora seu diabetes, até perder alguns dedos dos pés. No dia de Natal de 2009, o xerife do condado, alertado pelos vizinhos que percebem um cheiro horrível, arromba a casa dele. Encontra Bob deitado em sua cama, onde esteve por vários dias. Louco de fome, seu cão de estimação, um *rottweiler*, comeu um dos pés dele e boa parte do outro. O xerife tem de atirar no cachorro e depois chamar uma equipe de risco biológico. Encontra milhares de ovos de barata: no fogão, nas lâmpadas, em rádios, no ventilador de teto, em qualquer lugar quente.

Guardo poucas lembranças do meu avô, Albert Diem. A mãe sempre fala dele com carinho. "Ele manteve a família unida, trabalhando em dois empregos para nos conduzir através da Depressão. Depois ele fazia turnos duplos na fábrica da General Electric durante a guerra. Após tudo isso, a GE o demitiu aos cinquenta e seis anos de idade."

Eu o conheci como um homem magro e amável sentado numa poltrona reclinável de couro virando as páginas de um jornal com dedos amarelados pela nicotina. Seu médico o proibiu de fumar devido a um problema cardíaco, e Marshall e eu contávamos a nossa mãe sempre que o apanhávamos fumando um cigarro durante um de seus passeios ao redor do quarteirão. No meu íntimo, eu gostava de ver como a fumaça azulada saía em caracóis de suas narinas. *Então esta é a aparência do pecado*, pensava eu.

Estávamos na Geórgia quando meu avô Diem morreu. Um dia chegou um cartão-postal para a minha mãe informando que ele tinha sido hospitalizado. No dia seguinte, estávamos jantando bistecas de porco quando o telefone tocou. Tio Jimmy disse quatro palavras: "Bem, ele se foi". E nossa mãe começou a chorar alto: "Buá, buá, buá", exatamente como fazem na televisão. Correu para o quarto, e Marshall e eu ficamos lá sentados, mudos e estarrecidos, olhando para nosso jantar consumido pela metade.

Depois de providenciar que ficássemos com nossos avós Yancey, nossa mãe pegou um trem para a Filadélfia a fim de participar do funeral. Ninguém foi esperá-la e assim ela pegou um táxi até a casa, onde encontrou a família reunida em volta da mesa da sala de jantar discutindo sobre quanto gastar com o caixão.

Minha avó Sylvania é a principal autoridade na família Diem. Na infância eu tinha medo dela, com aqueles olhos velados e pelos brancos no queixo e aquelas dentaduras dando estalidos e uma expressão severa no rosto. O lábio inferior projetava-se e suas bochechas atrapalhavam sua fala, o que para mim dificultava o entendimento. Percebi que ela não gostava muito de crianças, especialmente das barulhentas e ativas.

De minha mãe aprendi aos poucos a história pessoal de Sylvania.

Nasceu em 1898 numa família da classe trabalhadora, a oitava criança de dez, e passou a ser chamada pelo apelido "Sylvie". Seu pai, William, um açougueiro e foguista de carvão, ganhava o suficiente para alimentar todos eles — até que começou a beber. Segundo Sylvie, ele era um "bêbado cruel". Ela costumava encolher-se num canto enquanto ele chutava seu irmãozinho pelo linóleo feito uma bola de futebol. Ela o odiava com o ódio de que somente uma criança é capaz, especialmente depois de ficar sabendo que ele estava visitando o quarto de sua irmã mais velha durante a noite.

Um dia, depois de uma espalhafatosa discussão com sua mulher, William anunciou que ele queria que ela saísse daquela casa até o meio-dia. As dez crianças se apinharam ao redor da mãe, agarrando-se a sua saia e chorando: "Não, mamãe, não vai embora!". Mas nada conseguiu amolecer o pai delas. Segurando-se a seus irmãos e irmãs, Sylvie observou através da vidraça da janela enquanto sua mãe desceu pela calçada, uma mala em cada mão, ficando cada vez menor até perder-se de vista.

Algumas das crianças logo se juntaram à mãe, e outras foram entregues para morar com parentes. Sylvie e os dois meninos mais novos ficaram com o pai. Tendo somente sete anos de idade, ela assumiu os deveres de mãe, limpando a casa, cozinhando, banhando e vestindo os irmãos. Durante toda a sua infância, ela alimentou um inflexível nó de amargura contra seu pai. Quando completou catorze anos, ele a expulsou de casa e durante anos ela morou com outras famílias, limpando a casa delas para se manter.

Já adulta, Sylvania reconectou-se com os irmãos e as irmãs. Como ela, eles haviam abandonado a escola cedo, ou para trabalhar ou para servir ao exército. Oito deles se estabeleceram no sudeste da Filadélfia, a poucos quarteirões da Rua 67. Todos com exceção de uma — uma solteirona por toda a vida — se casaram, começaram famílias e tentaram esquecer o passado. O pai deles, William, havia desaparecido. Ninguém sabia onde ele estava, e ninguém queria saber.

Muitos anos depois, chocando todo mundo, o pai reapareceu. Tinha se acabado, disse. Bêbado e com frio, havia entrado por acaso numa missão de resgate do Exército da Salvação certa noite. Para conseguir um tíquete refeição ele tinha de assistir a uma cerimônia religiosa. Quando o orador perguntou se alguém queria aceitar Jesus como Salvador, William achou que era simplesmente sinal de educação ir para a frente com alguns outros homens. Ele mais do que ninguém se sentiu surpreso quando a Oração do Pecador de fato funcionou. Os demônios dentro dele se acalmaram. Ele ficou sóbrio. Pela primeira vez na vida sentiu-se amado e aceito — por Deus, pelo menos. Sentiu-se limpo, capaz de um recomeço.

E agora, disse a cada um de seus filhos que ele os estava procurando para pedir-lhes perdão. Não podia justificar o que havia acontecido, tampouco podia corrigir aquilo. Mas queria que eles soubessem que estava arrependido, mais do que eles talvez pudessem imaginar. Havia arrumado um emprego num depósito de gelo e estava planejando uma nova vida para si mesmo.

Os filhos, agora de meia-idade e com as próprias famílias, ficaram cautelosos. Alguns esperavam que ele voltasse a beber a qualquer momento. Outros imaginaram que ele iria lhes pedir dinheiro. Nada disso aconteceu, e com o passar do tempo o pai os reconquistou — a todos com exceção de Sylvie.

Muito tempo antes minha avó tinha feito um juramento de nunca mais falar com "aquele homem", que era como ela se referia ao pai. Seu reaparecimento a deixou confusa, e antigas lembranças de sua fúria de bêbado voltavam em enxurradas durante a noite na cama. Ela se ressentia de seus irmãos e irmãs por perdoá-lo. "Não acredito em arrependimento no último minuto depois de uma vida perversa", dizia. "Ele não pode desfazer tudo aquilo simplesmente dizendo que está arrependido." Ela dizia a seus filhos, inclusive a minha mãe: "Não tenho pai, e vocês não têm avô".

O marido de Sylvania, Albert, tinha um coração mais moderado. Várias vezes ele mandou minha mãe, então uma menininha, para o depósito de gelo numa missão secreta a fim de se informar sobre seu avô. William sempre insistia que estava bem, embora nossa mãe notasse que ele perdera alguns dedos quebrando gelo.

É possível que William tenha largado a bebida, mas não antes que o álcool lhe tivesse prejudicado o fígado de um modo irremediável. Ele caiu gravemente enfermo, e os últimos cinco anos de vida passou-os na casa de uma das filhas, a irmã mais velha de Sylvania. Moravam a oito casas de distância da casa da minha avó, no mesmo quarteirão. Fiel a seu juramento, Sylvania nem sequer uma vez foi visitar o pai enfermo, embora passasse pela casa da irmã sempre que ia à mercearia ou tomava um bonde no centro.

Pressionada pelo marido, Sylvania acabou consentindo que seus filhos visitassem o avô de vez em quando. Aproximando-se o fim, William viu uma jovem chegando a sua porta e entrando. "Ah, Sylvie, Sylvie, você veio me ver afinal", gritou ele, envolvendo-a em seus braços. Os que estavam no quarto não tiveram a coragem de lhe dizer que a moça não era Sylvie, mas sim a filha dela, Mildred, minha mãe. Alucinado, ele imaginou uma graça dos céus.

Quando William morreu, meu avô insistiu que sua esposa, Sylvania, participasse do funeral do pai. Só então, como adulta, ela se encontrou com ele, quando ele jazia num caixão.

Dura feito aço, Sylvania nunca pediu desculpas e nunca perdoou. Minha mãe se lembra de aproximar-se chorando para pedir desculpas por algo que ela havia feito. Sylvania respondia com um Ardil-22 típico de mãe: "Não é possível que você esteja arrependida! Se você estivesse realmente arrependida, você, em primeiro lugar, não teria feito isso".

Essa cena voltaria à minha lembrança anos mais tarde, quando tentei entender a mulher que é minha mãe.

12

Mãe

O maior fardo que uma criança tem de suportar é a vida não vivida de seus pais.

Carl Jung, *Psicologia e alquimia*

Alguma coisa acontece durante aquelas viagens para a Filadélfia. Pela primeira vez começo a ver minha mãe como uma pessoa em si mesma — uma garota chamada Mildred, uma criança e uma filha, uma irmã, uma adolescente — não simplesmente a Mãe.

Histórias extravasam enquanto caminhamos pela vizinhança, passando pela fábrica da GE onde ela trabalhou e pela imponente escola de tijolos e pela igreja de madeira que ela frequentou na juventude. Ouço mais relatos quando estamos sentados à mesa de jantar com seus irmãos, Jimmy e Bob, que gostam de me contar detalhes que fazem a mãe gritar: "Para com isso, vai!".

Primeira criança nascida na família Diem, Mildred cresceu durante a Grande Depressão. Ela se lembra das roupas ruins, da comida ruim e dos maus humores de sua mãe. Sylvania deu à luz mais cinco filhos, cada um mais uma boca para alimentar com a escassa renda de seu marido. Na lotada casa geminada, as crianças estavam sempre descalças. Sylvania costumava ficar deitada num sofá segurando na cabeça uma bolsa de borracha contendo gelo. "Falem baixo!", gritava. "Estou com uma dor de cabeça de rachar."

Mais de uma vez ela resmungou: "Por que que eu fui ter vocês, crianças? Vocês estragaram a minha vida". Algumas noites ela batia neles apenas para chamar a atenção: "Eu sei que vocês fizeram alguma coisa errada mesmo se não os peguei no ato".

Quando sondo minha mãe em busca de memórias de sua infância, não encontro nenhuma lembrança feliz. "Não era fácil", é o que ela sempre repete. Ela deve ter sido demasiadamente ingênua. Ficou sabendo sobre desodorante quando uma amiga lhe entregou um bilhete com o desenho de um recipiente e três palavras rabiscadas: "Você precisa disso!". Certa vez, seus irmãos brincalhões a convenceram a mergulhar uma das mãos num balde de água e depois segurar uma corrente de metal que pendia de uma luminária no porão. O choque elétrico funcionou melhor do que eles queriam, e tiveram de tirá-la da corrente usando um colete isolante.

A Segunda Guerra Mundial definiu os anos de colegial de minha mãe. Muitos de seus colegas de turma largaram os estudos para se alistarem, alguns para nunca mais voltar. Sylvania insistiu que depois da formatura as filhas Diem tinham de arranjar um emprego e morar em casa, entregando-lhe todos os proventos semanais. Quando minha mãe implorou para ir para a faculdade a fim de estudar para ser professora, Sylvania rejeitou essa possibilidade: "Nunca mencione essa ideia de novo. Se você for para a faculdade, todos os outros vão querer ir também".

Sem contar a ninguém, minha mãe tramou sua separação da família depois de completar 21 anos. Arrumou um lugar para ficar no centro da Filadélfia, com uma família que havia conhecido na igreja. Para uma jovem protegida e tímida, foi uma decisão audaciosa. Uma de suas irmãs notou que ela estava colocando roupas numa mala e alertou os pais.

Na manhã seguinte, ela entrou no quarto dos pais para beijá-los, como se estivesse saindo para seu emprego normal. Usava um chapéu, o que confirmou as suspeitas deles de que alguma coisa estava acontecendo. Sylvania levantou-se da cama e disse: "Mildred, se sair por aquela porta, você nunca mais será bem-vinda aqui". Sem se dar ao trabalho de responder, minha mãe foi pegar a mala e caminhou até uma parada de bonde.

Finalmente livre, Mildred assumiu um novo emprego e, além disso, matriculou-se em aulas da faculdade. Pouco tempo depois, a família com quem ela morava convidou num domingo um marinheiro para jantar — o homem que se tornaria meu pai. Eles tiveram um romance de conto de fadas, feito de cartas de amor e licenças de fim de semana.

Assim que meu pai foi dispensado da marinha, os dois jovens se casaram. O pastor exigiu uma sessão particular de orientação antes da cerimônia, e foi só então que minha mãe realmente aprendeu como os bebês são feitos. "O que ele descreveu era tão assustador que eu quase desisti do casamento", admitiu ela depois.

Não desistiu, e durante os quatro anos seguintes ela se mudou para o oeste, indo para Indiana e Arizona, depois para o sudoeste, indo para Atlanta, e deu à luz dois filhos. Ela aguardava esperançosa o cumprimento do sonho de toda a sua vida de servir como missionária na África — sonho que foi baldado pelo acesso de pólio de meu pai, pelo ato de fé de removê-lo do pulmão de aço e pelo milagre que nunca aconteceu.

Numa das visitas à Filadélfia, pergunto a minha mãe se ela aprendeu alguma boa qualidade de minha inflexível avó Sylvania. Ela pensa por um momento e diz: "Responsabilidade. Você faz o que se espera de você". Já adulta, Mildred Sylvania Diem pôs em prática essa lição.

Em dezembro de 1950, seu futuro esvaziado pelo luto, minha mãe começou uma nova vida em Atlanta com Marshall e eu. Como primeiro passo, aprendeu a dirigir. Em seguida, começou a ensinar a Bíblia em domicílios. Algumas igrejas e indivíduos enviavam doações, e nossa pequena família levava a vida a duras penas. Muitas vezes ouvi comentários como este: "Sua mãe é uma giganta espiritual. Imagine, criar vocês dois e levar adiante aquela carga de trabalho. Ela é um anjo enviado diretamente por Deus".

Assim que estávamos bem encaminhados na escola, nossa mãe decidiu perseguir um objetivo que vinha acalentando: terminar a faculdade. Envolveu-se com uma recém-criada faculdade bíblica que concordou em lhe dar créditos visando uma graduação em troca de cada curso que ela ministrasse. Estudou muito, aprendendo o suficiente para instruir pequenas turmas de três a cinco alunos. Por meio desse sistema educacional de troca, ela conseguiu um bacharelado e depois um mestrado em teologia. "Aprendi mais ensinando do que jamais aprendi como aluna", diz ela, em retrospectiva.

Para ajudar com as finanças depois que compramos o *trailer*, ela concordou dirigir uma *van* duas vezes por dia, transportando crianças para uma creche. No fim do dia, ela datilografava os sermões de um professor do Seminário Columbia, para serem compilados em livros.

Apesar da rigorosa segregação de Atlanta, uma nova oportunidade logo se apresenta: ela é convidada a dar aulas sobre a Bíblia em uma casa afro-americana. A notícia do ensino de minha mãe se espalha, e logo ela está lecionando para turmas em outras vizinhanças de negros. Num conjunto de apartamentos começam a chamá-la "Srta. Jesus". Ela zomba do dialeto dos alunos negros e de alguns de seus costumes, contudo nunca recusa um convite, muitas vezes viajando sozinha à noite para áreas onde ela é a única pessoa branca que não veste um uniforme da polícia.

Nossa mãe volta para casa com inúmeras generalizações sobre raça. "Sempre começamos os encontros muito tarde. Eles não têm noção de tempo, vocês sabem. Seguem o HPC, o Horário das Pessoas de Cor. É um certo sentimento profundo que eles têm. É exatamente assim que eles são."

"Eles também têm todo um entendimento diferente de certo e errado", continua. "Um homem negro me disse: 'Você precisa entender. Se descobrimos que uma mulher vem nos enganando, nós a surramos ou matamos o outro sujeito envolvido. Não podemos evitar isso'. Percebam que é uma coisa cultural deles."

Minha mãe, que se recusa a viajar de avião ("Se Deus quisesse que voássemos, ele nos teria dado asas"), nunca se aproxima mais da África do que em seu contato com as comunidades afro-americanas de Atlanta. Nunca a ouço expressar muita decepção. Ela transferiu suas esperanças missionárias para nós, dedicando-nos a Deus sobre o túmulo de seu marido.

Durante uma das conferências da Colonial Hills, ela convida um casal de missionários para ir até nossa casa depois da igreja para nos contar sobre sua experiência na África. Na esperança de agradá-la, falo sobre ir para a África como um missionário veterinário. "Quero cuidar de leões e elefantes doentes", declaro.

Marshall se lamenta toda a vida por sua declaração, aos sete anos de idade, de que Deus queria que ele fosse um missionário. Nossa mãe segura aquele compromisso sobre ele como uma espada. "Você nunca será um missionário com essa sua atitude", diz ela quando ele faz alguma coisa que a chateia.

A maioria das crianças pouco sabe sobre o que seus pais ou mães fazem no trabalho. Isso não acontece com Marshall e eu — o negócio de Deus não nos dá trégua. Acompanhamos os clubes bíblicos e compromissos de ensino de nossa mãe, e de nós se espera que creiamos tão firmemente como ela.

Embora quase todo mundo seja religioso no Sul, nossa mãe segue padrões mais rigorosos. Dentre duzentas decisões de conversão, afirma, somente uma delas se mostra genuína. Nós somos *diferentes*, acredita, totalmente dedicados a Deus de uma forma que os outros não são. Eles falam em evitar as coisas do mundo; nós de fato as evitamos. Eles cantam sobre a Segunda Vinda; nós a aguardamos a cada dia.

Nossa mãe tem pareceres fortes sobre denominações. Duvida que os católicos sejam cristãos. Os presbiterianos e "aqueles uísquepalianos" estão do lado de fora da cerca. Os metodistas perderam sua paixão, e as igrejas deles "mais parecem clubes sociais mornos do que casas de adoração". Até os batistas da Convenção do Sul são suspeitos, porque é possível ver diáconos postados nos degraus da igreja fumando cigarros. Da mesma forma, alguns organistas batistas tocam fraquinho durante a oração pastoral, o que significa que provavelmente eles estão de olhos abertos.

Nossa casa se parece com uma loja de artigos cristãos. Cada placa e calendário de parede exibe um versículo da Bíblia, e o porta-revistas está cheio de títulos como *Voz da profecia*. Cartões de oração de missionários cobrem a frente da geladeira. No café da manhã de cada dia tiramos um versículo para memorizar de um recipiente de plástico chamado Pão da Vida que tem a forma de um pão em miniatura. Da parede pende nossa única obra de arte, uma reprodução da famosa *Cabeça de Cristo* de Warner Sallman. Seu Cristo de cabelo aerografado parece um pouco triste, os olhos voltados para o alto como que em busca de ajuda.

Crescemos ouvindo rádios religiosas sem parar. Acho que nossa mãe se sente melhor com alguém falando sobre Deus no fundo. Marshall e eu fazemos imitações dos irados, esbaforidos pregadores sulistas e de suas esposas com trinados de sopranos. O discurso bombástico de Carl McIntire contra o comunismo ateu sempre nos irrita. Como se poderia prever, a *Radio Bible Class* do Dr. M. R. DeHaan chega todos os domingos exatamente quando estamos nos sentando para o café da manhã com ovos fritos. Não escuto de verdade os sermões dele, mas anos depois todas as vezes que ouço sua voz grave sinto o cheiro de ovos fritos.

Quando bem jovens, recitamos uma bênção de agradecimento já pronta — "Deus é grande, Deus é bom. Vamos agradecer-lhe por nossa alimentação" — mas depois de certa idade precisamos apresentar nossa própria oração. Eu oro por animais de estimação e crianças na vizinhança e agradeço a Deus pela carne, as batatas e cada um dos legumes e verduras, exceto os tomates. Marshall explode em gargalhada quando termino a oração com uma rima que aprendi por aí: "Amém, Irmão Ben, atirou no galo, acertou a galinha. Morreu a galinha, Ben chorou e depois se matou". Nossa mãe não acha graça nisso.

Estamos tão imersos no discurso espiritual que, quando o telefone toca, Marshall responde com um "Pai nosso que estás no céu" em vez de um "Alô".

Na escola descobrimos como somos diferentes dos outros meninos. Não falamos palavrões nem vamos ao cinema, não conhecemos nenhuma música composta nos últimos cinquenta anos e não temos televisão. Passamos boa parte do tempo livre com atividades da igreja. E aos domingos não temos permissão para ir nadar, pescar ou jogar bola.

Não ligo para a maioria das regras. De fato, sinto-me diferente, dedicado, até moralmente superior. Temos a verdade, no fim das contas, diferentemente da maioria dos nossos amigos. Eu me destaco na igreja, e logo as amigas da mãe estão me chamando para me pedir que ore por uma chave ou carteira perdida. "As orações desse menino são atendidas", dizem elas, e eu me encho de orgulho.

Nossa mãe informa todo mundo que nós dois, Marshall e eu, planejamos ser missionários. No sétimo ano criei coragem e disse a ela que primeiro eu gostaria de tentar jogar beisebol numa liga menor por alguns anos. Ela fica brava e desaprova.

Por um longo tempo nossa vida em família é calma, como o silêncio antes de um terremoto. E depois, assim que Marshall começa o colegial, começam os tremores de advertência.

De repente, tudo parece enfurecer nossa mãe. Eu me perco no bosque e volto para casa um pouco tarde para o jantar. Marshall se esquece de avisá-la sobre um concerto na banda em que ele toca no fim de semana. A atmosfera fica gelada, e ela age como se tivéssemos cometido um pecado imperdoável. "Tomara que vocês tenham dez filhos como vocês!", grita. Já ouvimos isso antes, e eu me pergunto se ela aprendeu essa frase de sua própria mãe, Sylvania.

Ela que sofreu tantos espancamentos na infância facilmente recorre ao castigo físico. Sendo o mais velho, Marshall paga o pato pela fúria dela. "Vou trazer o Sr. Bonds da igreja para cobrir você de bolhas com uma vara de nogueira. Ele vai botar algum juízo nessa sua cabeça!" Ou mesmo: "Você sabe o que faziam com crianças desobedientes no Antigo Testamento? Leia Deuteronômio. Eles as apedrejavam até a morte!".

Marshall fornece muito combustível para a ira da mãe. Na escola ganhou a fama de aluno que "não realiza todo o seu potencial". Embora seu QI prove ser de 151, ele raramente completa as lições de casa e não se preocupa com estudar para as provas. Seus professores de música o aclamam como um prodígio, mas ele só pratica com seus instrumentos quando lhe dá vontade, o que é raro.

Subo minha guarda um dia quando entro em casa depois da escola e vejo minha mãe passando roupa. O cheiro quente de algodão passado flutua pelo *trailer*. Em vez de suavemente alisar as dobras, ela está batendo o ferro como um martelo. Seu rosto tem um ar contorcido, e todos os meus sentidos ficam alertas. *Que fiz de errado? Ou foi o Marshall?* Passo lentamente por ela indo para o meu quarto. Sei que ela me vê, mas não diz nada, e eu também não.

A ausência de palavras enche a casa. Nós três não dizemos nada naquela noite. Durante o jantar eu escuto os sons: o tinido de aço inox das travessas Melmac, o tilintar de copos, os cartilaginosos ruídos do mastigar e engolir, o tique-taque de um relógio. Elas nos olha, severa, como que podendo ler em nosso rosto alguma coisa para detestar. Marshall e eu nos encaramos, conspiradores cismando.

Aquilo se torna uma espécie de jogo. Quando um dos humores sombrios da mãe se instala, paramos de conversar. Por quanto tempo podemos manter aquilo?

Mantemos o silencio até por uma semana, sempre conscientes de que a explosão vai acontecer. Quando explode, as palavras ecoam das paredes do *trailer*. A voz dela começa baixa e vai subindo até ficar alta e tensa como a corda de um violino. "Você se acha muito esperto", diz ao Marshall. "Deixe-me dizer uma coisa, senhorzinho. Você não perde por esperar. Você é preguiçoso. Não presta para nada. Você só pensa em si mesmo. É um relaxado. Olhe só para o seu armário. Você acha que sou sua escrava? Vou falar o que vou fazer, e não quero dizer talvez. Vou pegar todas as suas roupas e jogá-las numa poça de lama. Então talvez você vá entender como é morar com um desleixado."

Marshall se defende. "Tá, como eu disse à senhora, vou limpar o quarto este fim de semana. Agora estou no colegial. Isso me mantém ocupado."

Ele está apenas atiçando o fogo. "Não me responda desse jeito! Você pensa que não percebo esse seu riso de escárnio? E não fale 'tá' comigo. É 'Sim, senhora', *está me ouvindo?* Se há uma coisa que exijo é respeito, e se eu não puder ensinar isso a você, vou trazer para cá alguém que pode."

Afundo-me no meu assento, tentando ser imperceptível. Com minha lição de casa espalhada diante de mim, seguro as bordas da mesa da sala de jantar com força suficiente para sentir o pulso em meus dedos.

A briga se arrasta, e no fim me retiro para o nosso quarto na parte de trás do *trailer*. Deitado na cama aquela noite, não consigo pegar no sono. É um soluço que ouço vindo do quarto no fundo do corredor?

Marshall nunca se esquiva. Ele sempre a enfrenta... e sempre perde. Os gritos dela sufocam a argumentação dele. Vendo como eles entram em conflito, opto por uma tática diferente com a mãe. Ela já acha que sou um fingido, então por que não ser isso mesmo? Vou ser uma tartaruga, esconder meus sentimentos, evitar todo conflito. Não vou ver nada nem ouvir nada. Vou me tornar invisível.

Marshall e eu enfrentamos uma inimiga comum. Em nossos beliches à noite, conversamos sobre ela. No passado não ousávamos questionar a mulher que, como todos nos lembravam, havia sacrificado a própria vida para nos criar. Depois das muitas explosões, depois de dias de silêncio à mesa de jantar, as dúvidas se insinuam. Não conseguimos juntar as duas pessoas que são nossa mãe: a angelical que todo mundo vê e a volátil com a qual convivemos.

Certamente, ninguém poderia acusar nossa mãe de comportamento "não espiritual". Ao contrário de algumas mulheres de nossa igreja, ela nunca usou calças, tampouco usa esmalte nas unhas ou maquiagem, nem mesmo batom nos lábios. Nunca deixa de fazer suas demoradas orações cada manhã, e ganha a vida ensinando a Bíblia. Que chance têm dois garotos adolescentes contra uma autoridade como essa?

Nossa mãe afirma que não pecou nos últimos doze anos — mais tempo do que já vivi. Ela segue um ramo da tradição religiosa segundo o qual os cristãos podem atingir um plano espiritual superior, um estado de perfeição moral. O pastor de sua igreja na Filadélfia usa uma luva para ilustrar o ponto. "O Espírito Santo vive dentro de vocês como os meus dedos dentro desta luva", diz ele. "Não são vocês que estão vivendo agora; é o Espírito de Deus em vocês." A estante dela está lotada de livros que descrevem esse estado, denominado a Vitoriosa Vida Cristã.

A ausência de pecado garante que ela vencerá todas as discussões conosco, seus filhos, pelo menos na visão mental dela. Também garante que — como sua própria mãe — ela não vê nenhuma necessidade de pedir desculpas, jamais.

MÃE

Enquanto estamos lá deitados em nossas camas, certa noite, Marshall revela algo que faz meu sangue gelar. "Eu odeio ela", diz. "Sempre odiei. Mesmo quando tinha a sua idade, dez anos, eu queria que ela morresse. Tinha uma cisma boba de que se eu a tocasse levemente no mesmo ponto um milhão de vezes, uma ferida se abriria, e ela iria morrer. Tentava isso todas as vezes que passava por ela."

"O que aconteceu?", pergunto.

"Ela simplesmente disse: 'Tire a mão de mim!' e foi isso."

Nossa família de três pessoas já não funciona mais. Não tenho como expressar com palavras a mudança em andamento, mas alguma coisa está me dilacerando por dentro. Quero correr para alguém que conheço na igreja e dizer: "Por favor, por favor, você pode nos ajudar? Preciso que alguém entenda o que está acontecendo lá em casa". Depois me lembro da reputação de minha mãe e me dou conta de que ninguém acreditará em mim. Ela é uma santa, a mulher mais santa de Atlanta.

Na igreja nossa mãe ostenta um sorriso beatífico e parece envolta num sentimento de bem-estar. Frequenta todos os serviços religiosos, toma notas, mansamente se submete à autoridade masculina. Quando as pessoas elogiam Marshall por sua habilidade de tocar piano ou trompete, ela faz um aceno orgulhoso de mãe. Todavia, nunca a ouvi dando a ele os parabéns por uma apresentação musical, ou a mim depois de receber um boletim digno de elogios. "Não quero que vocês fiquem orgulhosos", diz ela.

Começo a me preocupar com ela. Do nada, ela diz coisas como: "Para mim é simplesmente demais", deixando que eu adivinhe o que está errado. "Não aguento mais!", diz ela um dia. "Não sei se vale a pena continuar vivendo." Olho para ela, perguntando-me se minha mãe está ficando zureta. Quando faço planos para visitar um amigo, ela diz: "Vá em frente se você quiser. Mas se for, provavelmente não vou estar aqui na sua volta. Posso estar com o Senhor". *E agora*, o que devo fazer?

Sinto que a mãe tem preocupações sobre as quais nada sei. "Dinheiro não dá em árvore, vocês sabem!", diz ela, alto demais, quando vejo numa loja algo de que gosto. Posso ver que consertadores, encanadores, mecânicos e vendedores de carro a estão roubando. Mas quando tento falar no assunto, ela dispara: "Estou lhe dizendo, filho, o homem me disse que aqueles carros com tração dianteira não prestam. E ele não é nenhum idiota. Você pensa que sabe mais que ele?". Aprendo a não desafiar minha mãe.

Estamos na década de 1960, e para ela deve parecer como se o mundo estivesse se desintegrando, espalhando perigo por toda parte. Minha mãe deixa panfletos em vários pontos da casa com títulos provocadores: "Música de Satanás Desmascarada", "Símbolo da Paz *Hippie* e a Cruz do Anticristo", "Minissaias e Cabelo *Hippie*". Ela tem tanta coisa a que se opor. Os *hippies*. O anticristo. O comunismo. Os *illuminati*. O intelectualismo. O ocultismo. Seus filhos cabeçudos.

Qualquer coisa que a aborreça acaba entrando fundo em seu organismo. Depois de uma explosão com Marshall uma noite, ela afirma que um coágulo de sangue atravessou seu coração. Algumas semanas depois, ela tem dificuldade para mexer o braço esquerdo. "Acho que é uma contratura muscular", diz ela.

Comer se torna uma tarefa complicada. "É alguma sequela da febre do deserto de Arizona", explica. "Ataca o fígado. Tem de comer muita massa, queijo e bombons, especialmente chocolate, mas não dá vontade, a gente se sente tão empanturrada." Pergunto o que poderia ser gostoso. Pergunta errada. "Comer... como é que eu posso? Estou doente! Mesmo que tente pensar em comida, sinto vontade de vomitar."

Surgem problemas de joelho. Convencida de que uma perna é uma polegada mais curta que a outra, minha mãe convence um sapateiro a aumentar o salto do sapato esquerdo para compensar. Agora ela fica meio inclinada e caminha de um jeito inatural, torcendo as costas. Um cirurgião ortopédico concorda em remover-lhe uma vértebra e reparar um disco.

Outro médico lhe dá injeções de cortisona para aliviar a dor no ombro. Mas ela se recusa a lhe dar a permissão para fazer um raio-X: "Sou claustrofóbica. Se entro numa dessas máquinas, não consigo respirar!".

Depois que ela sofre uma queda no *trailer*, Marshall a acompanha até o hospital com suspeita de ter um braço quebrado. O médico o chama no corredor e diz: "Não consigo ver nada de errado com sua mãe, mas ela não quer sair daqui a menos que façamos alguma coisa. Então vou por uma tala no braço dela. Não se preocupe, ela está bem".

A mãe só parece contente quando alguma coisa dá errado fisicamente — e para ela "contente" significa infeliz. Tem dias em que fica na cama com um pano molhado sobre a cabeça. "Meus nervos se esgotaram. Não consigo comer nada. Talvez seja uma úlcera se manifestando. Eu preciso sair daqui e ir para algum lugar, mas não tenho para onde ir. Me deixe só, filho. Estou com dor de cabeça!" Relembro as histórias que ela contou sobre sua própria mãe, deitada no sofá com uma bolsa de gelo na cabeça.

Em dias assim, caminho pé ante pé pelo quarto dela, e para o jantar esquento alguns empanados de peixe ou um empadão de carne. Costas, pés, seios nasais, pescoço, enxaquecas, tonturas, estômago, articulações — as doenças sempre parecem tornar-se críticas num momento crucial: quando Marshall a irrita, na véspera de um feriado, quando participo de uma excursão da escola. Não tenho como saber quais dores são reais e quais imaginadas, e não tenho nenhum indício de como ajudar uma mulher supostamente doente que por acaso é minha mãe.

As mães é que devem fazer seus filhos se sentirem bem quando estão sofrendo, não o contrário. Eu me pergunto: *Será que minha mãe está entrando em colapso, ou será que é simplesmente assim que as mulheres são?* Ela deveria ter tido filhas. Elas saberiam o que fazer.

Ofereço-me para fazer atividades na escola depois das aulas a fim de evitar passar tempo demais em casa. No entanto, mesmo nesse caso preciso depender de minha mãe vir me buscar. Às vezes fico plantado fora da escola por trinta minutos ou uma hora, esperando. Depois que escurece só vejo os faróis dos carros passando. Talvez ela tenha sofrido um acidente. Talvez tenha saído da estrada de propósito, acabando com tudo de uma vez, como ela às vezes ameaça fazer. Logo o sentimento de culpa me inunda. Como é possível que me ocorram essas ideias?

Minha cabeça gira. Como será a vida de órfão? Será que o estado da Geórgia me atribuirá uma nova mãe, temporária? *Se ela não estiver aqui entre os primeiros quinze carros, então ela não vem.* Conto quinze, lentamente, como uma criança brincando de esconde-esconde. Quando o carro não aparece, estabeleço outro objetivo. Vou até o fim da entrada de carros da escola e volto. De novo. E de novo, contando os faróis que passam.

Ela sempre aparece. Sei muito bem que não devo mencionar quanto tempo fiquei esperando.

Apesar disso, todos os meses ela envia cartas para seus apoiadores usando uma linguagem espiritual, otimista. Encontro uma esquecida por aí, e leio:

Andei pensando um pouco sobre o passado recentemente, sobre minha vida e a maneira como Senhor trabalhou nela, e fico simplesmente maravilhada. Quando a gente serve ao Senhor, a vida nunca é tediosa, e a gente nem sempre sabe o que vem depois, mas olhando para o passado dá para ver a direção do Senhor em cada passo. Ele prometeu nos guiar e nos guiar "passo a passo", e fielmente tem feito isso.

Ela cita versículos sobre triunfar em Cristo, a alegria do Senhor e sobre estar contente em qualquer estado em que a gente se encontre. E reserva toda a escuridão, toda a raiva para nós, seus filhos.

Um dia de verão, preciso me afastar do calor no *trailer*. De qualquer forma, ninguém está falando lá.

Caminho alguns quarteirões até uma piscina pública, vou para o vestiário e deixo minha roupa numa enferrujada cesta de metal e prendo meu número de identificação ao calção. Entro na água com cheiro de cloro, mergulho e me esforço para abrir os olhos debaixo da água. Depois de me acostumar com a sensação de queimadura, minha visão se torna clara.

Quando abro a boca, bolhas flutuam para a superfície. Enquanto exalo, afundo até o chão da piscina, de onde posso observar os corpos sem cabeça das pessoas batendo os pés ao meu redor. Ouço estranhos sons esguichados e risos lá de cima. Estou sozinho no meio de uma multidão, observando. Deixo que a sensação de calma, de segurança flua através de mim até o ar se acabar e preciso voltar à superfície.

13

Fervor

> Existe uma espécie terrível de crueldade, por mais bem-intencionada que ela seja, na exigência da negação do ego quando não existe ego para negar.
>
> James Fowler, *Estágios de fé*

No verão em que termino o sétimo ano, a mãe assume mais um compromisso: lecionar num acampamento cristão no Kentucky. Jogamos umas roupas na mala e vamos de carro de Atlanta até um lugar rústico aninhado num dos vales dos Apalaches.

Durante as seis semanas seguintes, Marshall e eu moramos com algumas dezenas de outros rapazes numa cabana prestes a desmoronar que cheira a lona e aguarrás. Na primeira tarde, descalço, aprendo a duras penas a evitar os estilhaços e as salientes cabeças de pregos nas tábuas do assoalho. À noite viro na cama do beliche e solto um grito — "Ai!" — acordando todo mundo na cabana. Prendi o nariz num prego protuberante da parede, que me rasga uma narina e causa um terrível sangramento.

A latrina dos rapazes tem seis buracos cortados num banco rústico de madeira sem assentos móveis — mais um risco de farpas. Aspiro um gole profundo de ar externo antes de entrar e lá dentro tento prender a respiração. Se a natureza chama depois que escureceu, atravesso o gramado correndo, esperando não pisar numa cobra ou escorpião nem depois me sentar sobre um buraco guarnecido com uma teia de aranha recente. Um dos garotos da minha cabana deixou acidentalmente uma lanterna cair na fossa. Até a bateria se extinguir, uma pálida luz amarela brilha através das fendas das paredes da latrina. Ninguém se oferece para recuperar a lanterna.

Aos olhos de outros rapazes do acampamento eu devo parecer um mauricinho da cidade. Eles são moleques duros e magros sem um ou outro dedo, com cicatrizes de arame farpado e vãos onde deveria haver dentes. Perguntam-me sobre arranha-céus, televisão, vias expressas e trens de passageiros. Os únicos trens que eles conhecem são aqueles que carregam carvão extraído das minas nas montanhas. "Você conhece algum negro?", pergunta um deles. "Nunca vi nenhum."

Os líderes do acampamento devem ter servido algum tempo no exército, porque administram o lugar como uma base de treinamento. Às seis da manhã — *gemido* — um roufenho alto-falante desperta e sons do hino "Brando qual coro celeste" ecoam pelos montes. Meia hora depois nós, os acampados, ficamos em posição de sentido na cabana para uma inspeção de possíveis piolhos e percevejos e uma verificação de nossa habilidade em arrumar a cama. Vem então meia hora de silêncio dedicada à leitura da Bíblia e à oração, seguida de quinze minutos de exercícios físicos. Finalmente, marchamos em formação para o café da manhã e o esquema diário de atividades dentro de casa e jogos ao ar livre, ensanduichando lições bíblicas e histórias missionárias — contribuição de minha mãe.

Na noite de sexta-feira, depois de um jantar com carne assada, nós nos reunimos ao redor de uma fogueira para tostar *marshmallows* enfiados em cabides de arame endireitados. As estrelas, livres da ofuscação das luzes da cidade, abrem furos brilhantes no azul cobalto do céu que nos cobre. Depois de conduzir alguns hinos, o diretor do acampamento lê trechos de salmos e poemas que falam de montanhas e córregos e animais. Penso nas criaturas que podem estar ali por perto nos observando.

Um dos conselheiros nos pergunta: "Alguém aqui gostaria de compartilhar o que Deus operou em seu coração esta semana?". Socamos com os pés o chão de terra. Os rapazes do Kentucky, sem nenhuma experiência de falar em público, demoram a responder, e a resposta é sempre breve.

"Eu tenho de viver para o Senhor quando voltar para minha família. Isso é mais fácil aqui junto com vocês todos."

"Sei que preciso mudar algumas coisas. Falo muito palavrão, pra começo de conversa. Fumo feito chaminé. E sem a ajuda de Deus vou acabar exatamente como meu pai."

"Andei com más companhias. Preciso achar alguns novos amigos."

Depois de cada confissão o acampado que falou atira um graveto no fogo, um sinal de como ele quer arder por Jesus.

— — —

Passadas duas semanas, estou completamente entediado com a rotina. Marshall e eu ouvimos as mesmas histórias da Bíblia e jogamos os mesmos jogos, mas com um novo grupo de acampados. Os únicos intervalos ocorrem nos fins de semana entre as sessões do acampamento, quando passeamos de carro por cidades com nomes como Flat Rock ou Dripping Springs e visitamos as casas de alguns dos acampados. Na sua maioria estão assentadas sobre blocos de concreto, como o nosso *trailer*, e têm remendos de papelão pregados nas paredes externas.

Numa dessas visitas aprendo a bombear água de um poço, acionando a alça para cima e para baixo até que, produzindo o som semelhante ao de um tossido, um fluxo de água clara jorra do bico. Tento tirar o leite de uma vaca, mas não sai nada, por mais forte que eu puxe. A vaca escouceia e meu treinador rural avisa: "É melhor você largar antes que ela rache a sua cabeça com um coice". Ele assume a atividade, suas mãos movendo-se suavemente de uma teta para a outra, e fluxos de leite quente batem no balde emitindo um som sibilante. Aspiro os cheiros de leite quente e estrume seco e mofado e o bafo de capim da vaca.

Nasce em mim um novo respeito por pessoas que eu havia julgado ignorantes. Aprendo a enfiar a mão debaixo de uma galinha e apanhar um ovo tão depressa que ela não tem tempo para bicar meu braço. Observo uma camponesa torcendo o pescoço de um frango, fazendo o corpo gordo girar como um laço até que ela de repente segura o pulso e o pescoço da ave quebra. Ela maneja um machado, e eu observo pasmado enquanto o frango sem cabeça, borrifando sangue sobre as penas brancas, corre pelo quintal batendo as asas, como se nada tivesse acontecido.

Kentucky me aproxima da natureza. Quando uma mocassim d'água nada na direção do barco onde estamos dois de nós do acampamento, somente a cabeça visível com sua língua movendo-se rapidamente e seus olhos embaçados, meu parceiro calmamente bate um remo na direção dela até ela mudar seu curso. Fico deitado à noite e ouço o coaxar de rãs produzindo notas diferente, como uma orquestra afinando seus instrumentos. Adormeço ao som do suave chamado do noitibó e acordo num sobressalto ao grito de um lince, idêntico ao berreiro de um bebê.

Depois, a aventura de um dia denuncia alguma coisa horrível em mim mesmo. Passeando pelos bosques com um amigo peralta da cabana, vejo uma tartaruga de caixa arrastando-se no chão. Ela se comporta praticamente como num desenho animado, com minúsculas pernas com listas amarelas labutando para impulsionar uma redoma grande demais sobre as costas. A cabeça com seu bico parecendo o de um papagaio oscila para cima e para baixo enquanto o réptil movimenta-se com dificuldade na direção dos arbustos. Eu me curvo e a pego, e num átimo sua cabeça, pernas e rabo se retraem. Cutuco aqui e acolá, tentando obter uma reação, mas a tartaruga sabe muito bem que não deve se abrir.

Encontramos outra tartaruga, e depois outra. Topamos com uma ninhada. Em poucos minutos pegamos dezessete tartarugas. Dispomos todas em fila, todas se escondendo dentro de seus cascos, imóveis.

Por alguma razão, meu companheiro deixa uma pedra enorme cair sobre a última tartaruga, e com um forte estalo o casco se quebra e dele jorram sangue vermelho e intestinos brilhantes e úmidos. Hesitando, pego a pedra e faço o mesmo com outra tartaruga.

Algo nos possui. Sem dizer uma palavra um ao outro, vamos deixando cair pesadas pedras sobre todas as dezessete tartarugas, uma por uma, rindo enquanto os cascos vão se rachando. Talvez assustadas com o ruído, nenhuma delas tenta escapar. Morrem mudas.

Caminhamos de volta para a cabana em silêncio. Durante todo aquele verão convivo com o fedor da vergonha. Essa crueldade maluca em qualquer outra pessoa me assustaria. Agora, eu sou o culpado. A cena adere em mim como uma segunda pele, prova condenatória de um ego que eu não conhecia. Não falo disso com ninguém, mas dentro de mim um buraco negro abre-se inexorável, como se alguma coisa houvesse explodido.

No fim daquele verão, nossa mãe decide levar nosso *trailer* para o terreno da Igreja Batista da Fé no extremo leste de Atlanta. Ela explica que já não pode arcar com o aluguel mensal do parque de *trailers*. Por isso aceitou presidir o programa de educação cristã da igreja em troca de um espaço grátis para estacionar nosso *trailer*. "Nós nunca vamos nos livrar da igreja", queixo-me. "Vamos praticamente viver numa delas!"

Passamos da Colonial Hills com mil membros, conservadora demais para os batistas da Convenção do Sul, para a Batista da Fé com 120 membros, conservadora demais para qualquer denominação. A placa na frente dessa igreja explicita a identidade dela numa estrela com múltiplas pontas: "Independente, Fundamentalista, Crente na Bíblia, Novo Testamento,

Comprada com Sangue, Renascida, Dispensacionalista, Pré-milenarista, Pré-tribulacionalista". O lema da igreja: "Lutar pela Fé!"

A Batista da Fé ocupa um terreno de uns oitenta mil metros quadrados. O local foi antes uma fazenda de pôneis. Um caminhão leva nossa casa móvel para um ponto que alguns membros da igreja prepararam com uma infraestrutura de eletricidade, água e esgoto. No processo, os profissionais da mudança fizeram dois buracos embaixo da janela da cozinha de nosso *trailer*, que foram cobertos com duas tiras de metal brilhante. A frente de nossa casa de alumínio agora parece um rosto risonho no qual faltam dois dentes.

A congregação se reúne num pequeno prédio de tijolos; suas paredes internas não ostentam nenhuma decoração. Nosso pastor, Irmão Howard Pyle, vem de uma orgulhosa família de fundamentalistas, todos graduados da Universidade Temple do Tennessee. Ele tem cabelo vermelho flamejante, um excesso de fervor e um anseio enorme de seguir as pegadas de seus quatro irmãos pregadores. Os Pyle e suas três filhas moram numa casa grande na propriedade da igreja, exatamente do lado oposto ao nosso *trailer*.

A vida da igreja gira em torno do pregador, e o Irmão Pyle tira toda vantagem disso. Agitando para nós o dedo indicador, prega sermões inflamados numa voz tensa e enlevada. Durante os quatro anos seguintes, frequento centenas de serviços religiosos — manhãs de domingo, noites de domingo e encontros de oração nas noites de quarta-feira — e ouço centenas de sermões, a maioria deles descrevendo aquilo de que devemos nos guardar: o pecado, o inferno, o demônio, a tentação, as ciladas do maligno. Em sua maioria, os serviços terminam com um chamado ao altar para a salvação, embora a congregação raramente inclua um visitante e todos nós que frequentamos regularmente aquela igreja já tenhamos aceitado o convite pelo menos uma vez. Ninguém parece se importar com isso. Com riscos tão altos, nunca se pode ser cuidadoso demais.

Nossa nova comunidade é mais parecida com a gente do Kentucky do que com a multidão de classe média da Colonial Hills. Uma cabeleireira de um olho só que não consegue se livrar do hábito da nicotina. Um encanador com um abundante tufo de cabelo saindo pelo nariz. Um motorista de um caminhão de lixo. Uma mãe de meia-idade que com frequência pede oração pelo marido alcoólatra. Eu me pergunto: *O que traz essas pessoas de volta domingo após domingo para ouvir falar de impiedade e fracasso?*

A música suaviza a atmosfera. Temos um enérgico diretor de canto que agita o braço no compasso quatro por quatro, como o papa abençoando a multidão. Acompanhando-o ao piano, Marshall logo encanta nossa humilde congregação. Ele irrompe em trinados e rápidas sequências de notas que fazem aquele velho e cansado instrumento soar como se o próprio Jerry Lee Lewis estivesse passando por ali.

Um domingo, no meio do serviço religioso, a porta da igreja é escancarada de repente e alguém grita: "Fogo!". Todos corremos para fora, e descobrimos chamas alaranjadas lambendo o teto do celeiro dos pôneis, que usamos para a escola dominical. Caminhões de bombeiros surgem roncando com as sirenes no volume máximo, os diáconos correm para cá e para lá removendo madeira e ligando mangueiras, e todos nós membros da igreja assistimos enquanto as chamas sobem aos céus e o calor queima o nosso rosto. Em seguida, voltamos em fila para dentro do santuário, enfumaçados com o cheiro de madeira carbonizada, e ouvimos o Irmão Pyle proferir de improviso um sermão sobre o fogo do inferno, que ele descreve como sendo sete vezes mais quente do que aquele que acabamos de testemunhar.

"Pensem sobre aquele fogo", diz, "causando uma dor muitíssimo mais intensa do que a pior queimadura que vocês jamais sentiram. Essa é uma pálida imagem de como será o inferno — sete vezes mais quente, para todo o sempre, sem nenhuma segunda chance." Tento abarcar a eternidade com minha mente de onze anos, e não consigo.

O inferno, todavia, consigo facilmente imaginar. Vivo cada dia com medo de que Deus me mande para lá. Essa perspectiva me deixa um gosto ácido na boca e uma sensação tensa no estômago. Sempre que começo a me sentir seguro, a cena com as tartarugas vem à tona.

A cada outono, a Batista da Fé monta uma tenda de circo no gramado junto ao celeiro dos pôneis e celebra uma semana de encontros especiais de "reavivamento". Uma vez que moramos no terreno da igreja, a mãe espera que frequentemos os cultos todas as noites da semana. No nosso primeiro ano, um pregador chamado Jack Hayles vem de Indiana para pregar sobre "Trinta e Nove Passos Para a Conquista Efetiva da Alma". Outro ano, o agitador Bob Jones Jr. conduz o reavivamento, alvoroçando o ambiente quando denuncia Billy Graham como um transigente.

Um texano chamado Lester Roloff atrai as mais entusiásticas multidões para a grande tenda branca. Roloff tem seu avião próprio, que ele pilota para deslocar-se e fazer suas palestras. Como um caubói, usa botas e gravata *bolo tie* e fala com voz de baixo e sotaque texano. Roloff fez sua fama arengando no rádio contra a homossexualidade, o comunismo, a televisão, a bebida alcoólica, o tabaco, as drogas, a glutonaria e a psicologia. Fez tudo isso em termos tão estridentes que teve de sair da Convenção do Sul e tornar-se um batista independente, exatamente como nós. Agora ele dirige lares coletivos para adolescentes problemáticos, onde, em suas próprias palavras, "rapazes e garotas imorais e viciados em drogas, que odeiam os pais e adoram Satanás", são transformados em "fiéis servos do Senhor".

Nunca se sabe o que vai acontecer quando Roloff começa a falar. Fanático pela saúde, ele afirma que a maioria dos problemas podem ser curados pela fé, o jejum e a alimentação. Despreza os remédios em geral, exceto a "pílula do evangelho", e incentiva as pessoas a seguirem a dieta encontrada no Levítico, juntamente com umas poucas adições dele mesmo. "Nem ratos e baratas comem o inútil pão branco", declara. "Não acreditam em mim? Deixem um pedaço à disposição deles. Eles sabem que está cheio de produtos químicos e veneno e não vão nem tocá-lo." Num grande sacrifício para quem cresceu comendo pão de forma, nossa mãe segue o conselho dele e nos converte a uma variedade de pão de trigo escuro. Não demora muito e já estamos também consumindo toranja no café da manhã, mas eu excluo o lanche preferido de Roloff, o suco de cenoura.

Uma observação acerca do culto de reavivamento de Roloff: ninguém cai no sono. No meio de um sermão, ele de repente faz um pronunciamento que não tem nada a ver com o assunto — como, por exemplo: "Pés dançantes não dão sustento a joelhos em oração!" — e começa a disparar uma rajada contra cristãos desavisados que dançam. "Estou ouvindo um amém? Amém!" Depois ele explode num cântico com uma voz desafinada como a de Johnny Cash: "Gasto os sapatos meus / Contando a boa-nova de Deus / Tocando campainhas pelo meu Senhor / Tocando, tocando, tocando campainhas / Pelo meu Senhor!".

Passados alguns anos, porém, Lester Roloff se envolve numa encrenca com o estado do Texas acerca de seus lares coletivos. Muitas vezes ele se vangloriou de suas regras rigorosas: nada de televisão, portas fechadas pelo lado de fora, rádios sintonizados somente em sua estação, frequência diária à igreja obrigatória. Num julgamento no tribunal, dezesseis garotas testemunham que foram açoitadas com tiras de couro, algemadas a canos de esgoto e trancafiadas em celas como castigos por não terem memorizado uma passagem bíblica ou arrumado a cama.

"Estamos sendo atacados", diz Roloff em sua defesa. "Os comunistas, os maçons, os ateus, os humanistas, os evolucionistas, e outros doentes mentais sem Deus querem destruir a família. Cuidado, pais e mães, o governo quer seus filhos!"

Enquanto as autoridades o arrastam para a cadeia, ele grita desafiadoramente: "Melhor um traseiro vermelho do que uma alma negra!".

Passo meus verões num acampamento bíblico e o resto do ano vivendo no terreno de uma igreja de linha dura. Respiro religião. No entanto, ao preparar-me para ingressar no colegial, sinto-me mais ansioso do que santo.

Cedi às pressões de chamado ao altar. Senti o calafrio do piedoso prazer ao ouvir a palestrante do reavivamento dizendo "Sim, Jesus! Obrigado, Jesus!" enquanto dou o passo adiante para nascer de novo *de novo* ou para rededicar minha vida ao Senhor. Sei como dar meu testemunho numa voz suave, sincera e consigo orar de um modo que arranca améns e às vezes lágrimas nas pessoas ao meu redor.

Sozinho, porém, na pequena privacidade que tenho no beliche de cima de nosso quarto apertado, as dúvidas me importunam. Minhas orações se dirigem a Deus como "Nosso Pai Celestial", mas sem um pai terreno com quem compará-lo, não sei o que isso significa. Ouço na igreja uma mulher orar: "Senhor, sê gentil comigo, simplesmente sê gentil. Mas, caro Senhor, faz tudo o que for preciso com meus filhos, mesmo que isso implique sofrimento. Quebranta-os". Talvez Deus seja como a minha mãe — uma superpessoa que ao mesmo tempo me ama e planeja quebrantar-me.

"Não diga ou faça nada que você não gostaria de estar dizendo ou fazendo no momento da Segunda Vinda de Jesus", aconselha-me minha mãe. Ela fala de uma ocasião em sua juventude quando uma amiga a convidou para assistir a um filme. Inicialmente ela se sentiu tentada. "Depois pensei sobre o que poderia acontecer se Jesus voltasse enquanto eu estava no cinema! O que eu poderia dizer a ele?"

Fico acordado à noite revisando tudo o que eu disse ou fiz recentemente. Atirando uma bola de beisebol contra uma barreira de tela por uma hora. Juntando-me ao meu irmão nas guerras de silêncio em volta da mesa de jantar. Espiando as revistas pornográficas do meu tio. O que me envergonharia se Jesus voltasse hoje?

As revistas proféticas da mãe — *Chamado da meia-noite, O povo escolhido, Frutos de Sião, Israel minha glória* — relatam um aumento de carestias, terremotos e catástrofes, sinais evidentes do fim dos tempos. O comunismo está se espalhando feito um vírus, cumprindo a profecia sobre "guerras e rumores de guerra". A Rússia tem bombas de hidrogênio mais poderosas do que as nossas.

Todos os dias uma áspera voz se faz ouvir no rádio, introduzindo a *Hora da Reforma do Século 20*. "Amigos, aqui quem fala é Carl McIntire. Vocês ouviram dizer que Kruschev declara querer paz?

    Kruschev foi um homem de paz, e disso não nos esquecemos.
    Pás disso, pás daquilo até conseguir tudo ter."

McIntire acaba de perder sua campanha para evitar que o Havaí se tornasse nosso quinquagésimo estado. "Pensem nisso: em nossa própria nação, um ninho perfeito para espiões da China! O comunismo está na soleira de nossa porta."

Há tantas coisas a temer.

No início de cada novo ano tomo a resolução de ler a Bíblia do começo ao fim, ticando as caixinhas num guia de leitura impresso — três capítulos por dia, cinco no domingo. Alguns anos consigo o objetivo; mais frequentemente fico atolado nos Profetas. Marshall e eu treinamos dizer os títulos dos 66 livros da Bíblia na ordem correta, o mais rápido possível: "Gênesis ÊxodoLevíticoNúmeros…" Meu recorde é dezessete segundos, melhor até que o de Marshall. "Isso não vale", argumenta ele. "Você não pronuncia as palavras direito."

A Batista da Fé é uma igreja exclusivamente fiel à Versão Rei Jaime, a tradução inglesa da Bíblia publicada em 1611. Não confiamos em nenhuma das traduções modernas porque, como diz o Irmão Pyle, a maioria delas tem tradutores que são liberais. Recebemos uma dose completa de veneno contra a Versão Padrão Revisada quando um pregador chamado Peter Ruckman visita a Batista da Fé. Ele nos encanta com histórias de seu colorido passado — Zen Budismo, abuso de bebidas alcoólicas, trabalhando primeiro como disc-jóquei, depois como baterista de uma banda de dança — antes que o irmão do Pastor Howard Pyle o convertesse ao fundamentalismo.

Do púlpito, Ruckman zomba da Versão Padrão Revisada, que ele chama de Perversão Padrão Pervertida. Lê algumas passagens daquela edição e atira a Bíblia na direção dos bancos, onde ela cai com um baque. Em seguida, ele atira uma Versão Padrão Americana, que ele diz ser "mais da mesma ímpia, depravada bosta". Embora as bizarrices de Ruckman ofendam alguns membros da igreja, inclusive minha mãe, nós nos atemos à Versão Rei Jaime por uma simples questão de segurança.

A Batista da Fé alimenta um complexo de minoria, um sentimento de nós contra o mundo. Outros podem nos ver como uma margem radical, mas nós nos orgulhamos de viver de uma maneira que os estranhos — Hollywood, Washington, D.C., *The New York Times* — possivelmente não possam entender. Uma frase do livro bíblico de Tito resume nossa identidade: "um povo especial, zeloso de boas obras".

Para evitar qualquer aparência de mal, a igreja desaprova certas atividades como a patinação (parecida demais com a dança), o boliche (nas pistas com frequência se serve bebida alcoólica), natação mista e a leitura de jornais aos domingos. O cinema é proibido e a televisão é suspeita. Algumas garotas usam maquiagem e batom suave, sempre discretamente, mas nunca usam calças no terreno da igreja. Minha mãe evita maquiagem e joias, com exceção de um simples cordão de contas.

De vez em quando uma mulher que desconhece nosso código entra na igreja com um penteado extravagante, batom de cor intensa, sandálias com os dedos à mostra e brilhantes unhas vermelhas. Ela exerce uma força de gravidade. Os homens ficam olhando furtivamente, e as mulheres com a pele esfoliada e de coque franzem as sobrancelhas e sacodem a cabeça em desaprovação. Meus hormônios ainda não despertaram, e não entendo e necessidade de todas essas salvaguardas. Imagino que os corpos representam perigo, e na escala do perigo os corpos femininos estão perto do topo.

Todas essas regras visam nos proteger do mundo pecaminoso lá fora, e de certo modo conseguem isso. Marshall e eu podemos ir às escondidas a uma pista de boliche, mas nunca pensaríamos em tocar cigarros, bebidas alcoólicas ou drogas. Seja como for, não tenho tempo para atividades mundanas. Estou sempre na igreja.

No ano em que inicio o colegial, sinto uma sutil mas sedutora atração num sentido diferente. Uma parte cada vez maior de mim se opõe à imagem de um fundamentalista rural branco. Sinto uma necessidade irresistível de experimentar a vida, não de evitá-la. Não rejeito a fé — ainda não, em todo caso. Em vez disso, percebo-me oscilando feito um pêndulo, às vezes lutando para ser o melhor cristão no meu ambiente e às vezes querendo largar tudo em desespero.

O clássico de Charles Sheldon, *Em seus passos o que faria Jesus?*, me balança. O romance imagina o que acontece quando um pastor desafia os membros de sua igreja a perguntarem antes de cada ação importante: "O que faria Jesus?". Sua congregação aceita o desafio. Uma mulher recusa um pedido de casamento porque seu pretendente não tem uma direção na vida. Para ajudar os necessitados, uma senhora rica compra propriedades numa área decadente da cidade. Um editor suspende a edição dominical de seu periódico.

Penso muito intensamente e por muito tempo em como eu poderia seguir os passos de Jesus. Depois, um domingo, o Irmão Pyle prega um sermão sobre a idolatria, e começo a me perguntar se tenho ídolos. Minha estimada coleção de setecentas figurinhas de beisebol me vem à mente. É o objeto de inveja dos meus amigos, e inclui uma figurinha original de Jackie Robinson de 1947 e também a de estreia de Mickey Mantle. Passo horas organizando as figurinhas por time, posição e estatísticas — tempo que poderia empregar em atividades espirituais. Definitivamente um ídolo.

Depois de orar e ficar numa angustiante indecisão, resolvo destruir o ídolo doando a maior parte de minha preciosa coleção a um vizinho de nossa rua. Aguardando uma recompensa divina, sinto-me traído quando, vários dias mais tarde, meu vizinho leiloa a coleção por um bom dinheiro. Tento consolar-me: "Bem-aventurados os que são perseguidos por causa da justiça".

Quando visitamos pela última vez a Tabernáculo Maranatha na Filadélfia, ouvi uma exposição da doutrina da perfeição que nossa mãe tem ensinado. O pastor insistiu que lêssemos o capítulo do "amor" em 1Coríntios 13. "O amor sacrificial *nunca* se impacienta... *nunca* é ciumento... *nunca* é orgulhoso..." e assim por diante. "O amor é *sempre* bondoso, se alegra com a verdade e é generoso. Ele ignora a falta dos outros, acredita no melhor dos outros, e é *sempre* esperançoso e vitorioso."

"Agora, todas as vezes em que aparece a palavra *amor* tentem substituí-la pelo nome de Jesus", disse o pastor. Isso funcionou perfeitamente. "Em seguida", disse ele, "leiam de novo e coloquem-se a si mesmos no lugar de Jesus. '*Eu* sou sempre paciente e bondoso. *Eu* nunca sou ciumento nem presunçoso, nem nutro maus pensamentos.'" Percebi imediatamente que tinha um longo caminho a trilhar para conseguir essa Vitoriosa Vida Cristã.

Nossa mãe aceita essa teologia cem por cento e afirma que atingiu esse patamar mais elevado de vida. Tenho de morder a língua para não lhe lembrar aquele sermão sobre o amor quando ela embarca num de seus momentos de fúria. Quanto a mim, sinceramente quero seguir os passos de Jesus, mas depois conto uma mentira ou cometo alguma imbecilidade no dia seguinte. Sinto-me atraído à santidade e repelido por ela ao mesmo tempo, como dois ímãs que são juntados. "Sede vós, pois, perfeitos, como é perfeito o vosso Pai", disse Jesus. Quero esse ideal. No entanto, sempre dentro de mim uma vozinha ri-se de como estou longe dele. Ela age na minha delicada consciência como um veneno.

Li biografias de cristãos que foram torturados por sua fé, como Watchman Nee, um pastor chinês que passou vinte anos numa prisão comunista. Se os comunistas um dia me submetessem à tortura, eu sei exatamente o que faria. Cairia, choroso, aos pés deles e negaria a minha fé.

O Pastor Howard Pyle é um empreendedor. Depois de morarmos por quase um ano na Batista da Fé, ele pede a nossa mãe que organize o ensino num novo acampamento para jovens que ele está criando com seu irmão Norman num complexo quarenta quilômetros a leste de Atlanta. Isso significa cancelar o trabalho dela no acampamento de Kentucky, mas ela aceita. Logo me sinto muito satisfeito com a melhoria de situação. Circulando pelo local, noto campos de atletismo bem cuidados e uma grande piscina. Fico mais impressionado ao saber que as cabanas têm banheiros internos.

Os irmãos Pyle tentam fazer o melhor para impor ordem aos acampados: nada de jogos de baralho, luzes apagadas depois das dez, horários separados de natação para os rapazes e as moças, nada de mãos dadas ou beijos, nada de *shorts* (para as garotas), nada de rádios, horário de silêncio obrigatório e presença obrigatória em todos os encontros. Mas, contrastando com o pessoal do Kentucky, estes acampados da cidade competem para quebrar o maior número de regras possível, não para acumular pontos por bom comportamento. Armam camas de gato uns para os outros, cobrem urinóis com plásticos transparentes e tocam música profana em rádios contrabandeados.

O acampamento traz palestrantes da Universidade Bob Jones que dão provas de serem engraçados e interessantes. Atletas locais passam pela escola para ensinar os garotos como Jesus era durão e masculino. Grupos musicais também se apresentam, inclusive um trio de irmãs loiras que gingam enquanto cantam. Instantaneamente me apaixono pelas três. Enquanto cantam, escolho uma das irmãs e fixo os olhos nela, tentando meu velho truque da igreja de canalizar minha admiração diretamente através de ondas mentais. É óbvio que sou tímido demais para de fato conversar com essas deusas.

Cada semana nos reunimos para uma indispensável conversa sobre sexo. Durante uma hora, um dos conselheiros tenta prender a atenção de garotos adolescentes que estão se cutucando e rindo em momentos inapropriados. Aprendemos que o sexo antes do casamento equivale a pegar um sanduíche de pasta de amendoim em vez de aguardar um bife de filé. A questão adequada não é "Até onde posso avançar?," mas "A que distância devo ficar?". Como José na Bíblia, devemos resistir até mesmo à aparência de um comportamento inapropriado com o outro sexo.

Os conselheiros falam de desejo sexual. "Como sabemos quando estamos alimentando a lascívia?", pergunta um dos acampados. A resposta: "Olhou uma vez, isso é normal. Olhou duas vezes, você está no limite. Continuou seguindo aquela garota com os olhos, aí você cruzou a linha". Eu não quero nunca parar de olhar. Será que sou um lascivo compulsivo?

Mantenho-me quieto na primeira semana ou duas no novo acampamento. Mas, à medida que vou ganhando confiança no novo lugar, adoto a rotina exibicionista de levantar cedo e praticar longas devoções adicionais no pórtico da frente, onde o conselheiro pode me ver. Oro em público em cada oportunidade e dou testemunhos. Não demora e sou eleito o "Acampado da Semana", e recebo uma placa na noite de encerramento.

Na última semana do verão, todavia, começo a dar atenção ao lado sombrio. Passo por cima de uma cerca com um amigo e, fora do horário permitido, fico pulando de bomba na piscina cheia de algas. Convenço um garoto com diabetes a me dar as seringas usadas de suas injeções diárias. Como se a cena das tartarugas nunca tivesse acontecido, entrego-as a um cientista excêntrico que faz experimentos injetando água gaseificada e coca-cola em rãs. A cada dia que passo no acampamento, vou ficando mais impertinente.

Peter Ruckman, o homem que andou jogando Bíblias lá na nossa igreja, é o palestrante convidado da semana. Além dos sermões da noite, que ilustra com giz colorido enquanto fala, ele conduz oficinas à tarde sobre vários tópicos. Reunimo-nos no refeitório, e nesse dia ele escolheu falar sobre raça.

Estamos na década de 1960, e o movimento dos direitos civis está nos noticiários de cada dia. Viajantes da liberdade e outros manifestantes estão exigindo o fim da exclusividade de escolas, banheiros e lanchonetes só para brancos. Ruckman usa sua oficina para defender a segregação, citando a mesma teoria da "Maldição de Cam" que eu ouvi na Colonial Hills. "Leiam vocês mesmos Gênesis 9", diz ele. "Deus amaldiçoou Cam e seus descendentes para que fossem servos. Queridos acampados, é daí que vem a raça negra."

Em seguida, Ruckman sorri e sai de trás do púlpito. "Vocês alguma vez notaram como pessoas de cor acabam sendo bons garçons? Observem algum dia. Elas gingam os quadris em torno das cadeiras e seguram aquelas bandejas no alto sem derramar uma gota." Ele faz uma imitação caricata, e os acampados riem. "Vejam, esse é o tipo de trabalho em que elas são boas. Mas vocês já conheceram um negro que é presidente de uma companhia? Já? Mencionem um. Cada raça tem seu lugar, e eles devem aceitar isso. Podemos conviver tranquilamente desde que fiquemos separados e não nos misturemos."

Acontece que eu me tornei o queridinho da Bessie, a cozinheira do acampamento. Ela é uma enorme mulher negra que ama crianças, trabalha duro e canta enquanto prepara a comida. Enquanto Ruckman está falando, eu a vejo reabastecendo os saleiros e pimenteiros no fundo da grande sala. Ela não dá mostras de ter ouvido nada, mas eu começo a suar só de pensar nisso.

Mais tarde naquele dia sondo a Bessie. Ela parece alegre feito um passarinho. Então talvez não tenha ouvido o que Ruckman disse. Ou talvez preferisse não me dar a entender que ouviu. Aquela oficina ainda me provoca náuseas. Conversamos por um tempo, e ela me dá três doces de manteiga de amendoim recém-tirados do forno, preparados para a sobremesa do jantar. Ainda estou mastigando um deles quando saio e trombo com o Irmão Pyle.

Ele devia estar me caçando. Olha para os doces, fica vermelho e me acusa de tê-los roubado. Tento explicar, mas ele não quer me ouvir. Aponta o dedo para o meu peito, e a cabeça dele dá um pequeno solavanco. "Você é um dissimulado desordeiro, um Acã no acampamento, meu jovem", diz ele. "Você está querendo destruir o trabalho que Deus está fazendo aqui." Olho para ele com uma expressão vaga que na opinião dele é um riso de escárnio, porque vai embora pisando duro.

Aquela noite, sexta-feira, coroa a semana de acampamento, o último encontro antes que os acampados partam para suas casas no sábado. Celebramos cultos à noite num edifício aberto onde cabem quatrocentas pessoas sentadas. Às vezes uma trovoada de verão retumba pelo espaço, desencadeando chuvaradas que chocalham o teto de metal tão estrondosamente que a reunião tem de ser suspensa. Oro pedindo a chuva, não querendo ficar lá sentado durante outra sentimental sessão de reavivamento com meu horrível mau humor.

A noite de sexta-feira é a última tentativa de converter os não convertidos e aquecer os mornos. Estamos cansados e com queimaduras de sol, conscientes de que vamos voltar para casas sem piscinas e pebolim e de que as aulas logo vão ocupar nossa vida. Resumindo, estamos vulneráveis.

O palestrante, Nicky Chavers, um estudante da Bob Jones, faz o melhor que pode. Apresenta *slogans* de propaganda. "Você é um cristão da brilhantina? Um pouquinho resolve? Você é um batista aspirina? Bota na água, e vai efervescer por meio minuto?" Ele é espirituoso e apaixonado e também cansativo. Para minha tristeza, a chuva não vem.

Quando chega o momento do chamado ao altar, Norman Pyle assume a direção, e começamos cantando "Tal qual estou". Depois da primeira estrofe Pyle diz: "Talvez você tenha resistido a semana toda, determinado a não ceder. Amigo, você está preparado para encontrar-se com seu Criador? Está pronto para morrer? Por que esperar? Nunca se sabe o que o amanhã pode lhe trazer". E alguns gatos pingados vão para a frente enquanto avançamos pela segunda estrofe.

O convite se amplia. "Agora quero que todos vocês que dedicaram de novo sua vida a Cristo esta semana se juntem a essas preciosas almas aqui na frente. Façam uma confissão pública. Sei que não é fácil, portanto sejam corajosos e mostrem a Deus que as intenções de vocês são para valer."

Depois vem a chamada daqueles que optaram por dedicar todo o seu tempo ao serviço cristão. Em poucos minutos, dois terços completos da plateia avançaram para ajoelhar-se lá na frente. Espio ansiosamente o teto corrugado que nos cobre. Nada de chuva ainda.

"Se você simplesmente precisa de alguém para orar com você, temos conselheiros de plantão", continua Pyle. Finalmente, o argumento decisivo. "Tenho um último convite. Ouçam agora com atenção. Qualquer um de vocês com um pecado não confessado em sua vida — qualquer pecado que seja — Deus está chamando você para que venha para a frente e o confesse."

Os acampados vão confluindo pelos corredores enquanto ele nos instiga. "Uma palavra descuidada, talvez... um momento de raiva... ou de preguiça em sua vida espiritual. Você olhou para alguém com desejo esta semana? Pensou mal de alguém?" O fluxo se torna um rio enquanto o pianista com galhardia martela outro refrão.

Esta é minha sexta semana seguida no acampamento. Todas as outras semanas fui para a frente na cerimônia final. Esta noite, minha alma está calejada. No fim só dois de nós continuamos de pé no grande auditório. Chego mais perto de meu amigo Rodney buscando apoio moral quando o pianista começa mais uma rodada de versos. Os colegas de acampamento ajoelhados lá na frente se viram e nos encaram irritados; nós estamos atrasando o último lanche da noite.

"Não sei, Rodney", sussurro, "mas não consigo pensar em pecado algum esta noite. Você consegue?"

"Não pecados não confessados", responde ele com um sorriso maroto. Nós dois resistimos até que o último locutor desiste, faz uma oração final, e encerra as atividades. Quando saímos, meus joelhos doem de tanto eu ficar de pé.

PARTE IV

DESORDEM

14

Colegial

> Sou uma lerda desaprendiz. Mas amo meus desensinadores.
> Ursula K. Le Guin, *Dancing at the Edge of the World*

O ginásio chia e geme sob o peso de quinhentos agitados adolescentes. "Bem-vindos ao Colégio Gordon", diz o diretor, o Sr. Craig, homem garboso com mechas grisalhas no cabelo bem penteado. Está vestindo um terno, uma camisa branca engomada e uma gravata borboleta xadrez. "Vocês estão prestes a experimentar os melhores anos da vida."

Temos a impressão de que estamos entrando nos anos mais *assustadores* de nossa vida. Em nosso distrito escolar da Geórgia, que não tem escolas de nível intermediário, passamos diretamente da escola elementar para o colegial, entrando no oitavo ano como modestos "subcalouros". E, pelo fato de eu ter iniciado a escolarização alguns meses mais cedo e depois ter pulado o segundo ano, estou iniciando o colegial em 1961 na tenra idade de onze anos.

Olho de relance para meus colegas subcalouros, curvados em assentos sem encosto que sacrificam sua postura. A caminho da assembleia, passamos por gigantes: rapazes arrogantes vestindo jaquetas atléticas e moças com seios estufando seus suéteres apertados. Olhavam para nós diminutos recém-chegados com expressões de desdém.

O diretor continua falando por um tempo sobre o General John Brown Gordon, cujo retrato enfeita a entrada da escola. Um dos oficiais mais dignos da confiança de Robert E. Lee, ele foi alvejado por três balas na Batalha de Antietam e mesmo assim continuou lutando. Em sua homenagem, os times esportivos de nossa escola levam o nome de Gordon Generals.

Depois de citar alguns versos de Shakespeare, o Sr. Graig apresenta seu vice mais importante, um técnico de futebol americano com um tórax enorme, pescoço grosso e cabelo cortado à escovinha. O caráter da assembleia muda quando o técnico relembra o traje recomendado e as regras de comportamento: nada de barba ou *blue jeans*, nada de fumar ou mascar chiclete em sala de aula, nada de exibições físicas de afeto. "Espero que não precisemos nos encontrar no meu escritório", rosna ele, "mas, companheiro, é melhor você não me contrariar, pois se fizer isso eu pessoalmente garanto que você vai se arrepender." Os rapazes fortões sufocam o riso.

Nas minhas primeiras semanas no colegial, tenho a sensação de estar entrando num mundo mais amplo e mais perigoso. Saindo da propriedade da igreja e indo para a escola diariamente, ultrapasso um limiar para um recinto onde arruaceiros fumam cigarros nos banheiros e jogam foguetes e bombinhas nos vasos sanitários. Tento não olhar para as fotos da *Playboy* afixadas em alguns armários, nem para os casais que desconsideram as regras contra exibições públicas de afeição.

    Marshall, que já passou um ano no colegial, me informa sobre as várias panelinhas. Os atletas dominam o topo da hierarquia, juntamente com suas namoradas animadoras de torcida. Os bandidos, ou *punks*, são os que causam mais problemas. São os que soltam bombinhas nos banheiros e telefonam avisando sobre alarmes de ameaças de bomba no dia de uma prova importante. Dá para perceber a chegada deles pelo *clique-CLIQUE* dos saltos de aço pregados à sola e ao bico de seus sapatos, e eu ouço esse sinal como o guizo de uma cobra.

    Os bandidos gostam de atormentar subcalouros acanhados como eu. "Ei, o que é que você está olhando? Ei, você... estou falando com você! Você acha que não? Está me chamando de mentiroso? Você, sua bichinha, vem aqui, vou lhe dar um motivo para você ficar olhando." Aprendo a correr de uma sala para a outra, de cabeça baixa, tentando ser invisível.

    Marshall me aconselha a descobrir alguns amigos entres os *nerds*, ratos de biblioteca que não oferecem nenhuma ameaça. Apesar disso ele anda com Malcolm, um rapazinho bem magro, de cerca de um metro e meio de altura, que a pólio deixou manco, e usa os saltos mais barulhentos da escola. Malcolm usa roupa preta e brilhantina no cabelo como os bandidos, embora eles nunca iriam aceitar alguém como ele. Outros alunos não se metem com ele, todavia, porque ele carrega consigo uma faca automática e provou que é macho ao comer gafanhotos vivos. Além disso, ele tem um tio que ocupa um posto importante na Ku Klux Klan. Fico bobo de ver que ele se tornou o companheiro preferido de Marshall.

Não demora muito, e eu testemunho um embate colossal quando o bandido número um luta com o número um dos atletas, nosso garoto de ouro que é o armador do time de futebol. Um rugido gutural — "Luta! Luta!" — se propaga pelos corredores enquanto estou me dirigindo para a aula seguinte. Uma centena de alunos corre e forma um círculo para manter os professores afastados enquanto os dois duelam por uma garota. Vejo quando o bandido agarra o armador e soca sua cabeça contra o bico aguçado de um bebedouro — uma, duas, três vezes — e o herói da escola cai numa poça de sangue. A linda loira que inspirou o combate desaba no chão, os braços enlaçando os joelhos, soluçando.

Logo descubro que só existem dois grupos no colegial, os vencedores e os perdedores. Não tenho dúvidas acerca do grupo a que pertenço. O anuário da escola exibe grandes fotos de alunos do último ano trajando *smoking* e trajes formais. Fotos um pouco menores mostram juniores de jaqueta e roupas elegantes, e fotos ainda menores retratam calouros em trajes escolares. Os subcalouros estão amontoados em grupos de 56 por página, como se tivessem sido colados por engano de alguma escola primária.

Minhas roupas por si sós me rotulam como um perdedor. "Você é pentecostal?", indaga um dia um colega. "Só estou perguntando porque você certamente se veste como um deles." Minha mãe não consegue entender por que eu quero meias de cores diferentes se o branco combina com tudo. Boa parte das minhas roupas são de segunda mão, usadas por meu irmão, soltas na cintura e curtas nos braços e pernas. Nós dois estamos habituados a não nos encaixar direito, preço que pagamos por ter uma mãe missionária. Até onde sei, exceto nós, não há ninguém que estuda no Gordon e mora num *trailer*.

A aula de ginástica se torna minha hora mais antipática do dia. O presidente Kennedy acaba de lançar um programa de bom condicionamento físico para nos manter no mesmo nível dos russos, e o treinador parece ter confundido a nós, os subcalouros, com recrutas dos fuzileiros navais. Fazemos exercícios de ginástica primeiro para a saúde e depois como castigo: "Quero cinquenta flexões, Yancey, e desta vez mantenha o traseiro abaixado!" De volta ao vestiário úmido, os alunos do último ano vêm por trás dos alunos mais novos e batem neles com suas toalhas molhadas, com força suficiente para deixar vergões na pele.

A educação física também me ensina o que significa ser macho. Os rapazes só falam de times de esporte e partes do corpo, seja das garotas seja deles mesmos. Se você não ri de suas piadas obscenas, chamam você de veado. Um dia, quando o treinador não aparece, o bandido mais durão assume o treino. "Vejam isto", diz ele, e enfia um alfinete na mão de modo que ele saia do outro lado. Mostramos nossa devida surpresa. Depois disso, ele atrai um círculo de espectadores e cobra um dólar de cada um deles para vê-lo enfiar o alfinete até o fim no seu pênis.

No fim do dia letivo, os rapazes bacanas voltam para casa em seus carros, os pneus cantando na saída do estacionamento. Música em alto volume extravasa das janelas abertas, música diferente daquela a que estou acostumado. Chubby Checker, Elvis Presley, Ray Charles, Jimmy Dean, Frankie Valli — um vão geracional de sons vai se abrindo. Aos meus ouvidos, habituados ao piano clássico, o novo estilo parece indômito e sedutor. Minha igreja o rotula de satânico e ridiculariza seu "ritmo da selva".

Junto com outros perdedores, pego o ônibus amarelo na ida para a escola e na volta para casa. Ocupo um assento de vinil cheio de rachaduras e seguro a barra de metal que deixa em minhas mãos um cheiro de ferrugem. Os valentões nunca faltam no ônibus. Ponha a cabeça para fora da janela para respirar, e o cuspe deles sai voando na sua direção de uma janela mais à frente. Durante todo o trajeto, eles caminham pelo corredor procurando uma vítima. São como cachorros andando por aí na ponta de uma trela, e o motorista, que segura a outra ponta, parece não se importar. Talvez ele também tenha medo.

Uma tarde o valentão principal enfia vários alfinetes num lápis-borracha e vai e vem pelo corredor dando pancadas na cabeça dos meninos. Quando ele golpeia Marshall, meu irmão tira o lápis das mãos dele e devolve o golpe. O valentão o encara, os olhos escuros esbugalhados pelo choque, a boca contraindo-se num riso maldoso. "Agora você está encrencado", diz finalmente. "Rapazes, vamos parar num ponto diferente hoje. Este sujeitinho aqui cometeu um erro grave. Ele precisa que eu lhe dê uma lição."

Na nossa parada, o valentão e seis amigos dele descem em fileira do ônibus e cercam meu irmão. Alguns dos garotos da vizinhança ficam para assistir, outros correm para casa. Eu corro para a igreja em busca de reforço adulto. "Venham rápido! Uma gangue está atacando Marshall!"

Quando volto correndo para a parada de ônibus, espero encontrar meu irmão estirado inconsciente. Em vez disso, vejo o valentão sentado no chão cuidando de um nariz ensanguentado. Marshall está de pé do lado dele, parecendo mais surpreso do que o valentão, esfregando os nós dos dedos da mão direita.

Na manhã seguinte cabe a meu irmão e protetor o direito de escolha dos assentos no ônibus.

No ano em que ingresso no colegial, o sistema educacional da Geórgia ocupa o quadragésimo oitavo lugar entre os cinquenta estados. Nossa mudança para a propriedade da igreja, todavia, nos colocou no Condado de DeKalb, um distrito escolar que faz parte da elite nacional. A escola oferece uma impressionante variedade de cursos, e eu recorro a Marshall em busca de orientação.

Ele insiste que devo matricular-me para pelo menos dois anos de latim. "Isso vai lhe ensinar a gramática apropriada", diz ele. A professora nos faz ficar de pé e conjugar verbos — *amo amas amat, amamus amatis amant* — como uma espécie de exercício de ginástica, esticando as mãos para o alto e descendo-as até os calcanhares. Ela é apaixonada e ridícula ao mesmo tempo, mas ama o latim, e no fim daquele primeiro ano ela já nos manda fazer traduções livres das *Guerras gálicas* de Júlio César.

Também me matriculo num curso de espanhol, imaginando que o espanhol é muito parecido com o latim. No início nossa professora é uma mulher tímida que fala num sussurro e parece morrer de medo de seus alunos. Com frequência ela nos deixa sem supervisão nenhuma num laboratório de línguas, ouvindo conversas inúteis pelos fones de ouvido. "¿Dónde está su casa?" "Aquí está mi casa." Aquelas primeiras poucas semanas devem ter assustado a professora levando-a a buscar uma nova carreira, porque no meio do ano escolar ela desiste. O novo semestre começa com os alunos aguardando sentados no laboratório de línguas e nenhum sinal de uma professora.

De repente uma jovem morena com um corpo perfeito aparece na porta. Os rapazes fazem comentários e emitem assobios, pensando que se trata de uma nova e atrevida aluna. Ela se detém encostada ao batente por um momento, depois abre um sorriso astuto e sobe ao tablado para anunciar: "Oi, eu sou Marta Baskin, sua nova professora de espanhol". Ela conta que aprendeu espanhol na América do Sul como menina missionária — embora ela não se pareça com nenhuma M. M. que já conheci.

Uma vez que ainda estou decidindo que matérias me interessam, Marshall me convence a fazer um curso de história com seu professor preferido, Cecil Pickens, o personagem mais estranho da escola. Ele padece de alguma síndrome que provoca um excesso de colágeno, como o Homem de Borracha Indiano. Manca muito e parece deformado, com lábios excessivamente grandes e um rosto que se contorce numa perpétua vesguice. "Dê-lhe uma chance", diz Marshall. "Ele vai lhe ensinar a pensar de um jeito fora do padrão."

O Sr. Pickens nos passa uma tarefa logo no primeiro dia: "O primeiro capítulo do livro de vocês é bastante curto. Quero que aprendam tudo o que há nele, e amanhã vamos fazer um teste". Nós praticamente decoramos o capítulo, e o teste no dia seguinte apresenta apenas uma pergunta: *Que fotógrafo recebeu os créditos pela foto no início do capítulo?* Ninguém sabe. "Eu disse para aprender *tudo*", o Sr. Pickens nos repreende. "Prestem atenção nesta aula."

Os alunos amam ou odeiam o Sr. Pickens. Um dia, ele desaparece, e corre um boato de que a polícia o apanhou bêbado, com literatura comunista no banco de trás do carro. O Sr. Pickens alegou que estava simplesmente expondo seus alunos a outras ideias, tentando fazê-los pensar por conta própria. Nunca mais o vemos.

No primeiro dia de biologia, desperto para a ciência. Um homem alto, magro, com um rosto anguloso entra na sala e se apresenta como "Doc", não como Sr. Navarre. Sua sala de aula é um verdadeiro zoológico, com terrários e aquários forrando as paredes, supervisionados por um completo esqueleto do corpo humano — em cujas mandíbulas algum aluno endiabrado pôs um cigarro.

Doc inicia a aula tirando um sapato, indo na direção de um dos terrários e segurando o sapato diante de um aligátor de sessenta centímetros. *Chomp!* O sapato é amassado como um pastel.

"Agora observem", diz Doc. Ele estende a mão para dentro do terrário e coloca um dedo na ponta do focinho do aligátor. "Vejam que este sujeito tem músculos poderosos o suficiente para destruir meu sapato, mas eles só funcionam numa única direção. A biologia ensina essas coisas." Faz uma pausa de dois segundos, depois acrescenta: "E isso pode ser importante se você mora perto de um brejo".

Não moro perto de um brejo, mas sempre morei perto de bosques. Desde o primeiro dia, sinto alguma coisa se agitando dentro de mim. A ciência não é algum exercício abstrato, como a filosofia. É uma forma de eu me familiarizar mais com o mundo natural que já amo.

Doc regularmente convida alunos para a casa dele, que replica um museu de história natural, e lá inflama meu interesse por insetos. "Nunca subestimem os insetos", diz ele. "Existe meia tonelada de cupins vivos, e mais ou menos vinte milhões de moscas, para cada pessoa sobre a terra."

Começo a carregar comigo uma rede para apanhar borboletas e uma coleção de pequenos frascos em minhas caminhadas pelos campos e bosques. Após certo tempo, tenho espécimes suficientes para encher duas placas de exibição de isopor. No centro da placa das borboletas coloco uma espetacular mariposa da lua, criatura de um luminoso verde claro, com grandes antenas plumosas e amplas asas adelgaçadas nas pontas e pontilhadas com quatro falsos olhos. Ninguém acreditaria que a apanhei viva na tela da porta do nosso *trailer*.

A outra placa inclui vários espécimes de louva-a-deus (muito difíceis de espetar na placa), um assustador besouro-rinoceronte, algumas amostras de libélulas, de percevejos fedorentos e gafanhotos, bem como o meu inseto premiado, um besouro-de-clique com seus olhos arregalados que extraí de um tronco apodrecido. Embaixo de cada espécime afixo uma etiqueta indicando seus nomes na linguagem comum e em latim.

Tenho uma placa separada para cigarras, meu inseto preferido. Essas criaturas com olhos saltados vermelhos acabaram de fazer sua aparição depois de passar treze anos debaixo da terra. Emergiram aos milhares — não, milhões — até o ar vibrar com seu som de chocalho, algo parecido com a correia solta de um cortador de grama. Depois, um dia o som cessou, e eu colecionei carapaças descartadas de cigarras, quase transparentes, mosqueadas de ouro. Fico maravilhado com essas criaturas, que aguardaram por mais tempo do que já vivi para fazer sua aparição no mundo, depois botaram seus ovos e se entregaram após mal terem passado um mês em cima da terra.

Meu entusiasmo pela ciência levou Doc Navarre a recomendar-me para uma bolsa de verão no Centro de Doenças Transmissíveis (CDT), um complexo de pesquisa perto da Universidade Emory. Preencho formulários e escrevo um ensaio explicando por que pretendo seguir uma carreira na ciência. Para meu espanto, consigo uma das seis cobiçadas bolsas. Nunca me senti tão orgulhoso e tão fora do meu meio.

No primeiro dia no CDT, encontro-me com os outros colegiais internos escolhidos de várias partes de Atlanta. "Conte-nos sobre seus experimentos científicos", pede-nos um cientista sênior. Uma garota de uma escola particular descreve o inseticida que ela desenvolveu a partir de uma planta de hera inglesa, que conquistou o terceiro lugar na competição da feira nacional de ciências. O rapaz sentado ao meu lado diz que, no processo de identificar doenças causadas por insetos, ele descobriu uma forma engenhosa de capturar carrapatos.

"É mesmo?", indaga o cientista. "Conte mais sobre isso. Eu envio trabalhadores muito bem pagos para coletar carrapatos. É um trabalho bastante duro. Nós arrastamos um cobertor sobre um prado, e os carrapatos, que ficam empoleirados na ponta de uma folha de grama com suas garras armadas, prendem-se ao cobertor. Qual é o seu método?"

O aluno do último ano do colegial explica que os carrapatos são atraídos pelo dióxido de carbono, que os animais exalam quando respiram. "Eu deixo um bloco de gelo seco no campo", diz ele. "No dia seguinte ele está reduzido a um tamanho muito menor, e eu consigo apanhar dezenas de carrapatos preservados no gelo seco."

"É brilhante!", exclama o cientista. "Vamos tentar isso amanhã."

Quando chega a minha vez, murmuro alguma coisa sobre minha coleção de insetos e experimentos de reprodução que tentei com peixes tropicais e depois afundo na cadeira.

Aquela bolsa de verão me proporciona a primeira experiência no mundo do trabalho profissional. O CDT colecionou milhares de mosquitos de uma região no Texas onde ocorreu um surto de encefalite. Passo a maior parte de meus dias junto a um microscópio, separando mosquitos em bandejas com base em padrões de listras em suas asas. Depois de separados por sua espécie, os mosquitos são moídos, misturados com soro equino e injetados no cérebro de filhotes de rato. Nove dias depois, os ratos infectados vão dar sinais da doença, e então uma equipe de campo pode projetar o programa de erradicação daquele tipo de mosquito.

Minha tarefa junto ao microscópio faz que me sinta importante, embora o processo de seleção em si se torne tedioso. Os internos também podem frequentar seminários no CDT, e isso se mostra muito mais interessante. Um especialista em hidrofobia mostra filmes de cavalos e cachorros cambaleando, espumando pela boca, atacando um poste de iluminação ou um pedaço de madeira. Depois do filme, outro cientista eteriza um rato vivo infectado com a peste bubônica e o disseca ali mesmo na mesa da conferência.

No fim do verão, já decidi sobre o rumo de minha carreira: tornar-me um caçador de micróbios, ou talvez um entomologista.

Mais outra coisa, envolvendo raça, acontece comigo naquele verão.

Criado na Geórgia, ouvi a vida inteira que os negros não são como nós. Fazem um uso da gramática pior que o dos brancos. Pensam de modo diferente, agem de modo diferente e sempre o farão. Na escola nunca tive um colega de turma negro, e as igrejas que frequento apenas reforçam meu preconceito.

No ano em que ingressei no colegial, nove alunos negros integraram escolas de Atlanta pela primeira vez. Depois, com o passar de uns poucos anos, outras escolas na área admitiram alunos negros, mas nenhum deles pisou no *campus* do Gordon. Embora famílias negras tenham se mudado para a vizinhança, nenhum pai ou mãe ousa matricular seus filhos em nosso colégio. Por quê? Todos acreditamos que o estranho amigo de meu irmão chamado Malcolm, sobrinho do Grande Dragão da KKK, manteve sozinho a exclusividade de nossa escola só para brancos.

Malcolm espalhou o boato de que o primeiro aluno negro que integrasse o Colégio Gordon voltaria para casa num caixão. De algum modo, ele conseguiu a lista dos nomes de treze estudantes que pediram sua transferência para lá, e poucas semanas depois a KKK queimou cruzes nos jardins das casas deles. Todos os treze mudaram seus planos.

Na década de 1960 a Ku Klux Klan ainda é uma força que se deve temer. Lembro-me de, quando criança, observar uma procissão funeral de um Eminente Ciclope ou Grande Bruxo ou de algum figurão desse naipe da KKK. Precisando virar à esquerda para atravessar o trânsito, tivemos de esperar até que toda a carreata passasse. Dezenas, vintenas, centenas de carros foram deslizando lentamente, cada um deles dirigido por uma figura vestindo um manto de seda branco ou carmim e um capuz pontudo com duas fendas recortadas para os olhos. "Não olhe", disse minha mãe. Mas como poderia não olhar? O *Atlanta Journal* do dia seguinte informou que a procissão funeral tinha uma extensão de oito quilômetros.

De vez em quando sinto remorsos acerca do racismo. Estremeço quando nosso pastor chama Martin Luther King Jr. de "Martin Lúcifer Pretim". Tento não repetir piadas racistas, embora elas sempre provoquem uma risada. No verão em que trabalho no CDT, todavia, sinto muito mais do que um remorso — algo mais parecido com um choque elétrico.

Um mês antes de começar meu estágio no CDT, o carteiro entrega um pacote de materiais que visam preparar os internos para as tarefas que vamos desempenhar. Presto muita atenção ao trabalho sobre as técnicas de coloração de bactérias escrito pelo Dr. Cherry, porque ele será meu supervisor. Um tímido rapaz do colegial, não faço ideia de como agir junto a um PhD em bioquímica de uma faculdade da Ivy League. Tenho arrepios só de pensar nisso.

Embora não tenha muito conhecimento de química, quero parecer um pouco inteligente junto ao Dr. Cherry. Então estudo com afinco os vários procedimentos envolvidos na sua especialidade: a coloração ácido-resistente de Ziehl-Neelsen, a coloração com o azul de metileno alcalino de Loeffler, a coloração de Wayson, e outros métodos muito acima do meu entendimento.

No primeiro dia em que compareço para o trabalho, recebo meu crachá e alguém me acompanha até o escritório do Dr. Cherry. O guarda de segurança bate na porta, ouve um "Entre" e a abre. Quase deixo minha papelada toda cair no chão.

O Dr. Cherry é um homem negro.

Num segundo, algo estala dentro de mim. Vejo em retrospectiva a cena do acampamento quando o palestrante convidado fez sua imitação de garçons gingando os quadris em volta das mesas sem derramar uma gota. "Vocês já conheceram um negro que é o presidente de uma companhia?", Peter Ruckman perguntou. Cada raça tem seu lugar, e eles devem aceitar isso.

Dia após dia trabalho em contato direto com o Dr. Cherry, um mentor gentil e sábio. Usa lentes bifocais e tem uma entrada profunda no cabelo. Pacientemente responde às minhas perguntas sobre coloração de bactérias e a triagem de mosquitos, mesmo eu sabendo que ele tem várias centenas de empregados cujas atividades precisa supervisionar. Às vezes ele me fala de seus filhos, que como eu estão no colegial.

Eu gostaria de poder de algum modo entrar em contato com Peter Ruckman e apresentar-lhe o Dr. Cherry. Meu empregador cientista não está definitivamente "servindo nas tendas de Sem", o destino de sua raça segundo a teoria da Maldição de Cam. Durante todo o verão uma crise de fé arde dentro de mim. *A igreja claramente mentiu para mim sobre a questão de raça. E sobre o que mais? Jesus? A Bíblia?*

Tomo um ônibus urbano para o meu estágio no CDT, muitas vezes a única pessoa branca num ônibus que transporta empregadas domésticas para casas imponentes em torno do *campus* da Universidade Emory. Um dia, uma mulher de meia-idade, obesa, com marcas de suor nas axilas e meias arriadas até os tornozelos, sobe no ônibus, deposita suas moedas na caixa de tarifas e vai balançando pelo corredor levando a reboque uma criança de três anos de idade. Bem quando passam pela minha fileira, a criança de repente se desprende da mãe, curva-se e vomita no chão ao lado do meu assento. A mulher pragueja, agarra o braço dela e a arrasta para o fundo do ônibus.

Enojado, examino minha roupa para detectar possíveis respingos de vômito e — numa reação instintiva — procuro outro assento livre. No entanto, sou pego desprevenido por aquilo que sinto em seguida. Será que consigo imaginar a vida dessa mulher? Sem dúvida ela toma o ônibus porque não tem carro. Todos os dias ela esfrega o chão, tira o pó dos móveis, limpa uma casa sem jamais poder ter algo igual. Ela provavelmente trouxe consigo a criança porque não tem mais ninguém para cuidar dela.

Desço do ônibus, sentindo alguma coisa que não chega a ser compaixão, mas é mais que pena.

15

Dividido

> Nós somos, não sei como, duplos em nós mesmos, de modo que não acreditamos naquilo em que acreditamos e não conseguimos nos livrar daquilo que condenamos.
>
> Michel de Montaigne, *Ensaios*, "Da glória"

Na escola, ninguém sabe que moro num *trailer* ao lado de uma igreja fundamentalista. Na primeira semana, depois que descemos do ônibus, caminhei com um vizinho e colega de turma, Eugene Crowe, até a casa dele. De lá, pulei uma cerca baixinha no quintal e voltei para casa cruzando a propriedade da igreja. "Ei, você se importa se eu fizer esse percurso cênico?", perguntei a Eugene, e fiz disso um hábito. Desde que não convide ninguém para minha casa, coisa que nunca faço, meu segredo não vaza.

O *trailer* é símbolo perfeito de meu mundo em casa e na igreja: estreito, retangular, enclausurado, metálico. Todo o resto — o estágio do CDT, os ônibus urbanos, as atividades da escola, os livros, a política, meu amor pela ciência — existe em algum universo paralelo. Nada em um dos universos me lembra do outro, e no entanto cada um parece real e verdadeiro até o momento de eu passar para o outro lado da cerca.

Durante todo o colegial navego entre os dois mundos, casa-e-igreja e *o mundo além*. Sempre que sou obrigado a juntá-los, sinto uma onda candente de vergonha.

No meu segundo ano de colegial, a professora de literatura inglesa anuncia uma excursão didática para a estreia do filme *Otelo*, estrelando Laurence Olivier e Maggie Smith. "Consegui permissão para que vocês faltem às aulas na tarde da sexta-feira", diz ela, e todos os alunos aplaudem, menos eu.

Depois da aula, aproximo-me acanhado da professora. "Srta. Chastain, eu tenho um problema. Sabe, minha igreja acha errado ir ao cinema. Não nos é permitido fazer isso."

Ela me observa por um momento, mordendo o lábio inferior, depois responde amavelmente: "Eu entendo, Philip. Apenas lamento que você vai perder o filme. Mas não se preocupe, vou achar outra tarefa para você". Quando os outros alunos descobrem o caso, sou tratado como um pária. E na sexta-feira, vibrando por estar faltando às aulas, embarcam no ônibus para a matinê enquanto eu fico sozinho na sala vazia e escrevo um ensaio sobre Chaucer.

Marshall, que está passando por uma de suas fases espirituais, me pressiona para que eu me junte a um clube da escola chamado Mocidade Para Cristo (MPC). "Precisamos nos destacar como cristãos", repreende-me ele ao me ver virar os olhos. "Você pode ser uma testemunha silenciosa de muitas maneiras."

Como que para aumentar minha vergonha, a pessoa que cuida do MPC nos estimula a carregar uma grande Bíblia com uma capa vermelha, em cima de nossos livros escolares ("Por que vermelha [*red*]?" "Porque ela deve ser lida [*read*]!") e a encapar nossos livros com vistosas capas do MPC. Na cantina da escola, os verdadeiros crentes curvam a cabeça e dão graças de um jeito que os outros notam. Eu não consigo agir assim, então abaixo a cabeça por alguns segundos e coço as sobrancelhas antes de abrir minha lancheira.

Nas tardes de terça-feira um ônibus grande com a identificação Mocidade Para Cristo em letras vermelhas nas laterais para em frente à escola, e nossa turma fiel embarca nele. Há um piano velho aparafusado no chão logo atrás do motorista, e Marshall nos conduz numas poucas canções enquanto o ônibus faz um giro na frente da escola antes de nos levar para a casa de alguém para um encontro. Geralmente dou um jeito de deixar cair alguma coisa de modo que estou abaixado para apanhá-la quando passamos pela entrada da escola, evitando que alguém me reconheça através da janela.

Nas noites de sábado a MPC promove uma reunião no centro de Atlanta, no luxuoso auditório do Museu de Arte. Concebidas para manter adolescentes afastados de atividades mundanas, as reuniões apresentam grupos musicais e palestrantes convidados para nos entreter e inspirar. Cada semana o diretor nos pede que renunciemos aos *milk-shakes* e hambúrgueres de que normalmente desfrutaríamos depois da reunião. "Em vez disso, peço que depositem o dinheiro que iriam gastar nos baldes das ofertas que nossos lanterninhas vão passar subindo e descendo pelas fileiras de assentos."

Exatamente como a minha igreja, a MPC enfatiza a importância de conversar com outras pessoas sobre a nossa fé. Um dos palestrantes nos diz: "Dezessete dedicados comunistas conquistaram a Rússia. Se cada cristão da América convertesse simplesmente duas pessoas para Cristo num ano, e cada uma delas fizesse a mesma coisa, a igreja cresceria exponencialmente. Numa década teríamos dez milhões de novos cristãos, e em quinze anos um bilhão!".

Aceito o objetivo pessoal de dois convertidos por ano. Embaraçado demais para abordar meus colegas de turma, tento bater à porta de estranhos e dar meu testemunho. "Oi! Poderia fazer uma pergunta? Se você morresse esta noite, estaria realmente pronto para ir para o céu?" Nunca funciona. Ou dizem que já estão indo para o céu ou batem a porta na minha cara.

Pelo menos posso distribuir folhetos evangelísticos. Estudo uma seleção deles na igreja. Um dos folhetos apresenta desenhos toscos de pecadores divertindo-se enquanto chamas do inferno pairam no fundo. Outro não tem nenhuma ilustração, apenas uma pergunta na capa — "O que você precisa fazer para ir para o inferno?" — com a página seguinte completamente em branco. Essa técnica também não funciona: não consigo imaginar como ter uma conversa amistosa com alguém quando o ponto principal é que eles estão indo para o inferno.

Concluo que devo ser um impostor, um hipócrita. Sei como agir na igreja e nas reuniões da MPC. Sei o que devo dizer e não dizer, pensar e não pensar. No entanto, assim que entro num novo ambiente — o mundo além — o sangue me sobe à cabeça e as pernas ficam bambas. O sentimento de culpa aumenta minha vergonha.

No meu segundo ano de colegial, Marshall se inscreve para uma competição de piano da MPC, e eu me inscrevo para a competição "garoto pregador". Trabalho duro no meu sermão como em qualquer trabalho de conclusão de curso, memorizo tudo e ensaio com gestos diante do espelho do banheiro. Às vezes não consigo refrear as lágrimas, acreditando totalmente naquilo que estou pregando. No último minuto, abandono a competição. Uma boa apresentação poderia me valer uma viagem de graça para a convenção nacional de Indiana, mas como posso proferir as palavras se não tenho certeza de que acredito nelas?

Além da vergonha, existe o medo. Não tendo um televisor, recebemos nossas notícias de vozes estridentes como as de Carl McIntire e Billy James Hargis, evangelistas de emissoras de rádio que passam mais tempo falando de política do que de religião. Na opinião deles, todos os políticos são corruptos, todos os líderes dos direitos civis são comunistas disfarçados, todos os presidentes são frouxos e covardes. Roosevelt "nos traiu por interesses pessoais" na Conferência de Yalta. Agora vivemos sob o governo de John F. Kennedy, que, insiste McIntire, "será o fim deste país". A mãe gosta de escutá-los, embora isso a mantenha num constante estado de ansiedade. Marshall ridiculariza esses dois "criadores do medo", como ele os chama, o que sempre começa uma discussão com a mãe.

Nossa mãe alega que as profecias da Bíblia estão se cumprindo bem diante de nossos olhos. Países europeus estão se juntando num Mercado Comum, e um computador na Bélgica supostamente tem todos os nossos nomes armazenados numa preparação para a Marca da Besta. Um mês corre o boato de que alguns cheques da Seguridade Social foram erroneamente postos no correio com a instrução "Pagar somente se o número corresponder ao número na testa do sacador". Um dos livros de nossa mãe prevê que os adeptos da Nova Era vão adquirir bombas nucleares e eliminar dois bilhões de pessoas até o ano 2000. Outro adverte que os católicos têm esconderijos cheios de armas de fogo em seus porões, com planos de assumir o controle dos Estados Unidos.

A igreja reforça o medo. No acampamento de verão do Irmão Pyle, um estudioso de grego discorre sobre "o último sinal garantido antes da Segunda Vinda de Cristo". Sento-me no banco fascinado, esperando aprender a chave definitiva do fim do mundo. Ele cita um versículo de 2Timóteo sobre tempos "trabalhosos" por vir. "A palavra grega literalmente significa tempos *descontrolados* ou *malucos*", diz ele. "Pode alguém duvidar seriamente de que estamos vivendo em tempos malucos?" Saio de lá sentindo-me enganado: eu esperava algo mais preciso.

Kruschev ameaçou: "Nós vamos queimar vocês!", e revistas de notícias mostram mapas da mancha vermelha do comunismo se espalhando como sangue derramado pelos hemisférios. Li que os comunistas poupam quem sabe falar a língua deles. Para nos certificar de que temos as bases protegidas, Marshall se matricula num curso de russo e eu estudo chinês, de modo que um de nós vai sobreviver a um ataque inimigo procedente de uma ou de outra direção. Também li que os comunistas examinam as mãos de seus inimigos conquistados procurando calos: os burgueses de pele lisa eles os enfileiram e fuzilam, ao passo que aqueles com mãos de trabalhadores eles libertam. Rastelo folhas com muita paixão, desprezando luvas para endurecer as bolhas e transformá-las em calos. Já estou duvidando de que meu punhado de palavras chinesas ou o vocabulário russo de Marshall vai nos salvar.

O medo se propaga tornando-se quase uma histeria durante a crise dos mísseis de Cuba. Uma televisão da escola mostra o presidente Kennedy, austero e exausto, anunciando um bloqueio contra o país determinado a nos sepultar. O Colégio Gordon organiza uma feira de ciências anual, e agora, em vez de inventar novos compostos químicos ou dispositivos eletrônicos, os vencedores competem para projetar o melhor abrigo nuclear.

O Departamento de Defesa distribui um panfleto com a intenção de nos tranquilizar: "Se uma pessoa recebe uma dose grande de radiação, ela vai morrer. Mas se recebe apenas uma dose pequena ou média, seu organismo vai se recuperar e ela vai sarar". Mas nada pode tranquilizar quem mora na Geórgia, porque sabemos que os mísseis de Castro vão nos destruir. Um cartaz cínico tem razão: "Em caso de ataque nuclear, fique debaixo da carteira de sua escola, ponha a cabeça entre os joelhos e dê um beijo de adeus ao seu traseiro".

Tenho sentimentos confusos sobre o presidente Kennedy. Apesar das advertências de minha igreja, ele não parece estar recebendo ordens do papa de modo algum. Gosto do jeito como ele enfrenta Kruschev, e não consigo evitar a sedução da mística de Camelot: o futebol no gramado da Casa Branca, o discurso do "Ich bin ein Berliner", a sua elegante mulher Jackie, que decora e declama poesia no aniversário do presidente.

Depois chega um dia em novembro de 1963 quando estou sentado na aula de química da Sra. Pucciano, olhando vagamente para a tabela periódica dos elementos. A Sra. P. é uma das primeiras católicas que já conheci, e alguns de seus dez filhos frequentam o Gordon. Ouvimos barulho de alunos correndo — *correndo* — pelos corredores em pleno horário de aula, e quando a Sra. P. vai investigar um deles grita: "Atiraram no presidente!". Ela fecha a porta com violência, esperando que não tenhamos ouvido. Mas ouvimos. A Sra. P. nos pede para fechar os livros, permanecer em silêncio e talvez até orar — aguardando mais informações.

Dentro de minutos o sistema de comunicação interna dá um clique e reconhecemos a voz do diretor. Um ano antes, o eloquente Sr. Craig foi substituído pelo Sr. Jenkins, um técnico de futebol que é tudo menos eloquente. "Oi! Está ligado? Muito bem. Aqui é o seu diretor falando." Ele bate no microfone algumas vezes, causando explosões de estática. Há um profundo silêncio na sala. Estamos calados, como corsas em total alerta.

"Alguns de vocês ouviram os perturbadores relatos de Dallas", começa o diretor. "O governador do Texas..." — ouvindo essas palavras a Sra. Pucciano se benze e exala um suspiro aliviada. O Sr. Jenkins bate no microfone de novo e prossegue — "e o presidente, John Kennedy, foram alvejados." Alguns alunos emitem suspiros audíveis. "O ferimento do presidente John Kennedy é particularmente grave porque foi na cabeça." Aguardamos mais informações, mas o interfone é desligado.

A Sra. Pucciano apoia a cabeça nas mãos sobre sua mesa, os ombros sacudindo para cima e para baixo. Algumas das garotas soluçam. E do fundo do corredor ouvimos o sufocado, horrível som de alunos aplaudindo e comemorando. Obviamente sabemos por quê: nos últimos anos o presidente Kennedy vem enviando agentes federais para pôr em vigor a integração racial no Sul.

A escola nos dispensa mais cedo aquele dia, e todo o país parece paralisado. O acontecido é tão grave que dois dias depois, um domingo, nossa mãe nos deixa ir passear na casa de Eugene depois da igreja para que possamos ver as notícias na televisão. Entro e a Sra. Crowe me pergunta se quero um chá gelado. Antes mesmo de ela voltar da cozinha, assisto ao vivo quando Jack Ruby atira no estômago de Lee Harvey Oswald.

O estudioso grego do acampamento estava certo. Nossa nação está ficando maluca.

Qualquer traço de boa vontade que eu tinha em relação a Kennedy, nada disso é transferido para o seu sucessor, Lyndon Johnson. Todas as vezes que ele abre a boca, eu me retraio de desgosto. "Meus camaradas americanos", diz ele, soando como um caipira das montanhas do norte da Geórgia. Comporta-se de modo rude, pegando cães pelas orelhas e discutindo política externa sentado no vaso sanitário com a porta do banheiro aberta. No ano eleitoral de 1964, meu penúltimo ano de colegial, associo-me ao

Comitê de Jovens Republicanos por Goldwater e me ofereço para ser o secretário do estado.

No Quatro de Julho daquele ano, participo de uma "Reunião de Patriotas Contra a Tirania" que teve lugar no autódromo Lakewood Speedway. A reunião apresenta celebridades como o governador do Alabama, George Wallace, e o governador do Mississippi, Ross Barnett, bem como o próprio governador da Geórgia, Lester Maddox. Uma multidão de onze mil sulistas acena agitando miniaturas da bandeira dos Confederados e aplaude quando os oradores se alternam denunciando Washington por pisotear os direitos dos estados.

Estou sentado em arquibancadas escaldantes, abanando-me com o programa, quando a reunião política dá uma guinada rumo às questões de raça — e violência. Um punhado de homens negros está presente, sentados juntos num canto das tribunas principais, num conspícuo grupo escuro. Quando o orador apresenta o governador Wallace, três deles levam as mãos em concha em torno da boca e vaiam alto.

Não vejo ninguém dar um sinal, mas logo depois de uma entusiástica versão de "Dixie", alguns membros do Klan deixam seus assentos e avançam ominosamente descendo pela arquibancada, cercando o grupo de homens negros. Começam a espancá-los golpeando cabeças e ombros primeiro com seus punhos e depois com cadeiras dobradas. Meia dúzia de outros brancos entram em ação instigados pelos gritos da multidão. "Batam neles! Acabem com eles!"

Os homens negros se amontoam, olhando ao redor em desespero em busca de uma rota de fuga. No fim, desvairados, alguns deles se libertam e começam a escalar uma cerca de arame de dez metros de altura projetada para proteger os espectadores dos carros de corrida. Seus atormentadores trepam para pegá-los.

O megafone do orador se cala, e todos nós nos viramos para olhar enquanto os agressores arrancam os corpos pendurados, como se estivessem tirando presas de armadilhas. Depois de um tempo, oficiais da Patrulha Estadual da Geórgia usando chapéus de abas largas e uniformes azuis e cinza entram calmamente e saem escoltando os negros ensanguentados que deixam o autódromo.

Quando a reunião recomeça, George Wallace sobe ao palco e profere um discurso escrito por Asa Carter, um líder da KKK. Ele classifica a Lei dos Direitos Humanos de 1964 como "a mais monstruosa peça de legislação jamais aprovada [...] uma fraude, uma vergonha e um embuste, esse projeto de lei viverá na infâmia". O movimento dos direitos humanos provém diretamente do Manifesto Comunista, diz ele. "Nós devemos revitalizar um governo fundado nesta nação com base na fé em Deus!" A multidão grita: "George! George! George!", enquanto ele dá voltas sobre o palco com os braços levantados em V de Vitória.

Com a mente ainda presa ao ataque, mal escuto os outros discursos. Um calafrio afeta minha pele, apesar do calor de julho. Não consigo sintonizar-me com o júbilo da multidão. A reunião — de fato, a própria política — perdeu seu apelo, afogada pelos gritos da rouca multidão e os golpes dos punhos dos membros do Klan contra corpos humanos.

Durante o resto do verão, lembranças daquela cena pairam no ar, como um cheiro desagradável que não se esvai.

Durante meus dois últimos anos de colegial, percebo que estou me afastando da família e da igreja. A escola me abriu novas fronteiras. Lá, pelo menos, estou começando a ter sucesso e aceitação.

Com alguma hesitação, participo da seleção para atuar na peça *O vento será tua herança*, que conta a história do Julgamento de Scopes ou Julgamento do Macaco. A peça zomba do ícone fundamentalista William Jennings Bryan, que a minha igreja vê como um herói. Participo da audição para o papel de Elias, um montanhês analfabeto que vende Bíblias para os habitantes da cidade de Dayton, no Tennessee, e prega o fogo do inferno e enxofre para a multidão fora do tribunal. A professora de teatro está entusiasmada: "Fico tão feliz por descobrir um novo talento!", diz ela, sem saber que ouvi muitos pregadores como Elias.

Depois disso associo-me ao grupo de debates, que parece outra forma de atuar. Você pesquisa um tópico, com paixão apresenta argumentos a favor de algum projeto, depois muda de lado e argumenta como aquele projeto é ridículo. Em meu segundo torneio, termino com uma pontuação geral melhor que a de Marshall, a primeira vez que derrotei meu irmão em alguma coisa. Quando percebe que ocupo um lugar mais alto no grupo, Marshall cai fora.

No meu penúltimo ano, numa excursão de fim semana vou com o grupo de debate da escola para Athens, onde a Universidade da Geórgia está promovendo um torneio estadual. O distrito escolar paga duas diárias num motel, e nós debatedores tiramos a máxima vantagem disso. Pulamos de bomba na piscina, esvaziamos as máquinas de venda automática e até fumamos charutos. Tarde da noite, inserimos moedas de 25 centavos nas camas de vibro-massagem exatamente quando nossos colegas de quarto estão pegando no sono.

O acontecimento mais memorável nessa viagem acontece na volta, nas curvas das estradas do leste da Geórgia. Estou no carro com o novo professor de sociologia, nosso acompanhante, que tem uma cabeleira intonsa e um bigode denso, uma raridade naqueles dias. Ele só tem três gravatas e dois casacos esportivos, e às vezes usa as mesmas roupas na escola cinco dias seguidos. Também dirige o carro mais feio de todos no estacionamento da escola.

Naquela ratoeira de carro lotado com cinco jovens debatedores, o Sr. Bradford nos diz por que ele vive de modo tão frugal. "Vocês percebem", diz ele, "que um quarto das pessoas no mundo ganha menos dinheiro num ano do que eu gasto para comprar o relógio que estou usando agora?" Seu braço esquerdo se move cruzando o volante para mostrar um relógio dourado que vale uns trinta dólares.

Nunca me achei rico. Afinal de contas, moro num *trailer*. Mas o Sr. Bradford, que acaba de voltar de uma missão com a agência federal Corpo da Paz, prossegue descrevendo o dia a dia da vida em alguns dos países mais pobres do mundo. Fico chocado e sem palavras.

Ele vira a cabeça para o banco de trás, seus olhos cravados em mim. "E eu aposto que vocês não conseguem imaginar o que eu fazia antes do Corpo da Paz. Era um evangelista batista da Convenção do Sul." Todos nós rimos.

Durante alguns minutos, o Sr. Bradford não diz nada. Eu me concentro no cenário externo, absorvendo o que ele nos disse sobre seu período no exterior.

Finalmente pergunto: "Então, por que o senhor se tornaria um professor em vez de um evangelista?".

Ele responde entusiasmado, como se já estivesse aguardando a pergunta. "Bem, vou lhe dizer por quê. Quando voltei para os Estados Unidos, ninguém da igreja ligava muito para o que eu tinha visto no exterior. As pessoas estavam mais preocupadas em correr atrás do sonho americano. Eu não conseguia tirar da cabeça as cenas do Corpo da Paz, e um dia decidi que não podia mais conviver com a hipocrisia. Era chegada a hora de dizer o que pensava.

"Fui por acaso escolhido para ser o orador em minha igreja no culto da noite de quarta-feira. Então, depois de um dia inteiro de trabalho no campo, marchei pela nave da igreja e ocupei meu assento numa cadeira estofada sobre a plataforma. O problema é que eu não tinha mudado de roupa e ainda estava usando meu macacão com aquele mau cheiro. Minhas botinas deixaram um rastro de lama e esterco pela nave da igreja. Aquele santuário continha um novo odor, e alguns membros da congregação começaram a cochichar entre si.

"Levei apenas cinco minutos para fazer o meu sermão, e foi mais ou menos assim:

> Vocês estão chocados. Riem como se eu estivesse vestido de palhaço. Eu lhes digo, *vocês* é que estão vestindo esses trajes. Setenta e cinco por cento das pessoas do mundo estão vestidas como eu. Metade do mundo foi dormir com fome hoje. Vocês se empanturraram, alimentaram os cães — e ainda jogaram fora uma boa refeição.
>
> Há algo de errado com um país que deixa cereais apodrecendo nos silos enquanto corpos vão apodrecendo em outras nações. E esta igreja — ninguém vestido como estou foi bem-vindo aqui. Nenhum pobre falou desta plataforma. E mais ainda, vocês não se importam com isso. Depois que eu for embora esta noite, serei lembrado como o excêntrico, o desajustado, o palhaço. Vocês não pensam em si mesmos como sendo os estranhos. Mas são. O mais estranho de tudo é que vocês nem percebem isso."

Dito isso, informa-nos o nosso professor, ele caminhou para fora da igreja. Havia proferido sua última oração e lido sua última passagem das Escrituras.

Durante três anos pensei que meu futuro seria uma carreira de cientista. Nos dois últimos anos do colegial, porém, o poder das palavras foi aos poucos se apossando de mim.

Senti seu poder como calouro, quando o elegante diretor, o Sr. Craig, visitava nossa aula introdutória de inglês. O professor sempre lhe pedia que recitasse alguma passagem de Shakespeare. O Sr. Craig limpava a garganta e fechava os olhos, depois oscilando levemente para a frente e para trás citava verso após verso da linguagem mais bonita que jamais ouvi. A sala sempre ficava imersa no silêncio, e não apenas porque ele era o diretor.

Agora estou estudando Shakespeare nas aulas de literatura inglesa. Lemos *Júlio César, Romeu e Julieta* e *Hamlet*. Às vezes brincamos sobre versos como "Amigos, romanos, compatriotas, emprestem-me seus ouvidos..." De vez em quando, porém a magia da linguagem extravasa de nosso mundo mesquinho e nos arrasta para algo mais sublime.

Em aulas de literatura avançada, outros livros exercem sobre nós um poder diferente: *1984, A revolução dos bichos, Admirável mundo novo, O apanhador no campo de centeio, O sol é para todos, Sidarta*. Essas obras me tiram da bolha da igreja em que vivo, assim como as histórias do Corpo da Paz do Sr. Bradford, e me expõem a ideias e situações que antes me eram desconhecidas. Sinto-me como um leitor virgem, e um leitor subversivo, perguntando-me se é pecado ler esses livros. Estou descobrindo ambientes totalmente diversos do meu, e isso faz o sangue ferver nas minhas veias.

Quando leio um bom livro, tenho quase a sensação mística de que tudo o que há nele aconteceu comigo. Ou melhor, eu quero que *aquilo* aconteça comigo. Leio Chaucer e quero ser um daqueles peregrinos trocando histórias picantes ao longo da estrada com amigos e estranhos. Leio *O retorno do nativo* e me apaixono pelo amor. Leio Hemingway e quero me alistar. Leio Salinger e anseio pela coragem de pôr em prática a insolência que ferve dentro de mim.

Pela primeira vez enxergo minha fé fundamentalista como ela é vista de fora. O conto "A loteria" de Shirley Jackson me leva de volta aos relatos do Antigo Testamento de sorteios e apedrejamentos de marginais. Um professor lê em voz alta *O grande divórcio* de C. S. Lewis, e sua fantástica versão do inferno como um lugar de lúgubre solidão parece muito mais crível do que os sermões de fogo e enxofre que ouço na igreja. *O senhor das moscas* me diz tudo o que preciso conhecer sobre a depravação sem usar essa palavra.

Minhas ideias sobre raça, que vêm se agitando desde minhas experiências no CDT e na Reunião dos Patriotas, clamam por uma resolução quando leio o novo livro *Negro como eu*, do jornalista John Howard Griffin. Uma frase na capa descreve a premissa: "Um homem branco aprende como é viver a vida de um negro tornando-se um negro!". Embora isso exagere a verdade, Griffin de fato se submeteu a um regime de drogas e tratamento ultravioleta a fim de tornar sua pele negra.

O livro reproduz suas experiências durante seis semanas de viagens de ônibus pelo Sul profundo, passando-se por um homem negro. Ele fala dos "olhares de ódio" que atrai no Mississippi ao pedir informações, candidatar-se a um emprego ou simplesmente tentar comprar uma passagem de ônibus. Em seu disfarce, coisas básicas que considero naturais — um lugar onde comer, onde achar água para beber, um banheiro, um lugar onde me lavar — constituem para ele um enorme desafio.

Quando a pigmentação finalmente desaparece e Griffin esfrega o rosto que de preto passa a ser rosado, tudo muda. Ele é novamente um cidadão de primeira classe, com as portas de cafés, banheiros, bibliotecas, cinemas, concertos, escolas e igrejas agora abertas para ele. "Um sentimento de exultante libertação me inundou. Atravessei a rua rumo a um restaurante e entrei. Sentei-me ao lado de homens brancos no balcão e a garçonete sorriu para mim. Era um milagre."

O livro exerceu em mim um efeito profundo. Imediatamente, capto o absurdo do racismo baseado na cor da pele. John Howard Griffin era exatamente o mesmo homem, com sua pele branca ou temporariamente escura. No entanto, às vezes era tratado como um ser humano normal e outras vezes como um animal sujo.

Meu cérebro dói depois de ler esse livro, como dói minha consciência. Eu zombei do comportamento dos negros — sua música e dança, o dialeto, a comida estranha, as roupas vistosas — sem realmente conhecer as pessoas por trás disso tudo. Será que isso é muito diferente da maneira como as pessoas no Clube Social Piedmont enxergam moradores de *trailers* iguais a mim como "lixo branco", ao passo que eu as enxergo como esnobes decadentes? Eles, como eu, julgamos as pessoas tão somente pelas aparências.

Ao contrário de John Howard Griffin, eu nunca fui tratado — nem mesmo temporariamente — como se fosse uma pessoa negra. Como seria isso? No início timidamente, depois com voracidade descubro livros como *Filho nativo*, de Richard Wright, *Homem invisível*, de Ralph Ellison, e a *Autobiografia de Malcolm X*. Os estereótipos racistas que herdei assumem uma nova aparência. Talvez os negros "não mantenham suas vizinhanças" porque vivem em moradias decadentes que pertencem ao senhorio do gueto. Talvez eles não tenham "nenhum senso de história" devido àquilo que a história representa.

Os negros, percebo de repente, não *querem* ter nomes como os nossos, usar a mesma gramática e pronúncia, curtir a mesma música, usar as mesmas roupas, dar as mãos da mesma maneira, praticar a religião da mesma forma. Para os negros, "Ela acha que é branca" é um insulto, não um elogio. A cultura negra tem seu próprio conjunto de dotes naturais.

Quando cruzo a cerca para entrar no campo da fazenda de pôneis da igreja onde nós moramos, começo a ver minha comunidade de paranoico fundamentalismo branco e racista como sua própria espécie de cultura. Não gosto do que vejo.

16

Renovação

> Bem, posso sorrir e matar sorrindo,
> Ver-me "feliz" com dor no coração,
> Com falsas lágrimas banhar meu rosto,
> Com a mesma cara para cada ocasião.
>
> Shakespeare, *Henrique VI*

Passo meu décimo primeiro ano escolar taciturno e confuso. Sei como representar uma identidade: mostrar um personagem no palco, dar um testemunho comovedor na escola ou no acampamento, postar-me no pódio num debate e argumentar de modo convincente defendendo um ponto de vista ou o seu oposto. O tempo todo, lá no fundo, sinto-me vazio. Quem sou *eu*?

Depois meus ossos começam a quebrar. A primeira fratura ocorre no jogo de softbol na igreja. Escorrego desajeitado na base do batedor, caindo sobre o braço direito, que se quebra como um galho seco. Na sala de emergência, experimento um novo nível de dor quando o médico insere uma agulha hipodérmica cavalar e vai avançando a ponta até achar o local exato da fratura antes de injetar uma substância anestésica e ajustar as partes fraturadas.

Um mês depois, ainda usando uma proteção de gesso, tropeço jogando basquete e giro para a esquerda a fim de proteger o braço quebrado enquanto caio. Bato no chão com o cotovelo esquerdo, causando outra fratura.

Minha mãe, normalmente compreensiva em situações assim, perde a paciência. "O que você estava pensando? Jogar basquete com um braço quebrado?", pergunta. "Não tem nenhum juízo? Daqui por diante você vai pagar as contas do médico com seu próprio dinheiro."

Ter os dois braços imobilizados complica a vida. Para vestir-me, seguro as cuecas com os dois braços engessados, mirando os pés através dos buracos e pulando do beliche superior. Contrariando todas as probabilidades, evito outras fraturas... por um tempo.

Passadas algumas semanas, o médico corta em pedaços o gesso todo assinado do braço direito usando uma serra ameaçadora que, ele me garante, vai parar de girar no segundo em que atingir a maciez da pele. Ele separa o gesso partido e vai expondo meu trêmulo braço atrofiado, salpicado de negras gotas de suor. A sala se enche de um cheiro rançoso.

No curto período de um ano, tenho seis fraturas nos braços, a maioria delas causadas pelo basquete e o futebol. "Você precisa ser mais cuidadoso, meu filho", diz o médico, todas as vezes. A mãe tem palavras mais duras. Enquanto isso, assumo o trabalho de entregador de jornais para pagar as contas médicas.

Além dos braços quebrados, sofro mais um ferimento quando meu amigo de igreja David vem me visitar. Vamos juntos a uma piscina pública, pagamos a taxa de 35 centavos e vestimos nossos trajes de banho. Cometo o erro de contar a David que não sei dar um salto mortal pulando do trampolim. "Consigo perfeitamente mergulhar de cabeça, mas tenho medo de saltos mortais."

"Não é nada complicado", diz ele rindo. "Você está provavelmente pensando demais sobre cair de cabeça na água. Concentre-se em erguer os joelhos até o queixo o mais rápido possível. Quando você fizer isso, você vai automaticamente girar para a frente num salto mortal."

Antes mesmo de mergulhar na água, subo os dez degraus até o trampolim, caminho até a extremidade dele e ensaio alguns saltos. *Joelhos até o queixo, joelhos até o queixo*, digo a mim mesmo. Depois volto sobre meus passos, dou uma corrida de largada, e decolo pulando alto do trampolim, erguendo os joelhos até o queixo o mais rápido possível.

Quando me dou conta já estou debaixo d'água, com sangue escorrendo do canto da boca e uma sensação de dor intensa na mandíbula. Devo ter comprimido o joelho direito contra a mandíbula, mordendo a bochecha no processo. Volto à tona e nado na direção do David. "Alguma coisa deu errado", falo de modo confuso. "Acho que me machuquei."

David mostra pouca compaixão. "De jeito nenhum vamos sair daqui agora, logo depois de pagar pelo ingresso", diz ele. Fico flutuando de costas por meia hora, e a dor não diminui. No fim o convenço a voltar para casa. Quando como um crocante *donut* de creme, meu rosto parece ter pegado fogo.

De volta no consultório médico, entendo a razão da dor. Depois de radiografar meu maxilar, o médico diz: "Você é um rapaz de sorte. O osso do maxilar se partiu em dois, com uma borda irregular logo abaixo da superfície de sua face direita. Se você tivesse comido alguma coisa mais sólida do que um *donut*, o osso provavelmente teria rompido a pele e saltado para fora". Estremeço, e a dor se espalha pelo rosto.

O médico me dá duas opções. Posso ir ao hospital e ficar com a mandíbula imobilizada por arames durante seis semanas — "nesse caso você pode perder seus dentes, já que não poderá escová-los muito bem", diz ele — ou posso deixar o maxilar curar-se por si mesmo, "mas só se você jurar sobre uma pilha de Bíblias que não vai tocar nada de alimento sólido durante seis semanas". Eu juro, e meu jejum começa.

A dieta líquida me dá uma desculpa para tomar um *milk-shake* por dia. Com o tempo consigo o bacharelado em purê de batatas e depois o mestrado em artes de engolir ervilhas e feijões-manteiga inteiros. Dormir representa um verdadeiro desafio. Se fico deitado de costas, meu maxilar desliza para baixo, pressionando a borda irregular contra a bochecha. Dormir de um lado ou de outro exerce uma pressão intolerável no local da fratura. Recorro então a dormir de bruços. Faço um retângulo de travesseiros e toalhas e repouso a testa na borda superior, com o rosto inserido no espaço vazio no centro. Embora durma pouco naquele verão, pelo menos me livro de ter a mandíbula imobilizada.

A essa altura minha mãe está preocupada. Ela vem me censurando pelos ferimentos, mas e se houver algo clinicamente errado? Visitamos um especialista, que recomenda uma biópsia óssea.

Antes de conseguirmos marcar o procedimento, contraio mononucleose, uma febre glandular, e passo um mês acamado. Todos os sábados vou para um hospital a fim de fazer um teste de sangue, porque minha alta contagem de glóbulos brancos sugere a possibilidade de leucemia.

Em momentos de autocompaixão, devaneio sobre a leucemia. Alguém se importaria se eu morresse? Componho mentalmente cartas de adeus. Uma para o meu irmão, legando para ele todos os meus bens. Uma para a minha mãe, pedindo-lhe que não seja tão dura com o Marshall. Outra para o meu pastor, dizendo-lhe todas as coisas de que me ressenti acerca de sua igreja e acampamento.

A morte parece quase um conforto, um jeito de conseguir uma vingança póstuma contra todos os que me ofenderam.

Minha mãe localiza um especialista em doenças de adolescentes, um brusco senhor idoso com um carnudo queixo duplo e olhos que parecem cansados. Ele folheia meus laudos médicos e radiografias enquanto a mãe descreve meu histórico de doenças da infância e ferimentos recentes. Ele me bombardeia com perguntas. Depois, senta-se em seu banquinho por um momento, olhando para mim, que estou empoleirado de cuecas na borda da mesa de exames. Sua boca se abre e se fecha algumas vezes, como quem tem algo a dizer.

Aguardo algum diagnóstico exótico que vai explicar tudo. No fim ele diz com uma voz cansada: "Meu filho, não acho que tenha algo de errado com você. Acho que você é fraco. Tem uma postura ruim. Talvez você goste de ficar doente ou se machucar. Depende de você estar bem, ficar forte. Não há nada que eu possa fazer por você".

Suas palavras penetram como um estilhaço na minha pele. Durante algumas semanas depois disso, refletindo sobre a minha vida, percebo que ele pode estar certo. Em casa, geralmente recebo a amável atenção de minha mãe quando estou me recuperando de alguma coisa. Marshall é o filho forte, e eles brigam o tempo todo.

Um pensamento perturbador se insinua: *Será que eu de algum modo preciso do sofrimento físico?* Ouvi falar de garotos que se machucam de propósito, ao cortar, arranhar ou queimar a si próprios. Seria eu um deles? Não *planejei* todos aqueles ossos quebrados. No entanto, também não fiz nenhum esforço para evitá-los.

Marshall me confidenciou que a masturbação é a única coisa na vida que parece autêntica, sua mais garantida conexão emocional com a realidade. Talvez para mim a dor seja o elo. Ela me garante que estou vivo, e me proporciona uma razão para continuar vivendo: posso suportá-la; posso sobreviver. Ela também me proporciona uma espécie enviesada de identidade. Quando apareço com os dois braços engessados, os professores me dão uma folga. Meus colegas de turma me dão atenção e escrevem mensagens no gesso. Eu sou alguém.

Talvez eu esteja mais doente do que me dou conta. Ou, como disse o médico, talvez eu não tenha doença nenhuma.

– – –

Decido que preciso esforçar-me para ser mais normal, o que quer que isso signifique. Para começar, preciso aprender como relacionar-me com adultos.

Noto que os adultos costumam fazer as mesmas perguntas. *Em que ano você está? Qual é sua matéria preferida? O que quer ser quando crescer?* Pratico algumas respostas corriqueiras que satisfaçam quem pergunta. As mulheres, de modo especial, parecem ter uma reação alérgica ao silêncio. Se fico calado, elas falam ainda mais. Tenho apenas de acenar com a cabeça e fingir interesse.

Um dos livros que estudamos na aula de literatura, *O coração é um caçador solitário*, descreve um mudo que desenvolve amizades simplesmente ouvindo as falas dos outros. As pessoas despejam nele suas histórias porque sabem que ele não as passará adiante. O livro me dá uma ideia: posso agir demonstrando estar interessado no que os outros dizem, mesmo quando não estou.

Pratico fazendo algumas perguntas básicas, tais como "Você tem filhos?" e "Onde você fez seu colegial?". Um "segundo eu" cavalga em meus ombros, avaliando minha atuação e fazendo anotações mentais para uma futura referência. Estou tentando me tornar uma pessoa autêntica — artificialmente.

Testo meu programa de aperfeiçoamento pessoal na ronda de entrega de jornais, minha principal fonte de renda. Sempre que aparece um novo residente, eu me apresento e ofereço duas semanas de entregas de graça. "É um jeito muito bom de descobrir o que está acontecendo na sua nova vizinhança", eu costumo dizer. Às vezes me perguntam acerca da melhor quitanda nos arredores ou de um bom lugar para caminhar, e eu me envolvo numa conversa real. Atrás daquelas janelas iluminadas, descubro que moram eremitas e homens de negócio, belas donas de casa em roupões de banho e rabugentas senhoras idosas, juntamente com muitas crianças barulhentas. Um senhor idoso, que mora sozinho numa casa cheia de livros, sempre me convida a entrar e me conta sobre o que andou lendo ultimamente. Gosto da entrega de jornais, sobretudo porque isso me mantém longe do *trailer* e das tensões em casa.

Dentre todas as pessoas improváveis, o pai operário de Eugene Crowe é o que me proporciona uma vida nova. Estou ajudando Eugene com sua tarefa de casa certa noite, e o pai dele nos ouve por acaso da sala ao lado. Quando estou indo embora, ele diz, entre baforadas de um cigarro: "Você sabe, se eu estivesse administrando um canteiro de obras e precisasse transportar alguma coisa com um carrinho de mão, eu preferiria contratar você a contratar algum garoto grande e robusto. Você descobre o melhor jeito de fazer a coisa em menos tempo".

Um elogio de um adulto! Caminhando para casa, percebo que aquilo deve ser sua maneira de me agradecer por ajudar seu filho. Guardo o que ele diz lá no fundo dentro de mim, onde aprendi a guardar as coisas mais importantes.

Com Marshall, que leu alguns livros de psicologia, aprendo sobre a teoria da cebola referente à personalidade. "É assim", diz ele. "A maioria das pessoas só enxerga as camadas externas da cebola, o ego que você apresenta ao mundo. Quando as pessoas se aproximam e você confia nelas, então você remove mais algumas camadas. Na parte mais profunda você descobre o ego interior, seu verdadeiro âmago."

Reflito intensamente e por um longo tempo sobre a teoria da cebola. Faz sentido, mas aprendi que é melhor não retirar nenhuma camada, pois quando isso acontece eu me machuco. Sinto-me mais seguro quando ninguém sabe o que está acontecendo dentro de mim. E quando sondo o âmago interior, deparo com um vazio. Talvez eu deva me concentrar apenas nas camadas exteriores.

Eu me pergunto: *Que tipo de personalidade eu quero?* Já sei que nunca vou me destacar nos esportes ou vencer uma competição de popularidade. Fixo-me em vez disso numa personalidade reservada, séria. Para minha surpresa, no início do penúltimo ano do colegial, recebo um convite para associar-me ao Key Club, um ramo do colegial da organização Kiwanis International que assume projetos de serviços tais como limpar parques e áreas públicas. O clube precisa de um secretário, e eu imagino que me escolheram porque pareço ser o tipo estudioso que está disposto a fazer anotações.

Animado, inicio um projeto de renovação. Primeiro, tento resolver meu sotaque, vogal por vogal, tentando apagar traços do Sul profundo. Como o resto da nação julga os sulistas atrasados, ignorantes e racistas, quero dissociar-me de minha região.

Em seguida, reconfiguro a caligrafia. A minha parece meticulosa e enfeitada, demasiado parecida com a de uma garota. Pratico desenhar cada letra num estilo mais moderno e simplificado.

De acordo com um livro sobre a adolescência que minha mãe me deu, espera-se que eu me envolva numa montanha-russa de emoções, rindo num minuto, chorando no minuto seguinte. Muito pelo contrário, porém, não sei quais devem ser meus sentimentos e nem sequer o que eles de fato são. Talvez meu caminho mais seguro seja abafar todas as emoções. Repetidas vezes ouvi Marshall e a mãe gritando um com o outro — como se a raiva tivesse se acumulado atrás de uma porta de aço que de súbito se abrisse violentamente para deixar o calor extravasar.

Para mim, as emoções parecem um desperdício de energia. Você deixa a raiva crescer e explodir contra alguém, depois volta rastejando e tenta fazer as pazes. Sente medo ou foge apavorado de uma aranha ou um camundongo indefeso. Sente-se feliz uma noite e no dia seguinte acorda deprimido ou com ressaca. Não seria mais fácil evitar as emoções e simplesmente buscar uma definição final?

Em minha aula de oratória a professora lê em voz alta trechos de *Sidarta*, um romance sobre um jovem discípulo na época de Gautama Buda. Não sei nada sobre o budismo, mas à medida que ela vai lendo a história identifico-me com Sidarta em sua busca de uma cura para seu tédio vital. Ele se disciplina para superar o desejo e conquistar o "êxtase da indiferença". Adoto essa frase e anseio por aquilo que ela expressa. Pratico uma expressão facial impassível e um sorriso falso, uma rápida contração dos lábios para cima.

Começo a ler romances de Sartre e Camus, alguns dos quais acabam de atravessar o Atlântico. "Faz pouca diferença alguém morrer aos trinta anos ou aos setenta", diz um personagem de *O estrangeiro* de Camus, "pois em ambos os casos outros homens e mulheres vão continuar vivendo, o mundo seguirá em frente como antes."

As palavras saltam da página. *Esse sou eu!,* penso enquanto leio. Gosto da atitude clara, fatalista desses romances, tão diferente das excessivamente estimuladas emoções da igreja e dos serviços de reavivamento.

As ideias desses livros fazem meu coração disparar. Contradizem tudo o que ouvi na igreja, onde me ensinam que cada ação ou pensamento tem consequências eternas. Depois, no filósofo Søren Kierkegaard — um *cristão*! — descubro o mesmo espírito de indiferença: "Case-se, e você se arrependerá disso. Não se case, e se arrependerá disso também. [...] Ria das tolices do mundo ou chore por elas, de um jeito ou de outro você se arrependerá. [...] Enforque-se, e se arrependerá disso. Não se enforque, e se arrependerá disso também".

Lembro-me de ocasiões em que assisti ao funeral de um parente distante e fiquei indiferente, à parte, enquanto amigos e parentes atiravam seus braços sobre o caixão e choravam. É assim que me sinto em relação à totalidade de minha vida durante estes anos de alienação.

Começo a enxergar o colegial através de olhos exaustos. Detesto os jogos de futebol, onde gladiadores gigantes conquistam a admiração de seus colegas de turma caçando uma bola de couro para lá e para cá através do campo. Às margens do campo, pernas brancas como o leite de animadoras de torcida em saias curtas pulam sem parar batendo palmas ao som de frases infantis de incentivo. Observo o "grupo das balizas" jogando seus bastões para o alto feito malabaristas de circo e a "corte de boas-vindas", com sua absurda mímica de reis e rainhas medievais. Tudo parece uma charada tola e sem sentido.

Meu âmago interior, o centro da cebola, está endurecendo de tal modo que ninguém possa atingi-lo.

Um dia digo algo que minha mãe considera impudente, e ela me bate em cheio na cara, com tanta força que o tapa deixa marcas vermelhas de dedos na minha bochecha. Leio no rosto dela um laivo de susto diante do que fez. Nós dois nos lembramos do maxilar quebrado no último verão, e nos olhamos por alguns silenciosos momentos. Depois dou meu sorriso falso de um segundo e me afasto. Ela perdeu o poder de me machucar fisicamente.

Por volta dessa época, encontro-me com Friedrich Nietzsche. Muito tempo antes, esse famoso filósofo alemão descreveu o caminho do autocontrole que busquei aos tropeções. "Depende de você estar bem, ficar forte", disse-me o médico. Nietzsche treinou para dominar-se a si mesmo, seguindo uma rigorosa dieta e forçando-se a ir para a cama às duas da manhã e levantar-se às seis. Penso em histórias de aventura que li na infância: Ernest Shackleton navegando num bote salva-vidas através de águas coalhadas de *icebergs* e ventos com a força de furacões a fim de conseguir ajuda para seus homens encalhados na Antártica; o pequeno estudioso T. E. Lawrence privando-se de água e comida durante dias ao caminhar mais de centenas quilômetros através do deserto da Arábia.

Como podemos pôr esses elevados princípios em prática? Os livros budistas falam em "recusar o preferir". Calor/frio, mau cheiro/cheiro bom, dor/prazer — essas são categorias arbitrárias que podem ser superadas.

No verão antes do último ano, assumo um emprego indesejável trabalhando para o condado num caminhão de coleta de lixo. No meu primeiro dia, noto que as pessoas nem sequer olham para um lixeiro; desviam o olhar. Os lixeiros de carreira são homens negros musculosos que carregam pesados barris de metal sobre os ombros e os despejam no rosnento estômago do caminhão. Um deles me avalia. "Ei, branquinho, você é magro demais para esses barris", declara. "Vamos encarregar você de cuidar dos montes de grama e dos sacos de folhas."

Não me incomodo com o adocicado cheiro de podre da grama em decomposição. Mas será que um dia vou me acostumar com o cheiro do lixo apodrecendo? Para minha surpresa, depois de alguns dias eu mal noto o cheiro. Marshall e minha mãe certamente notam. Volto para casa todo suado, com marcas de sujeira nos braços e a camiseta com manchas imundas de fragmentos de comida fermentada.

Trabalhar ao ar livre num verão de Atlanta também cura minha aversão ao calor. Logo os trabalhadores negros me permitem deixar meu assento na cabine com o motorista branco e andar com eles atrás. Depois da última coleta eu fico de pé no estribo e me inclino para fora para curtir a brisa quando o caminhão corre para o lixão. É o único momento do dia em que me sinto menos que sufocado — e não me importo.

Quando o ano letivo começa e o clima refresca, saio deliberadamente sem casaco, mesmo em dias de chuva. Estou tentando nivelar os extremos de calor e frio, para impedir que me afetem. Lembro a mim mesmo o que Shackleton suportou em sua viagem pela Antártica.

Descubro por acaso uma frase usada por sargentos de acampamento na Legião Estrangeira Francesa: "Dor é fraqueza deixando o corpo". Corra oito quilômetros, e seus pés responderão com dores e bolhas. Mas faça isso dia após dia, e a dor se torna um objetivo: absorver a dor sem sucumbir a ela ou reagir e dar o troco.

Minha sexta e última fratura num braço acontece naquele ano. Um domingo na igreja, acidentalmente bato o cotovelo direito contra o canto agudo de um banco. Ele incha e fica vermelho, embora eu possa dizer que o osso não se quebrou. Decido testar meu autocontrole. Vou para o quarto e golpeio com o cotovelo machucado uma, duas vezes contra o madeiramento do beliche superior. Imediatamente, sinto uma sensação familiar, a dor lancinante de uma fratura. No entanto, mal registro a dor. A fraqueza abandonou meu corpo.

– – –

Acima de tudo, procuro o autocontrole. Nietzsche estabeleceu um contraste entre os dominadores e as vítimas: um dominador controla a própria vida, autoriza-se a si mesmo em vez de deixar que outros escrevam o roteiro.

Ouvi gente fazendo comentários do tipo: *Essa simplesmente não é a minha personalidade. Eu nunca faria isso. Não sou assim.* Resisto a esses pensamentos. O acampamento e a igreja me ensinaram que grande parte da vida consiste em representar. Ore no púlpito ou dê um testemunho que provoque lágrimas num acampamento, e de repente você é um gigante espiritual. Faça o oposto, e você é um renegado. As pessoas julgam pelo exterior — desde que você mantenha o interior muito bem escondido.

Na escola, observo outros alunos como um garçom escutando clandestinamente a conversa numa mesa de restaurante. Quem as pessoas admiram? Noto que a espirituosidade exerce o mesmo efeito num grupo do colegial que a espiritualidade exerce na igreja. Coleciono algumas frases espirituosas e piadas. Em breve, aparecem amigos. Escuto com atenção histórias pessoais, fazendo acenos compassivos com aparente interesse. Sinto-me um sujeito de duas caras, mas isso funciona. Pela primeira vez, tenho a impressão de que colegas de turma gostam de minha companhia.

Pratico conversar sobre um tema pelo qual não tenho nenhum interesse, e depois envolvo um colega de turma: "Ouvi dizer que o carro de Richard Petty foi desclassificado da NASCAR por causa da câmara de combustão hemisférica". Embora eu não soubesse distinguir uma câmara de combustão hemisférica de uma torradeira, e mal tenha ouvido falar de Richard Petty, simplesmente fazer casualmente esse comentário energiza garotos por dez minutos na hora da merenda. Faço o mesmo comentário em outra mesa dois dias mais tarde, e ele tem o mesmo efeito.

Enquanto meus colegas estão discutindo calorosamente as regras da NASCAR, procuro em minha cabeça outro iniciador de conversa: "Vocês ouviram dizer que os Beatles vêm para Atlanta?".

Apresento-me como voluntário para trabalhar no jornal, na revista literária e no anuário da escola. Entrevistar outros alunos me permite entrar na cabeça deles, sugar a vida deles. Quando escrevo a história de alguma outra pessoa, posso deixar de ser Philip por um tempo e ver o mundo através de outro par de olhos. Frequento reuniões todas as tardes e noites, e isso tem a suprema vantagem de me manter longe de casa.

Voltando ao *trailer* no fim do dia, dispo-me da nova personalidade e a penduro como um casaco, voltando à minha vida introvertida dos livros. A mãe consegue perceber que está perdendo os filhos: Marshall logo partirá para a faculdade, e eu estou passando o menor tempo possível em casa. O hiato entre a escola e o lar aumenta.

Um incidente do meu último ano do colegial, mais do que qualquer outro, testa o que aprendi com Nietzsche. Quando começa o ano letivo, um colega de turma chamado Hal, um fanático político, concebe a ideia absurda de organizar os alunos de um jeito que arremeda a política nacional. Hal elabora um programa segundo o qual cada sala de aula elege um aluno para a "Câmara dos Deputados", e cada ano elegerá dois senadores para a câmara superior. Os alunos dos primeiros anos adoram a ideia, porque pelos números absolutos suas três turmas vão controlar a Casa. O Partido Americano de Hal inscreve mil membros. A maioria dos alunos do penúltimo ano e do último, preocupados com sua formatura, não dá atenção ao esquema.

Por uma razão que ainda não entendo, decido acabar com todo esse projeto. Hal é um clássico *nerd*: acima do peso, desagradável, acadêmico. Talvez seu idealismo ofenda meu cinismo.

Para ir contra Hal, formo o Partido dos Direito Estudantis, com a imponente soma de oito membros, amigos meus igualmente cínicos. O ex-técnico de futebol me convoca e me interroga com uma carranca: "Exatamente que direitos estudantis você tem em mente?". Menciono algumas questões: fotografias clandestinas de ratos vistos no refeitório, censura do jornal da escola, um estacionamento superlotado. Ele mostra indignação, mas me deixa ir em frente. Duvido que ele veja o PDE como algum tipo de ameaça.

Uma vez que há cinco anos na Gordon, do oitavo ao décimo segundo, o PDE calcula que precisamos vencer apenas seis posições no senado dos alunos para termos o poder de veto sobre qualquer coisa que a minúscula Câmara dos Deputados possa aprovar. Identificamos alguns dos alunos mais populares de cada ano, e eu os convenço a concorrer como candidatos senatoriais. Dois alunos do último ano muito benquistos, uma beldade e um atleta, eu convenço a concorrer para presidente e vice-presidente.

Hal mobiliza seu exército com um jornal, uma plataforma escrita e uma lista completa de candidatos do Partido Americano para cada posto na sala de aula, no senado e no corpo estudantil. Se eleitos, eles prometem propor uma Suprema Corte para julgar infrações de alunos. O Partido dos Direitos Estudantis apresenta oito candidatos. Em nossa plataforma propomos abolir a Câmara dos Deputados. Ficamos até tarde da noite criando *slogans* e fazendo cartazes que proeminentemente mostram fotos de nossos candidatos.

No fim, não há nenhuma competição. Hal recrutou um pelotão de zelosos apuradores de votos dos primeiros anos. Num salão amplo, supervisionados por membros do corpo docente, eles se sentam a uma longa mesa registrando votos em máquinas de somar. Não preciso de uma calculadora para projetar os vencedores; consigo ler os resultados em suas desanimadas caras jovens. Em uma hora, a tendência se torna evidente. Todos os nossos candidatos vão vencer. Hal deixa o salão em lágrimas, seu sonho estilhaçado.

Durante o resto do ano letivo, Hal e eu não nos falamos, mesmo fazendo juntos vários cursos. Finalmente, numa viagem de debates, eu o vejo sentado sozinho à mesa do café da manhã e, rangendo os dentes, pergunto se posso sentar-me com ele. Falamos sobre a programação do torneio do dia seguinte até que um estranho silêncio se instala. Para dois debatedores, nós estamos um tanto inarticulados. Engulo em seco, e depois de algumas falsas tentativas murmuro uma espécie de pedido de desculpas.

Com um aceno de agradecimento, Hal desvia o olhar. Consigo ver toda a dor da humilhante derrota em seu rosto abatido.

Mais tarde no mesmo ano, tenho uma conversa diferente, mas não menos perturbadora, na lanchonete da escola. Um dia, quando não tenho forças para falsas conversas com a minha turma de costume, sento-me perto de uma tímida garota magrinha que nunca olha ninguém nos olhos. Embora a conheça de pelo menos três cursos, não sei o nome dela.

Faço-lhe algumas perguntas sobre sua vida, e inesperadamente ela baixa a guarda. Diz-me que, quando o pai dela se embriaga, bate nela e também na mãe dela. Depois da aula, conta, tenta esgueirar-se para o quarto sem ser vista. Não sabe o que fazer. Se sai de casa, na volta o pai dela vai a seu encontro com um cinto. Se fica em casa, ele pode entrar no quarto dela sem aviso prévio.

Ouvindo-a, começo a entender por que ela tem sobressaltos quando os professores chamam o nome dela; por que ela caminha junto à parede, raspando nos armários, a cabeça virada para o chão.

Faço alguns comentários de encorajamento e a elogio por um relato recente que ela apresentou na sala de aula. Mas logo me faltam palavras. Nada em meu arsenal de conversas ensaiadas se aplica a alguém como ela. Nos dois últimos anos, trabalhei com maneiras de progredir pessoalmente, não de animar outras pessoas.

Naquela noite, um alvoroço de dúvidas me sobrevém enquanto estou caminhando através do campo rumo ao nosso *trailer* iluminado. Com todas as suas falhas, minha casa não é nada parecida com a dela. Nós dois nos sentimos vítimas — escravos, para usar o termo de Nietzsche. No entanto, quem está melhor, aquela que vai avançando na vida de cabeça baixa ou aquele que descobre maneiras de subir nas costas dos outros, como fiz com Hal?

Abruptamente, vejo meu projeto de renovação sob outra luz. Ocorre-me que desconstruir uma pessoa é mais fácil do que construir uma.

17

Crescendo

> As famílias nos ensinam como o amor existe numa esfera além do gostar ou não gostar, do coexistir com a indiferença, a rivalidade e até com a antipatia.
>
> John Updike, "Irmão Gafanhoto"

Num dos meus livros de ciência, um naturalista tromba com uma ave e uma serpente enlaçadas numa dança de morte. Uma grande cobra negra enroscou-se no corpo de uma faisã, prendendo suas asas para que ela não possa voar. A ave dá uma série de saltos no ar e a cada estrepitosa queda soca o corpo da cobra contra o pedregoso chão do deserto. Sibilando furiosa, a cobra não desiste, mas usa cada salto para apertar ainda mais seu corpo em torno da ave.

Enquanto leio essa passagem, imagino não uma ave e uma serpente, mas meu irmão e minha mãe, presos num abraço de morte. Durante meus anos de colegial, à medida que me retraí numa concha em casa, Marshall enfrentou diretamente Deus e minha mãe.

Duas cenas do último ano de colegial de Marshall estão gravadas na minha memória. Na primeira, ela agarra a fivela do cinto dele e começa a soltá-la, planejando usá-lo contra ele. Marshall, agora com dezoito anos e um metro e oitenta de altura, pensa que ela está tentando abaixar sua calça para bater-lhe no traseiro desnudo. Ele prende os dedos em torno da fivela e a afasta com um empurrão.

Os olhos dela chispam de raiva. O *trailer* sacode enquanto ela corre para o quarto à procura de uma arma. Reaparece com uma raquete de tênis e, segurando-a no alto, avança contra nós. Marshall dá um passo para a frente, agarra o pulso dela e pega a raquete.

Naqueles poucos segundos vejo o fim da infância de meu irmão. Com sua esperteza, ele já a passou para trás. Agora ele pode dominá-la com sua força. Os olhares penetrantes mostram que ambos se dão conta de que algo entre eles se rompeu, talvez para sempre.

A segunda cena acontece com Marshall sentado ao nosso descartado piano verde-limão ainda emplastado com decalques de cartuns da escola dominical. Quando a mãe começa a atormentá-lo sobre alguma coisa, Marshall muitas vezes toca piano, gritando suas réplicas mordazes acima das notas musicais. Palavras voam numa e noutra direção na velocidade do pensamento, e à medida que elas aumentam em força e volume, ele muda de Mozart e Chopin para martelar Tchaikovski e Rachmaninoff. Eu me retiro para o quarto, ouvindo cada palavra acima do que Marshall está tocando.

"Você não sabe nada sobre amor", ralha a mãe. "Vou lhe dizer o que é amor. Quem lava sua roupa e prepara suas refeições, hein? Trabalho como escrava para você, pago suas aulas de música, e é assim que você age? Você acha que o mundo lhe deve tudo? Você é um porco, nada mais que um porco preguiçoso e sujo! Quando é que você vai pôr isso na sua cabeça dura?"

"Você está certa!", responde ele com uma série de acordes estrondosos. "Eu *não* sei nada de amor. E se você chama isso amor, eu posso viver sem isso."

De repente o telefone toca, interrompendo a música e a briga. Minha mãe apanha o receptor, aninha-o entre o maxilar e o ombro e produz sons de *mm-hmm* enquanto a pessoa do outro lado vai falando. Posso dizer quem é. Uma das anfitriãs do clube da Bíblia vem ligando regularmente, perturbada com uma criança doente e um casamento fracassado. A mãe aconselha a mulher num tom de voz de calma e alívio, citando passagens da Bíblia e orando com ela ao telefone.

A conversa continua por pelo menos vinte minutos, com Marshall ainda sentado ao piano, aguardando. No silêncio ouço a chuva tamborilando no teto do *trailer*. Minha mãe desliga o telefone, Marshall solta-se num arpejo, e ela retoma sua bronca no meio de uma frase: "E se um dia eu pegar você de novo com esse ar irônico na cara..."

Ambos Marshall e eu guardamos a fotografia arranhada de nós dois que foi afixada ao pulmão de aço no Hospital Grady. Atrás da foto de Marshall, a mãe escreveu as últimas palavras de nosso pai dirigidas a seu filho de três anos: "Ame a sua mamãe, cuide do seu irmão e viva para Jesus".

Desde aquela época, Marshall carregou pesados fardos: o nome e a reputação de seu pai, o solene encargo deixado no leito de morte, o juramento da mãe semelhante ao de Ana. Durante toda a escola primária e o colegial ele tentou corajosamente. Foi o filho piedoso, explicando a outros garotos por que não deviam dançar ou frequentar cinemas. Demitiu-se da banda marcial porque tocavam *jazz* e as garotas vestiam minissaias.

Como a maioria dos irmãos mais velhos, o meu dominava, sobressaindo em inteligência, talento musical e atletismo — sem falar em espiritualidade — e eu mansamente aceitava minha condição de azarão. No entanto, nada funcionou de jeito nenhum para Marshall. Quando pulei o segundo ano, ele se ressentiu porque sabia que era ele que devia ter feito isso. Os professores queixavam-se com nossa mãe dizendo que, embora fosse seu aluno mais brilhante, ele não se aplicava com diligência. Marshall descartava essas reclamações: "Einstein foi reprovado no terceiro ano. O presidente Kennedy tinha péssimos boletins escolares".

Mas nossa mãe não aceitava nenhuma desculpa. "Você é simplesmente irresponsável", repetia ela seguidamente. "O seu problema é que você não pensa! Você não tem juízo!"

Ela tinha bons argumentos para comprovar isso. Um dia, quando sabia que iria trabalhar até tarde, ela escreveu instruções para o jantar: "Tire os empadões da caixa. Fure a crosta. Coloque-os numa assadeira. Aqueça o forno até 250 graus. Asse durante 35 minutos". Quando ela chegou em casa o *trailer* estava fervendo, com a porta do forno aberta como a boca de um dragão. "A senhora não me disse que era para fechar a porta do forno", protestou Marshall.

Durante boa parte de nossa criação, Marshall e eu tivemos uma aliança desconfortável. Discutíamos, competíamos, às vezes denunciávamos um ao outro. Tudo mudou depois do incidente com nossa mãe e a raquete de tênis. A partir de então, nós nos unimos como camaradas e confidentes.

O mesmo colegial que abre novos mundos para mim desenvolve um traço excêntrico em Marshall. Ele escolhe amigos estranhos, como Billy Picklesimar, que é ridicularizado por seu sobrenome, e Malcolm, o baixinho valentão que come gafanhotos vivos e tem um tio que é da KKK. Marshall tenta qualquer coisa. Bebe 63 copos de água num só dia para ver as consequências disso. Aperfeiçoa a arte de pegar moscas usando apenas a mão, e mata centenas delas na igreja em frente ao nosso *trailer*. Desenvolve uma fascinação por morcegos, talvez pela destreza deles em pegar moscas.

Embora faça uma bela figura — alto, com cabelo escuro encaracolado — Marshall não dá nenhuma importância à aparência. Usa roupas de cores berrantes e descombinadas, a maior parte das quais ele pega do bazar das missões da igreja da Filadélfia. Por alguma razão, não gosta de escovar os dentes. Quando criança, costumava deixar a escova sob a água escorrendo para fingir que estava escovando. Paga caro por isso no terceiro ano do colegial, quando nosso dentista charlatão extrai todos os doze dentes remanescentes na arcada superior, sem novocaína.

"Ele não é nenhum idiota, sabe o que está fazendo", argumenta nossa mãe aquela noite, enquanto Marshall cuida de seu maxilar dolorido e resmunga sobre ter de usar dentes falsos. "Além disso, você não vai ter mais nenhuma cárie." Os dentes falsos provocam uma melhora evidente: ele já não precisa segurar a mão diante da boca para esconder as cáries e os espaços vazios, embora as dentaduras sejam tão malfeitas que um estudante de odontologia mais tarde lhe pedirá que as doe ao Museu de Medicina de Emory. As dentaduras também o forçam a abandonar o trompete e preferir o piano.

Enquanto eu mergulho em atividades do colegial, Marshall canaliza sua energia na espiritualidade. Lê os livros da nossa mãe sobre a Vitoriosa Vida Cristã e sinceramente se esforça para conseguir a enigmática "vida no plano mais elevado". Ao contrário de mim, ele não sente embaraço algum acerca do clube MPC da escola, e de fato se oferece para servir como seu presidente. Muito mais zeloso que eu, ele carrega a enorme Bíblia vermelha da MPC no topo de seus livros escolares como um testemunho visual. Quando alguém o elogia por tocar piano tão bem, ele responde: "Não sou eu, é o Senhor".

Marshall renuncia às figurinhas de beisebol e ao Banco Imobiliário por serem demasiado mundanos, embora continue a jogar boliche. Em seu penúltimo ano de colegial, ele me presenteia com histórias acerca de sua nova namorada, que se transferiu de um internato particular na Virgínia para o Colégio Gordon. Natalie é sofisticada e sarcástica, e a intensa espiritualidade de Marshall a atrai. Ele a convence a renunciar à maquiagem e aos patins, mas sente-se culpado todas as vezes que ficam de mãos dadas ou se beijam. Quando ele sugere evitar qualquer contato físico, ela não aceita. Poucos dias depois ele recebe um cartão pelo correio que diz: "Você não precisa mais se preocupar com o contato físico". Natalie pôs um fim rápido e penoso ao primeiro romance verdadeiro de meu irmão.

O colegial apresenta pouco desafio intelectual a Marshall. Os amigos o chamam "Enciclopédia Ambulante" porque ele se lembra de quase tudo o que leu nos volumes da Enciclopédia Britânica. Os vários passos na resolução de problemas de matemática e álgebra a seu ver parecem perda de tempo; ele vai direto à resposta final. Passa períodos de aula jogando xadrez em fichas de anotação passadas furtivamente através dos corredores. Nas aulas de latim, traduz passagens previamente e depois finge ler, com hesitações, para fazer a tradução parecer espontânea.

Alguns membros do corpo docente tentam cativar Marshall. Seu professor de latim o estimula a candidatar-se a uma bolsa na Universidade da Geórgia. Uma noite o Sr. Pickens, o preferido dele, o leva para uma palestra do famoso filósofo conservador Russell Kirk. Marshall volta para casa entusiasmado e me acorda para anunciar: "Acabo de descobrir que até esta noite nunca tive um pensamento independente!". Eu lhe peço que apague a luz e vá para a cama, e nunca mais ouço falar naquele primeiro pensamento independente.

Entediado com o colegial, Marshall começa a levar a música mais a sério. Um dia ele tenta me explicar os diferentes humores das tonalidades como se elas tivessem emoções. "Ouça isto em Sol maior. Você não pensa na luz do sol ou no verão? Compare aquilo com uma passagem em Fá menor. Esta soa lúgubre como uma tempestade." Aceno com a cabeça, concordando com ele.

O piano verde no nosso *trailer* só tem sessenta e quatro teclas, faltando-lhe doze de cada lado, o que combina bem com nossa apinhada sala de estar. Para peças mais exigentes, Marshall se recolhe no prédio de concreto da Escola Dominical ao lado de nossa casa, onde ele pelo menos pode praticar num teclado completo. Naqueles dois surrados instrumentos, o eterno malsucedido começa a mostrar o talento de um prodígio.

Um dia estou sentado ao piano em nosso *trailer*, desnorteado em meio aos meus exercícios de Czerny, quando Marshall me interrompe. "Toque uma nota, qualquer nota", diz ele.

Deixo cair meu dedo numa nota aleatória. "Fá sustenido?", pergunta ele. "Como você sabe isso!? Você estava olhando?"

"Não mesmo. Tente de novo."

Certificando-me de bloquear a visão dele com meu corpo, martelo outra nota, e depois outra. Ele identifica as notas corretamente todas as vezes. Quando posiciono os dedos e toco quaisquer dez notas dissonantes, ele as recita na sequência certa.

Fazemos disso um jogo. "Qual é o toque de discar de um telefone?", pergunto. Ele apanha nosso telefone com discagem rotativa e opina que é uma combinação de Fá e Lá acima do Dó central. Somente uma pessoa em cada dez mil tem ouvido absoluto, e meu irmão de certo modo recebeu esse dom. Ele pratica identificando buzinas e sirenes de carros, e rastreia o efeito Doppler de apitos de trem.

Marshall também possui uma memória quase perfeita. É capaz de ouvir uma peça complexa de música no rádio e depois sentar-se e reproduzi-la. Observando esses feitos, passo a respeitar mais o meu irmão. Seu talento me parece mozartiano, do tipo diante do qual a gente se curva. Li sobre o desleixo de Beethoven e a excentricidade de Liszt. Seria meu "irresponsável" irmão de fato um gênio?

No seu penúltimo ano no colegial, Marshall participa de um concurso de piano na reunião da MPC em Jacksonville, na Flórida, e fica atônito diante da qualidade da competição. Inspirado, canaliza toda a sua energia para um único objetivo — dominar o piano — e contrata um novo professor de nível avançado. Dia após dia Marshall pratica depois da aula, embalando nosso *trailer* ou a Escola Dominical com suas escalas e acordes ultrarrápidos.

Para a competição do ano seguinte ele escolhe variações sobre o hino "Fonte és tu de toda bênção". Sua composição começa nos registros mais altos, uma simples afirmação da melodia tocada com dois dedos. Depois flui numa grande exposição que faz seus dedos correrem para cima e para baixo no teclado antes de concluir com uma série de acordes solenes. Mal posso acreditar que meu irmão compôs essa obra.

Quantas vezes ouço aquela versão do hino enquanto ele pratica?

Fonte tu de toda bênção,
Vem o canto me inspirar;
Dons de Deus, que nunca cessam,
Quero em alto som louvar.
Oh! ensina o novo canto

Dos remidos lá dos céus
Ao teu servo e ao povo santo
Pra louvarmos-te, bom Deus!

Em Jacksonville, Marshall se classifica mas não vence a competição, e assim ele redobra seus esforços. No fim daquele verão, ele é convidado a tocar durante o ofertório na Tabernáculo Maranatha, na Filadélfia. Estou sentado num banco do templo, nervoso e orgulhoso, enquanto meu irmão toca a parte simples no primeiro movimento, sabendo que as passagens mais robustas virão em seguida.

Sem aviso prévio, o pastor se levanta e diz: "Obrigado, Marshall", supondo que ele terminou a peça. Meu irmão desaba em seu assento, humilhado.

Para frustração de seus professores, Marshall não se matricula em nenhuma universidade ou escola de música. Em vez disso, cede às ordens da mãe para que ele frequente uma faculdade bíblica no adjacente estado da Carolina do Sul. "Não vale a pena brigar com ela", ele me diz. "Isso vai me tirar daqui, e depois vou provavelmente me transferir para algum outro lugar."

Em setembro, minha mãe e eu o levamos de carro para o *campus*. Ajudo-o a carregar caixas de roupas e livros escada acima até seu quarto no dormitório masculino. "Espero que você goste", digo e lhe dou um abraço desajeitado. De repente me sinto sozinho. "Não se esqueça de mim lá em casa."

"Você vai ficar bem", diz ele. "Você passa a maior parte do tempo na escola, não fica muito em casa, de qualquer modo."

A mãe pouco fala durante as quatro horas da viagem de volta para Atlanta, mas noto que ela está dirigindo muito devagar. "Acho que há um limite mínimo de velocidade nas rodovias interestaduais", digo. "Talvez seja por isso que aqueles carros estão dando sinais de luz alta e buzinando."

"Desde quando você se tornou um perito em direção?", dispara ela em resposta. "Você nem tem idade para ter uma carteira de motorista." Fico calado o resto da viagem.

Naquele mesmo mês, a mãe decide que temos de nos mudar. Há uma certa luta pelo poder acontecendo na Igreja Batista da Fé, e ela está num lado que difere daquele do pastor. "Simplesmente não posso ficar aqui com toda essa tensão", diz. A igreja está se dividindo, e a maioria das amigas dela está indo embora.

Uma dessas amigas disponibiliza uma propriedade de aluguel por um custo mínimo, e nós nos mudamos para uma casa, um verdadeiro lar suburbano com piso de madeira e um abrigo para o carro e um quintal cercado. O *trailer* fica para trás. Em meu último ano de colegial, não preciso mais usar a casa de Eugene Crowe como artifício para esconder onde moro.

Em meu novo lugar, sem a presença do Marshall, tenho a esperança de que a vida em família vai finalmente mudar. E muda, mas não do jeito que espero. Os humores da mãe se mostram tão volúveis quanto o clima. Às vezes está animada e feliz, outras vezes de mau humor e zangada. *Com quem a senhora está zangada, mãe?*, eu me pergunto. *Com seu marido que a abandonou? Com Deus, que iludiu você e seu marido? Com seus filhos, que nunca conseguem lhe agradar?*

Muitas vezes o silêncio se instala, e eu não tenho nem sequer o Marshall com quem conversar. Ele significa mais para mim agora morando a mais de trezentos quilômetros de distância do que significava quando dividíamos o mesmo quarto.

Estou mergulhado no meu projeto de "não deixar nada me afetar", e a vida em casa o submete diariamente à prova. Com frequência, estou acordado na cama durante a noite e ouço no fundo do corredor o som sufocado do choro da mãe. Fico lá deitado impotente, sem saber o que fazer. Sinto um surto de compaixão, relembrando sua vida difícil: a morte de meu pai e, antes disso, os anos numa casa geminada com minha austera avó.

Na manhã seguinte tento ser gentil, e descubro que durante a noite ela endureceu. Funga enquanto mexe a aveia no fogão, a colher de metal retinindo alto na panela.

"O que há de errado, mãe?"

"O que há de errado? Estou morta, filho! Meu cérebro não está mais funcionando. Leciono a semana inteira, depois dirijo o ônibus de uma creche. Você talvez não consiga entender — as mulheres têm essas variações de humor. A pressão a que estou sujeita — contas, confusão na igreja, seu irmão... estou morta! Ninguém sabe o que suporto. Vocês dois estão me levando a um esgotamento nervoso."

Durante o resto daquele dia, qualquer coisa que digo piora as coisas. Menciono um encontro de debates que se aproxima ou uma sessão de ensaio para uma peça: "Você nunca está aqui! Está sempre fora!". Se sugiro um caminho mais curto para a escola: "Não quero saber o que diz o mapa, filho. Eu conheço o melhor caminho para chegar lá. Quando você vai aprender a escutar?". Sinto-me como um prisioneiro político russo convocado a comparecer perante um juiz, sabendo de antemão que vou ser condenado, mas sem ter ideia do que fiz de errado.

Na ausência de Marshall, tornei-me o único alvo, a válvula de escape para suas tumultuosas emoções. Sinto-me preso numa armadilha, como um dos besouros que não podem fugir do frasco de amostra. Ao contrário de Marshall, nem sequer tento brigar. Retomo meu hábito de encolher-me, mascarar-me e bloquear as emoções antes de senti-las.

Foi por nossa culpa, minha e de Marshall, que nossa mãe não se casou de novo. Ela deixou isso claro quando éramos pequenos: "Sei que vocês, meninos, nunca aceitariam outro pai. Eu não faria isso com vocês". Agora ela tem de trabalhar feito escrava, de manhã até a noite, para manter a casa funcionando. E como retribuímos? Relaxando nas atividades caseiras. Jogando tênis em vez de praticar nossas lições de música. Fazendo asneiras como jogar futebol com um braço quebrado. Deixamos as luzes acesas e o assento do vaso levantado.

As lembranças ardem como cortes provocados por papel. Resolvo dedicar-me mais a tarefas caseiras e assumo os deveres de Marshall depois que ele foi embora. Nada ajuda. Viajo para um torneio de debates, deixando de executar o trabalho semanal do gramado, e na volta encontro minha mãe de joelhos no jardim de casa cortando a grama com um tesourão de jardinagem.

Às vezes à noite ela fica do lado de fora do meu quarto fechado, fungando de novo, embora num tom diferente: "Sei que não sou a melhor mãe do mundo, mas tentei fazer o melhor, filho, realmente tentei. Está ouvindo? Talvez eu volte para a Filadélfia e cuide de seu tio Jimmy. Ou ache algum lar para idosos. Talvez um dia você volte para casa, e eu já não esteja aqui. Então você vai saber como as coisas são difíceis. Você vai lamentar, quando for tarde demais".

Fico deitado no escuro, segurando os braços cruzados sobre o peito, apertando forte. *Não posso me deixar sentir. Tenho de não sentir.*

Quero ir embora, como o Marshall. Só que pretendo ir para uma faculdade de verdade, como o conselheiro da escola sempre me recomenda, não alguma faculdadezinha bíblica fajuta. Quando ganhei a bolsa do CDT, minha mãe agiu como se eu tivesse cometido um pecado. "Você não está preparado para um trabalho como esse. Eu nunca devia ter deixado você pular aquele ano." No início do meu último ano no colegial, um professor de inglês me conta em segredo que há uma probabilidade de eu vir a ser o orador da turma. Quando conto isso a minha mãe, ela nem reage.

Lentamente fixa-se em mim a ideia de que nada que o Marshall ou eu façamos agradará a mãe: nossa vida é um incômodo lembrete de seus próprios sonhos fracassados e especialmente *aquele* sonho — o juramento — que ela fez por nós. Ocorre-me que *isso* constitui a razão de ela insistir tanto na faculdade bíblica. Ela está percebendo que estamos nos afastando disso.

Pisamos em ovos acerca de tudo, com exceção da verdade: que um de seus filhos partiu e o outro está contando os dias para partir, que ela perdeu o controle, que nós nunca substituiremos seu marido e não estamos preparados para satisfazer as necessidades dela.

Às vezes vejo no rosto dela uma expressão de medo e perda. Tento pensar como ela — uma frustrada viúva e mãe. Logo desisto. Só consigo pensar como eu mesmo.

Uma coisa, contudo, se torna clara. Se essa é a Vitoriosa Vida Cristã, se é assim que é uma pessoa que não pecou em décadas, então não quero fazer parte dessa vitória.

Com intervalos de algumas semanas, recebo cartas do Marshall, escritas a caneta-tinteiro com sua típica tinta azul-turquesa. Ele parece genuinamente feliz.

Na faculdade bíblica, seus dons foram reconhecidos imediatamente. Fez um teste de música, requisito para todos os calouros, e o professor anunciou os resultados: "Um aluno acertou 199 das 200 questões. Só errou uma pergunta sobre música popular". Apesar disso, Marshall ainda tem de matricular-se no curso básico de apreciação musical. Essa faculdade funciona com base em regras.

De imediato, Marshall se apaixona pelo esplêndido Steinway de três metros na capela da escola, que tem um som e um toque diferente de todos os outros pianos que ele já tocou. Outros alunos entram na capela e sentam-se nas filas do fundo só para ouvi-lo ensaiar. Para ganhar dinheiro, ele faz um contrato que implica acompanhar alunos de canto, que são treinados por um tenor com um peito do tamanho de um barril num prédio deteriorado na base de uma íngreme colina. O professor de canto descobre, para seu deleite, que seu novo acompanhante sabe tocar qualquer coisa, em qualquer clave, com ou sem partitura.

Um domingo, Marshall se oferece para substituir o pianista num serviço religioso. "Irmãos e irmãs", anuncia o pastor, "quero que vocês escolham um hino, e nosso pianista convidado vai de improviso compor um arranjo especial para o hino em questão." A fama se propaga, e logo meu irmão está contratado para todos os fins de semana.

Marshall se torna o principal pianista do coro itinerante da escola. Ele e Larry, o organista, competem na criação de arranjos para os ofertórios. Uma noite, numa igreja de Ohio, Marshall descobre que o piano, arrastado para o santuário de uma sala da Escola Dominical, está afinado em um tom meia nota mais baixo que o do órgão. "É a coisa mais desafiadora que já fiz", conta ele nas férias de Natal. "Tive de transpor tudo numa chave diferente meia nota acima, ali na hora. Foi de enlouquecer tocar a tecla Lá, que deveria ser um absoluto de 440 ciclos por segundo, e ouvir um Lá bemol. Tive de me forçar a não *ouvir* a música, e só tocá-la como um exercício de pura matemática." Finalmente, meu irmão é um herói.

Ele mergulha no trabalho escolar com entusiasmo, estimulado por um grupo de veteranos que se orgulham de sua fama de hipercalvinistas: crentes fundamentalistas num Deus soberano que tudo controla. Naquele mesmo Natal ele exalta as virtudes do sermão de Jonathan Edwards "Pecadores nas mãos de um Deus irado", que eu estudei sem nenhum prazer no curso de inglês do colegial. No fim do seu segundo ano, Marshall já leu todas as duas mil páginas das *Institutas da religião cristã* de João Calvino.

Até mesmo nas férias ele estuda um conjunto de fichas para aprender vocabulário grego e hebraico. "As aulas são fáceis", diz ele. "Quando descobri que a escola cobra uma taxa de matrícula fixa, matriculei-me em vinte e sete horas de aula semanais" — quase o dobro da carga normal de quinze horas. Parece, por enquanto, que meu irmão descobriu seu ritmo.

18

Faculdade

É melhor fazer algumas das perguntas
do que conhecer todas as respostas.

James Thurber, "O cãozinho que sabia demais"

Durante meu último ano de colegial eu me candidato à mesma faculdade bíblica que meu irmão está frequentando na Carolina do Sul. "Você tem certeza acerca de sua decisão?", pergunta a orientadora do colegial. "Com suas notas aqui, você poderia provavelmente conseguir uma bolsa para uma instituição como a Duke ou a Davidson."

Suas palavras soam muito tentadoras. Mas testemunhei tantos embates entre Marshall e nossa mãe acerca de faculdades aceitáveis que decido não lutar contra o inevitável. Imagino que posso tolerar uma faculdade bíblica por alguns anos, dispensando-lhe um tratamento muito semelhante ao de uma faculdade de curta duração, e depois transferir-me para algum outro lugar, seguindo os passos de Marshall mais uma vez. Isso nos proporcionaria tempo para convivermos durante meu primeiro ano fora de casa. Além disso, um ano nessa escola em 1966 custa menos do que dois mil dólares, incluindo alojamento e alimentação.

Durante as quatro horas de viagem até a faculdade para a orientação dos calouros, nossa mãe se retrai num de seus humores sombrios, e nós mal conversamos. Ao longo de toda a semana seu olhar zangado me aconselhou a não me mostrar muito entusiasmado acerca de sair de casa. Quando chegamos ao *campus*, vou apanhar a chave do quarto e ela fica postada junto ao carro sob um nebuloso céu de setembro enquanto transfiro para minha nova casa a soma total dos meus pertences terrenos: duas malas cheias de roupas, uma caixa de livros e um gravador de rolo. "Tome cuidado, tá ouvindo?", são suas últimas palavras dirigidas a mim.

Da janela do segundo andar observo, intrigado, enquanto o carro dela circula o *campus* três vezes antes de desaparecer. Anos mais tarde, fico sabendo que ela chorou o tempo todo até a fronteira com a Geórgia depois de me deixar na faculdade. Na ocasião não tenho uma forma de enxergar atrás de sua inflexível máscara.

Todavia, nem a inamistosa despedida e nem mesmo o opressivo calor da Carolina do Sul podem refrear meu entusiasmo. Sinto-me como se a porta de uma gaiola tivesse sido aberta de par em par. Agora só depende de mim, finalmente livre.

Em excursões de debate visitei faculdades onde os elevadores cheiram a urina e os muros estão cobertos de pichações. Aqui não. O dormitório é impecável e tem cheiro de Lysol. Para controlar os custos, a faculdade exige que todos os alunos aceitem um dever atribuído. Candidato-me a limpar banheiros: não é uma tarefa superior, mas uma que não me incomoda depois de meu emprego de verão num caminhão de lixo.

Logo conheço meu colega de quarto, Bob, que se formou num internato de Asheville e tem dois interesses principais na vida, garotas e futebol. Enquanto muda de roupa depois de exercícios físicos, ele me pega olhando para suas meias. "É, eu uso ligas", explica. "É a única maneira que descobri para evitar que as meias caiam. Veja só como a prática do futebol engrossou minhas panturrilhas." Aceno concordando, como se todos os meus amigos usassem ligas.

Naquela primeira noite, muitos dos rapazes de nossa turma de calouros reúnem-se num pátio ao ar livre para se conhecerem. Um por um vão falando, apresentando-se. Um aluno mais velho nos conta sobre sua vida de pecado na marinha, quando tinha uma mulher em cada porto. "Estou emocionado por entrar numa faculdade onde estamos compartilhando juntos nossa fé em Cristo em vez de celebrando uma festa regada a cerveja", diz ele. "Eu provei aquele estilo de vida, e ele não leva a lugar nenhum." Outro calouro agradece a Deus por um cristão rico da Flórida, que o achou morando numa cabana infestada de ratos numa plantação de laranjeiras e se ofereceu para pagar seu percurso até a faculdade bíblica.

Estou na margem do grupo, perguntando-me se devo integrar-me ou não. Cercado por cristãos zelosos, eu tenho aquele velho sentimento de divisão. Uma parte de mim quer sentir-se parte daquele lugar e outra parte quer fugir dele. Mas concluo que o melhor jeito de se encaixar numa faculdade cristã é agir como um cristão, uma rotina que conheço bem. Depois de engolir algumas vezes, eu também dou um testemunho. "Ao contrário de alguns de vocês, eu tenho sido um cristão quase toda a minha vida", começo. "Mas me afastei do Senhor nestes últimos anos." Continuo nessa linha, repetindo frases que aperfeiçoei em reuniões similares em acampamentos de verão.

Quando termino, um estranho ao meu lado passa seu braço por sobre meus ombros e diz: "Deus o abençoe, irmão. Acredito que o Senhor vai usar você poderosamente". Sinto uma onda de aprovação, logo seguida por um sentimento de repulsa. Lá vou eu de novo, fazendo tudo o quer for preciso para galgar os degraus da escada.

Até mesmo durante a semana de orientação tenho a percepção intuitiva de que não pertenço a esse lugar. Os sorrisos dos alunos parecem artificiais, a música açucarada, as palavras previsíveis. Já ouvi esse "espiritualês" antes. "Deus me proveu um carro" na verdade significa *Meus pais me deram um belo presente pela formatura do colegial.* "Deus me fechou as portas de uma universidade estadual" significa *Não fui aceito.* "Perdi o ônibus hoje... Bem, o Senhor deve ter uma razão para isso." *Talvez na próxima vez você deva ativar seu despertador em vez de culpar Deus.*

Quando chega meu irmão alguns dias depois, ele me apresenta a alguns de seus amigos veteranos, que riem quando confesso minha atitude cética. "Pense na vida no *campus* como um jogo", dizem. "Ela tem sua linguagem e suas regras próprias. Se você quer se encaixar aqui, tem de entrar no jogo. Apenas vá levando, sem fazer muita onda, e tente sobreviver. Há vida depois desta escola. Nós estamos apenas fazendo hora."

Às vezes tenho a perturbadora sensação de que todos possuem um segredo espiritual, exceto eu. Outros alunos falam de Deus como um amigo íntimo deles. Parecem perfeitamente contentes estudando a Bíblia o dia inteiro, e aceitam sem nada questionar qualquer coisa que os professores dizem. Com maior frequência, eu concluo que não há segredo, apenas um padrão de conformidade aprendido, imitando o comportamento de outros e dizendo as palavras certas como papagaios.

Começo a descobrir um prazer perverso em agir como renegado. Preparo-me para a aula pesquisando questões que possam confundir os professores. Olho em silêncio para outros alunos até que o rosto deles fica vermelho e eles desviam o olhar. Sento-me perto de uma garota na cantina e pergunto: "Você se acha bonita?" ou "Você já transou?" ou "Qual é a pior coisa que você já fez?" simplesmente para observar a reação dela.

Todos os alunos recebem um exemplar do livro de regras da faculdade, que temos de ler e assinar. Suas 66 páginas compõem um perfeito manual de comportamento: "Olha! Temos uma página de regras para cada livro da Bíblia!" A faculdade se considera pai e mãe substitutos de seus alunos e, ainda por cima, pai e mãe rigorosos. As atividades proibidas incluem boliche, dança, jogo de baralho, jogo de bilhar, patinação em rinques públicos, cinema, boxe, luta livre e "apresentação de óperas e programas musicais que incluem balé, dança e canções sugestivas".

Numa série de encontros obrigatórios, o diretor da ala masculina reforça o código. "Nós levamos muito a sério estas regras", diz ele. "Cada uma delas se baseia num princípio bíblico, e todos vocês assinaram sua disposição de observá-las enquanto estiverem no *campus*." A proibição de pelos no rosto e a restrição referente ao comprimento dos cabelos dos homens me parece estranha, uma vez que os livros da escola representam Jesus, os apóstolos e a maioria dos santos masculinos com barbas e cabelos compridos.

A revolução sexual da década de 1960 abrangeu a cultura em outras partes sem penetrar no ambiente impermeável dessa escola. "Os alunos devem evitar absolutamente ficar de mãos dadas, abraçar, beijar e praticar outros contatos físicos", reza o livro de regras. Para limitar a tentação, os novatos podem ter dois encontros por semana (encontros de casais, é óbvio), e um deles deve ser para frequentar um serviço religioso. Fora isso, até mesmo alunos que estão comprometidos para se casar só podem "socializar" uma vez por dia, durante a refeição da noite na cantina. De outra maneira, nenhuma conversa casual entre casais é permitida. Também não é permitido nenhum contato telefônico.

Estudantes do sexo feminino têm padrões ainda mais rígidos. As normas proíbem calças para mulheres, exceto para certas atividades quando as calças são usadas *embaixo da saia*. No meu ano de calouro, as saias das alunas devem estender-se até abaixo do joelho. Funcionários da escola postam-se no saguão do dormitório das alunas para patrulhar as transgressoras, fazendo as suspeitas ajoelharem-se no chão para uma verificação mais precisa.

A escola trata o sexo como algo radioativo. Quando se aproxima o Dia dos Namorados, uma colega de turma que trabalha na secretaria da escola menciona uma cena bizarra que ela acaba de testemunhar: a diretora da ala feminina, de luvas brancas, examinando os pequenos bombons com formato de coração a serem usados como decoração numa festa. *Você é meu*, *Amigos para sempre*, *Seja meu namorado* são aprovados na revista; *Docinho*, *Lábios quentes*, *Te amo* vão direto para a lata de lixo.

Apesar das mais engenhosas tentativas da escola, a cultura americana está mudando rápido demais para que os criadores de regras consigam acompanhá-la. Durante os dois anos seguintes — a época da minissaia — o comprimento aceitável das saias das alunas chega devagarzinho até a metade dos joelhos e depois até o topo do joelho. Quanto aos alunos, Billy Graham encaminha alguns membros de seu "povo de Jesus" de cabelos longos para a nossa escola. Para a consternação deles, esses novos convertidos são recebidos por diretores que os mandam para uma barbearia e confiscam seus álbuns de discos.

Os alunos devem evitar qualquer tipo de música não "consistente com um testemunho cristão", expressão aberta a muita discussão. Embora eu ainda prefira a música clássica, às vezes ouço fitas de Simon e Garfunkel ou dos Beatles na privacidade de meus fones de ouvido. Em outras partes, o *rock'n'roll* está conquistando as ondas sonoras, e durante meu ano de calouro um palestrante que nos visita, Bob Larson, passa vários dias no *campus* fazendo preleções sobre os perigos que esse gênero de música representa.

Sendo ele mesmo um músico, Larson se planta diante da capela com uma reluzente guitarra elétrica e dedilha alguns acordes num volume alto para mostrar a ameaça que enfrentamos. De acordo com ele, essas vibrações alteram permanentemente a medula oblonga na base do cérebro humano. Ele cita o empresário dos Beatles, que diz sobre sua banda: "Somente Hitler um dia exerceu um poder tão grande como o deles sobre as multidões".

A visita de Bob Larson desperta um reavivamento de aversão ao *rock*. Uma noite, deparo com uma fogueira no centro do *campus*. Dezenas de alunos estão quebrando seus discos e atirando-os no fogo. Eu imploro a um zeloso aluno para, por favor, não queimar seus álbuns clássicos. "Eles não glorificam a Deus", diz ele, atirando Beethoven e Brahms em cima de vinis de Elvis Presley e dos Rolling Stones que vão se derretendo.

Depois de alguns meses me acostumo com o ambiente enclausurado da faculdade bíblica, que começa a parecer quase normal... até eu voltar para casa num recesso escolar. Nas ruas de Atlanta vejo mulheres sem sutiã e de minissaia, protestos raivosos contra a Guerra do Vietnã e marchas pelos direitos civis com alunos erguendo os punhos numa saudação Black Power. Sinto um violento choque de cultura, não diferente do que um amish deve sentir ao visitar a Times Square.

Na casa de meus avós folheio as fotografias nas revistas *Look* e *Life* e vejo a cabeça de um líder dos direitos civis sangrando, projetos habitacionais em chamas, policiais batendo em *hippies*, e uma garotinha nua gritando por causa de queimaduras de napalm. Eu me pergunto por que ninguém fala disso na faculdade bíblica. Os Estados Unidos enviaram milhares de jovens para morrerem no mato no Sudeste Asiático, sofreram motins nas principais cidades e universidades e passaram por uma revolução sexual, tudo isso enquanto nós estudantes de uma escola bíblica estivemos debatendo os cinco pontos do calvinismo e medindo o comprimento de cabelos e saias.

Marshall mora em outro dormitório, e isso limita nosso contato. Posso perceber que a paixão de seu primeiro ano na faculdade bíblica se esvaiu. Um indício: ele passa a maior parte de suas horas vagas jogando pingue-pongue em vez de tocando piano. "Vamos conversar", sugiro um dia. "Você não parece feliz."

"Pois não estou", diz ele, amargurado. "Joyce acabou o namoro comigo. Diz que não sou suficientemente espiritual."

Caminhamos pela estrada pavimentada até um caminho de terra que leva para os bosques que andei explorando. Marshall menciona um caso recente em sua aula de oratória. "Esta escola pratica uma forma de controle do pensamento", diz ele. "Nesse curso todo mundo tem de fazer dois discursos sobre qualquer tópico de livre escolha. No primeiro, argumentei que a dança deveria ser permitida. No segundo, discuti a posição da escola em relação ao *rock*. Como você sabe, não suporto ficar ouvindo *rock*, mas a proibição da escola não faz sentido. Você não vai conseguir achar nada na Bíblia sobre música imoral."

Quando me mostro interessado, ele recapitula alguns dos argumentos. "A igreja há muito tempo se opôs a tudo o que é novidade em música. Por exemplo, nos tempos medievais um compositor não tinha permissão de usar o intervalo chamado trítono: você sabe, três tons inteiros adjacentes. Chamavam isso de 'o diabo na música'. No entanto, hoje sempre o ouvimos na música clássica. Em breve vamos provavelmente ouvir *rock* nas igrejas, e esta escola vai parecer ridícula."

Pelos dois discursos recebeu um D- e um F. Marshall sabia que tinha tirado aquelas notas não por sua preparação ou apresentação do discurso, mas simplesmente porque o professor discordou de suas opiniões. Ele apelou junto ao diretor da faculdade, que o aconselhou: "É só escolher um tópico que não vai desagradar o professor".

"O que você fez?"

"Fiz um discurso sobre a servidão e tirei um A+."

Algumas semanas depois, Marshall me conta que não tem certeza de que é cristão. Convidou uma mulher para ir com ele ouvir o pianista Van Cliburn. Em seguida ele critica a apresentação, e depois a conversa se torna mais pessoal. "Não tenho certeza de estar salvo", admitiu ele. Sua convidada o guiou através de uma série de versículos de Romanos, repassou a Oração do Pecador (que ele sabia de cor), e depois orou com ele. No dia seguinte, ele não sentiu nenhuma diferença.

"Não sei o que *deveria* estar acontecendo, mas é certo que não sinto nenhuma calma ou paz, tal qual a descrevem as pessoas daqui. Nunca tive a sensação de ter alguma experiência sobrenatural, alguma coisa maior do que eu mesmo." Ele para, e acrescenta: "A não ser na música, talvez. Mas não é preciso ser cristão para sentir isso. Como você sabe o que é falso e o que é real?"

Não tenho nenhuma resposta para ele, porque estive lutando com a mesma questão desde quando consigo me lembrar. Menciono um exemplo recente: "Você se lembra daquele culto na capela em que Tim contou uma história melodramática sobre a namorada dele morrendo num acidente de carro quando estava a caminho da casa dele? Toda a escola chorando e orando por ele. Depois ficamos sabendo pela irmã dele lá em Atlanta que Tim é um homossexual reprimido, que nunca teve uma namorada e inventou toda aquela história".

Marshall e eu nos separamos, nossas dúvidas não resolvidas. Pouco tempo depois, durante um culto na capela, surpreendo-me ao ver meu colega de quarto, Bob, subir os degraus e perguntar ao presidente da escola se ele pode fazer uso do microfone. Entre soluços ele confessa seus pecados de colegial com mais detalhes do que a administração provavelmente gostaria de ouvir. Fico pasmo, não tendo nenhuma suspeita de seu passado sórdido.

"Embora eu seja filho de missionários, só agora estou me tornando um cristão", diz Bob. Fala com tanta autenticidade e poder que vários outros alunos vão até ele e lhe pedem que ore com eles.

Alguns meses depois, Bob admite para mim que inventou grande parte do que disse aquele dia. "Eu simplesmente comecei a falar, e todos os tipos de histórias malucas me ocorreram."

Volta a minha cabeça a pergunta de Marshall: *Como você sabe o que é falso e o que é real?*

A escola exige que todos os alunos escolham a atribuição de um serviço cristão para apoiar um ministério local. Marshall naturalmente opta por tocar piano nas igrejas da redondeza. Eu estudo uma lista de alternativas que inclui serviços religiosos em Fort Jackson, uma temporada numa instituição ainda chamada "Casa Para Retardados", evangelização de porta em porta e visitas a prisões ou a uma instituição para delinquentes juvenis.

Um colega de turma que tem um Nash Rambler de 1964 me convida a participar com ele e um amigo da rota dos acorrentados. "O que é isso?", pergunto.

"É exatamente o que parece ser, prisões para sujeitos acorrentados uns aos outros. Basicamente, visitamos de carro alguns campos de presos e conduzimos um serviço religioso aos domingos. Fiz isso o ano passado. Vamos parar para o café da manhã em alguns dos bons restaurantes sulistas. Ah, e não se preocupe com a segurança: os caras estão acorrentados."

Ele prova estar certo sobre o café da manhã. Nunca ingeri tanta comida prejudicial à saúde: papa de milho com molho de café, presunto salgado caseiro, filé de frango frito com ovos fritos a cavalo. Depois de nos empanturrarmos, partimos rumo ao campo de trabalho, e um guarda nos acompanha até a capela improvisada. "Tente botar um pouco de juízo na cabeça desses caras", diz ele, com um amigável tapinha em meu ombro.

Um guarda está postado junto à porta empunhando uma espingarda carregada. Dentro, fico chocado ao ver quarenta homens negros vestindo uniformes zebrados, cada um com uma corrente em volta de seu tornozelo presa ao que parece ser uma bala de canhão. Cada vez que um dos prisioneiros muda de posição, sua corrente retine com um som de raspagem.

Nós alunos preparamos uma série sobre os Dez Mandamentos, e ao sentar-me num banco ao lado dos prisioneiros pergunto-me que diabos vou dizer eu, um protegido adolescente de uma faculdade bíblica, a esses homens que violaram mais daqueles mandamentos do que eu consigo imaginar. Nossa equipe, porém, os conquista com alguma música animada. Um dos meus companheiros toca sanfona, e a congregação se anima quando ele pergunta se eles têm algum pedido especial. Ele conhece "Maravilhosa graça" e "Chamada final", mas tem de ir inventando seu acompanhamento para "Eu voarei" e "Voar nas asas do Espírito".

Depois do serviço, o guarda nos deixa conversar com os presos, e eu ouço falar de um lado da vida sobre o qual apenas li: pais bêbados, brigas de faca, bebida alcoólica ilegal, espeluncas, assassinato de honra, brutalidade policial. Um arrombador "profissional" me dá um conselho útil: "Muita gente deixa uma lâmpada acesa à noite pensando que vai enganar a gente. A gente não se engana. Deixe apenas a luz do banheiro acesa: assim a gente nunca sabe com certeza se alguém ainda está acordado".

Perto do fim do ano letivo, a crise espiritual de Marshall se agrava. Nossa mãe deve suspeitar de alguma coisa, porque em suas cartas insiste em perguntar sobre o estado da alma dele. Faz meses que Marshall não lhe escreve, de modo que sua única fonte de notícias sou eu.

O colega de quarto dele um dia me chamou à parte. "O que está acontecendo com seu irmão?", pergunta. "Semana passada, durante o tempo obrigatório de devoções pessoais, ele ergueu os olhos da Bíblia e disse: 'Acho que isto é apenas um livro humano'." Numa faculdade que tem a Bíblia no nome, isso é nada menos que traição.

O cinismo de Marshall logo ultrapassa o meu. Um dos colegas de turma dele me conta uma história sobre um culto de capela do segundo ano no qual os estudantes se alternavam mencionando "versículos do coração" que eles haviam escolhido na Bíblia. "Ouvimos alguns versículos previsíveis de Provérbios, Romanos e Efésios. Depois seu irmão se levanta e sem pestanejar recita este versículo muito rapidamente: 'Em Parbar, ao ocidente, quatro junto ao caminho, dois junto a Parbar'. É de 1Crônicas. Ele deu a referência. Fale isso rápido e parece que você está falando em línguas.

"Depois, ele leu outro verso de vida, do salmo 137: 'Ah! Filha da Babilônia [...] Feliz aquele que pegar em teus filhos e der com eles nas pedras!'. Você acha que seu irmão está bem?"

O corpo docente e os funcionários da escola acrescentam Marshall a sua lista de oração urgente. Dois estudantes de música que ele acompanha ao piano o convidam para a sala de prática ao pé da colina. Com um aquecedor de propano chiando no fundo, tentam expulsar dele um demônio. Pressionam as mãos sobre sua cabeça e, no nome de Jesus, ordenam que o espírito do mal vá embora. Meu irmão nada sente.

Em particular, Marshall me revela que adotou um novo objetivo, quebrar todas as regras do livro normativo de 66 páginas da escola. Começa com transgressões simples: ficar de mãos dadas com uma garota, pular as devoções uma manhã, deixar a cama desarrumada. Depois de algumas semanas ele se entedia e decide tentar o ato mais iníquo de todos — ingerir bebida alcoólica.

Nem Marshall nem eu jamais conhecemos um cristão que bebesse, e ouvimos dezenas de sermões vituperando contra o "demônio do rum". Os cristãos lideraram a campanha da Proibição, que só durou catorze anos, mas mesmo nos anos de 1960 muitos condados rurais da Carolina do Sul ainda proíbem a venda de álcool.

Dois veteranos supostamente calejados concordam em ajudar Marshall em seu objetivo. Dizem eles: "Primeiro, temos de descobrir uma fonte. Isso não é tão fácil neste estado. É ilegal ter um anúncio afixado a uma loja de bebidas, por isso eles se identificam com bolinhas na lateral do prédio". Depois de localizar uma loja com bolinhas, eles compram uma garrafa vinho *rosé* barato, conseguem três copos de gelo de um McDonald da vizinhança e vão de carro por uma estrada de terra até um ponto isolado às margens do rio Broad.

Naquela noite no meu quarto no dormitório, Marshall me conta os detalhes. "Senti-me como se estivesse à beira de um penhasco, não de um rio", diz ele. "Você sabe como nossa mãe pensa. Um gole vai fazer de você um alcoólatra por toda a vida. Aí meus amigos despejam vinho nos copos de papel e o deixam gelar por alguns minutos. Eu estou prestes e beber a condenação certa. Juro, minhas mãos estão tremendo enquanto levo o copo à boca."

"Que gosto tinha o vinho?", pergunto.

"Horrível. Senti um pouco de tontura, e o coração pareceu bater mais rápido, provavelmente devido à excitação. Bebi o copo inteiro, e depois voltamos para o *campus*. Foi isso." A experiência toda me pareceu anticlimática.

Algumas noites mais tarde, Marshall sente-se oprimido por um peso enorme, um espasmo de condenação envolvendo o grave pecado que cometeu. Ele se reporta ao diretor dos homens, que escuta com atenção o relato de seu delito. "Você fez a coisa certa, Marshall, vindo me procurar e arrependendo-se. Vou decidir sobre uma punição apropriada." Marshall dá um suspiro de alívio.

Mas o diretor tem algo mais a dizer. "Todavia, com certeza você sabe que seu arrependimento não está completo. Não posso aceitá-lo plenamente antes de você me dizer o nome dos alunos que participaram disso com você."

O estômago de Marshall embrulha. É maio, poucas semanas antes da formatura. Se ele revelar o nome daqueles alunos, ambos formandos, eles provavelmente serão expulsos da faculdade, seus registros escolares expurgados como se eles nunca houvessem sido alunos daquela instituição. O diretor sobe a aposta. "Você não está simplesmente confessando isso a mim, Marshall. O Espírito Santo está aguardando o seu arrependimento completo."

Quando Marshall dá a notícia a seus parceiros no crime, eles andam freneticamente pelo quarto de um lado para o outro. "Você não pode fazer isso com a gente! Foi ideia sua, não nossa. Passamos quatro anos neste lugar, pagamos milhares de dólares. Não, você não pode fazer isso!" Meu irmão abaixa a cabeça cheio de amarga vergonha.

No dia seguinte, um dos dois formandos aparece com um plano tão maluco que só pode representar sua única esperança. Ele releu o livro de regras inteiro durante a noite e descobriu um fato espantoso: em nenhuma parte do livro há menções a bebidas alcoólicas. O pecado é tão evidente por si só e tão abominável que, muito parecido com assassinato ou sexo com animais, ninguém pensou em especificar uma regra do *campus* contra isso.

"Temos uma única defesa", anuncia o perturbado formando. "Temos de agir como se não fizéssemos ideia de que alguns cristãos acreditam que beber é pecado. Sei que é um exagero, mas pensem bem! Eu sou episcopaliano, e as igrejas de onde venho servem vinho na Ceia todos os domingos. É sagrado. E a Bíblia se refere ao vinho dezenas de vezes, com frequência de modo positivo. Nossa única chance é convencer o diretor de nossa ignorância."

Os dois amigos de Marshall me chamam naquela noite e percorremos todo o plano. "Precisamos de alguém que faça o papel do diretor. Temos de manter isso em segredo, e confiamos que você não vai trair seu irmão."

Durante uns dias depois disso, os dois formandos ensaiam sua defesa. Como um promotor, tento apanhá-los em inconsistências e contradições, até eles dominarem a história de cor. Enquanto praticamos, meu irmão, sentado numa cama, segura a cabeça entre as mãos. Gotas de suor pingam de seu nariz para o chão.

Cheio de remorso, derrotado, dilacerado, Marshall percorre seu caminho até o escritório do diretor e entrega os dois nomes. "Deus o abençoe, Marshall. Seu arrependimento está completo. Vou atribuir a você vinte e cinco horas de serviço na faculdade, e você pode considerar-se perdoado. Eu sei que isso deve ser difícil, mas você fez a coisa certa."

Na mesma tarde os dois formandos comparecem perante o diretor. Eles se atêm à sua história, embora possam perceber pela atitude dele que o diretor não acredita numa só palavra. O diretor os encaminha para uma comissão de professores, que por sua vez consulta membros do conselho. Os dois formandos fazem seus exames finais sem saber se receberão o diploma ou não na cerimônia de formatura.

Por definição, os legalistas seguem as leis. A faculdade conclui que não pode punir alguém por quebrar uma regra que não foi estabelecida. Os graduandos recebem seus diplomas, o livro de regras é revisado, e meu irmão começa a preencher formulários de transferência para outra faculdade.

19

Desajustados

> É uma coisa curiosa, você sabe, disse Cranly impassível, como sua mente é supersaturada com a religião na qual você afirma não acreditar.
>
> James Joyce, *Retrato de um artista quando jovem*

Enquanto Marshall planeja sua fuga naquele verão, eu acho um emprego dirigindo um *food truck*, carinhosamente conhecido como "a carrocinha baratinha". Fico surpreso que uma companhia confie seu veículo a um aluno de faculdade de dezessete anos e me deixe solto nos subúrbios de Atlanta. O único ponto negativo: o trabalho começa às cinco da manhã. Antes do nascer do sol, abasteço um lado do caminhão com café, sopa, e sanduíches quentes e o outro com sanduíches frios e refrigerantes acondicionados em gelo.

Os motoristas só são remunerados sobre o valor da venda, e como os melhores pontos já estão tomados, volto para casa quase sem remuneração nenhuma nas primeiras semanas. Exatamente quando cogito procurar outro emprego, descubro uma mina de ouro. Noto um novo empreendimento no fim de uma rodovia ainda em construção. Lá conheço um capataz chamado Jake, que me oferece uma parceria.

"Vou lhe dizer uma coisa", diz Jake. "Eu transporto esses garotos de Athens para cá todos os dias." Acena para o seu bando, adolescentes negros sem camisa, sentados em pilhas de madeira. "Estamos muito longe de tudo aqui, e não tenho tempo para que eles possam ir almoçar em lugar nenhum. Se você aparecer aqui todos os dias ao meio-dia, e mantiver uma lista de controle sobre os custos dos pedidos deles, no dia do pagamento vou deduzi-los do que lhes pago e dar para você em dinheiro vivo."

Vendo mais comida e bebida naquele dia do que vendi numa semana. Falando num sotaque do interior que eu mal consigo entender, os esfomeados trabalhadores pedem dois sanduíches cada um, e mais umas duas cocas, às vezes uma tigela de cozido Brunswick e bolachas recheadas ou uma fatia de bolo de sobremesa. À tarde volto com mais bebidas e lanches. Anoto aquilo de que eles gostam e abasteço o caminhão com porções extras na manhã seguinte.

No fim da semana, o capataz branco chama os trabalhadores um por um. "Lucius, hora de acertar a conta pelos seus lanches." Jake está pagando dois dólares por hora a seus trabalhadores, algo acima do salário mínimo da época, e ele pega quatro notas de vinte dólares. Eu somo a conta do consumo de Lucius na semana, e o total é 52,64 dólares, que eu subtraio das quatro notas de vinte. Quando ponho o troco na mão de Lucius, ele olha para o dinheiro e depois para o seu patrão. "Sinhô, isso é tudo o que eu ganho?" Durante cinco dias inteiros ele sacudiu durante uma hora na carroceria de uma picape aberta para depois ter o privilégio de arrastar madeira e martelar pregos. Agora ele tem 27,36 dólares para exibir por tudo aquilo.

"É isso, Lucius", responde Jake. "Talvez você deva reduzir um pouco os gastos com seus lanches."

Lucius e seus amigos pedem exatamente a mesma quantia de comida e bebida na semana seguinte e na outra, durante todo o verão. Estou cobrando os preços estabelecidos pela empresa e no fim de cada semana levo para casa mais de duzentos dólares.

Aquele verão me mostra a injustiça vista por dentro. Contorço-me de culpa cada noite de sexta-feira quando registro meus lucros, sabendo que eles superam e muito o que aqueles garotos ganham cavando sarjetas, misturando concreto e martelando pregos sob o sol escaldante da Geórgia. Cada nova semana, faço tudo de novo. Tenho de fazer, racionalizo, para pagar minhas contas da matrícula — numa faculdade bíblica.

Marshall, ainda sofrendo em consequência do incidente com o vinho, passa grande parte do verão candidatando-se a outras escolas. Está de olho na Faculdade Wheaton, uma instituição cristã de elite perto de Chicago. "Lá tem um conservatório de música, então essa é minha primeira escolha", conta-me. "Perdi o prazo da inscrição, mas existe a possibilidade de eles me deixarem entrar por tratar-se de um caso de dificuldades excepcionais."

Ele acrescenta: "Qualquer coisa que você faça, não discuta isso com nossa mãe. Ela vai pirar, e de qualquer maneira meu plano pode não dar certo".

Depois acontece um daqueles dias cruciais que começa como qualquer outro, mas altera para sempre a vida da gente.

Volto para casa do trabalho no caminhão da empresa e topo com Marshall sentado à mesa da cozinha examinando a correspondência do dia. Ele ergue os olhos e agita um envelope aberto, sorrindo como se tivesse ganhado na loteria. "Você não vai acreditar!", diz exultante. "Não só me aceitaram, como estão me oferecendo uma bolsa."

"Cara, meus parabéns!", exclamo. "Você conseguiu a sua escolha preferida. Ouvi dizer que a Wheaton é uma ótima escola. E é cristã — com certeza nossa mãe não vai levantar objeções."

Eu não poderia estar mais errado. Aquela noite, nós três estamos jantando em volta da mesa da sala de jantar. Marshall pouco fala enquanto descrevo as aventuras do meu dia na estrada. Percebo que ele está fervendo por dentro. Assim que acabamos a refeição, Marshall apresenta a carta. "Então, recebi uma notícia boa hoje", diz numa voz nervosa. "Wheaton me aceitou e me ofereceu ajuda financeira."

Nossa mãe reage rápido, como se houvesse ensaiado mentalmente essa discussão. Ela sabia que ele estava tentando se transferir para alguma outra escola e havia mencionado Wheaton de passagem.

"Eu preferia que você fosse para algum outro lugar como Harvard", diz ela numa voz baixa e áspera, pronunciando o nome com desprezo. "Lá eles não fingem acreditar em Deus. Wheaton alega acreditar, mas são liberais. Usam as mesmas palavras que usamos, mas não levam isso a sério de verdade. São apóstatas, meu filho. Lá você tem as mesmas probabilidades de perder a fé que tem em qualquer universidade secular, provavelmente mais."

Marshall morde a isca. "Fala sério. Wheaton é uma faculdade cristã, a questão é que não tem uma mentalidade tão tacanha como algumas outras. Por acaso Billy Graham não frequentou essa escola?"

Resposta errada. Ela sobe o tom de voz: "Certo, e veja como ele é. Convidando católicos liberais a ocuparem sua plataforma, encontrando-se com o papa, falando sobre algum dia visitar a Rússia. É exatamente disso que estou falando!".

Pressentindo uma tempestade, retiro-me para o sofá para ver os dois duelando. Nossa mãe morde o polegar, e eu consigo ver um tendão mexendo-se em seu maxilar, sinal evidente de sua raiva. "Como você planeja pagar essa faculdade? Dinheiro não dá em árvore, e eu com certeza não vou ajudar você. E como você vai se deslocar até lá? Você não tem carro."

Marshall dá explicações sobre a bolsa e sobre seu amigo Larry, que concordou em percorrer todo o caminho de Boston até Atlanta para lhe dar uma carona até Wheaton. "Larry e eu tocamos juntos. Ele era o organista do coro e eu tocava piano. Agora ele também está se transferindo da faculdade bíblica para o conservatório. Talvez possamos ser colegas de quarto."

Os olhos da mãe se contraem, e o rosto dela se distorce num olhar feroz e selvagem que nunca vi antes. Ela cospe as palavras. "Deixe-me dizer uma coisa, filho. Ninguém vai levar você de carro para Wheaton. Você ainda não tem vinte e um anos, e neste estado isso faz de você um menor de idade. A Sra. Barnes da igreja trabalha para um juiz federal. Vou convencê-lo a expedir um mandado de sequestro contra qualquer pessoa que o leve a atravessar a fronteira estadual."

Marshall não cede. "Então vou de avião. O que é que ele vai fazer, expedir um mandado contra a Delta Air Lines?"

Cai o silêncio enquanto a mãe contempla a ameaça seguinte. O tendão de seu maxilar contrai-se mais rápido, embora sua expressão facial não mude.

Quando fala, as palavras jorram numa explosão de fúria. "Zombe de mim se quiser. Vou fazer o que for necessário para deter você, rapaz. Escute aqui. Se você der um jeito de levar a cabo esse seu plano, eu lhe garanto uma coisa. Vou orar todos os dias pelo resto de sua vida para que Deus quebre você. Talvez você se envolva num terrível acidente e morra. Isso vai lhe ensinar. Ou, melhor ainda, talvez você fique paralisado. Aí você vai ter de ficar deitado de costas e olhar para o teto e perceber que atitude rebelde você teve, agindo contra a vontade de Deus e contra tudo aquilo que lhe ensinei ao criar você."

As palavras delas pairam na sala como uma nuvem de gás venenoso. Uma vez disperso, o gás não pode ser colocado de volta no recipiente. Marshall deixa a mesa, arrastando a cadeira tão violentamente que deixa duas marcas no chão. Vai para seu quarto, e poucos segundos depois ouço a forte batida de uma porta.

Mantenho a cabeça abaixada, fingindo estar lendo uma revista. Minha visão se embaça, e uma pulsação acelerada bate em minhas têmporas. *Respira fundo!* é o único pensamento que consigo formular.

No tenso silêncio que vem depois, imagino meu pai, jazendo imobilizado num pulmão de aço, fitando as luzes fluorescentes no alto. *Vou orar todos os dias para que Deus quebre você.* Será que ela poderia orar pedindo *isso*?

Dezenas e dezenas de vezes nos anos seguintes, meu irmão e eu reproduzimos aquela cena juntos. Lembramo-nos dos mesmos vívidos detalhes: o conspícuo "W" na carta de aceitação no alto da pilha de itens indesejados do correio, as frias e duras palavras provindo de um rosto contorcido de raiva. No entanto, sempre discordamos acerca de um ponto crucial, o que nossa mãe de fato disse depois das palavras *melhor ainda*.

Eu me lembro da ameaça de paralisia, ao passo que Marshall se lembra de uma versão diferente: "Ou, melhor ainda, talvez você fique demente." Essas palavras nunca mais saíram da cabeça dele, cravadas como um fio de arame farpado pressionando contra o cerne de uma árvore. Até hoje, acredito que o subconsciente de meu irmão preencheu em retrospectiva sua lembrança daquela ameaça a partir do que de fato lhe aconteceu em Wheaton.

Os silêncios da família tornam-se mais longos naquele verão. Para evitar a tensão em casa, arranjo desculpas para trabalhar até tarde no meu serviço de entrega de comida. Marshall arruma um emprego que lhe paga um salário mínimo como assistente no Hospital Grady, limpando comadres e economizando cada centavo para a faculdade. Deliberadamente ele pede para trabalhar no período noturno e vai dormir tarde, a fim de evitar contatos com nossa mãe.

Ela se recusa a preencher o formulário de auxílio financeiro exigidos dos pais, o que Wheaton cortesmente não leva em consideração. Ela também faz valer sua promessa de impedir que o amigo de Marshall o transporte para a nova escola. No fim, nosso tio Winston leva meu irmão até o aeroporto para pegar um voo para Chicago. Na idade de Marshall, o tio havia viajado até a Califórnia pedindo carona e achava que seria bom que seu sobrinho visse mais de seu país. Além disso, ele disse a Marshall: "Você tem a oportunidade de tornar-se o primeiro Yancey de nossa linhagem a diplomar-se numa faculdade".

Privado de meu companheiro, retorno à faculdade bíblica como aluno do segundo ano. Ando na companhia dos amigos de Marshall, a maioria dos quais parece invejar a transferência dele. A essa altura abandonei qualquer esforço de jogar o jogo do cristão. Talvez o cinismo de meu irmão tenha se mostrado contagioso.

No colegial, eu sabia como competir: trabalhando duro e usando o cérebro. Neste lugar, a inteligência parece ser um defeito.

As aulas de Bíblia provocam questionamentos em mim. Como devemos entender toda a violência do Antigo Testamento: Eliseu recorrendo a ursas para despedaçar seus atormentadores, o genocídio de Josué contra os habitantes de Canaã, o castigo mortal de Deus imposto a pessoas que cometeram um simples erro? E devemos acreditar no relato da ressurreição de João ou no de Mateus: em quais dos conflitantes detalhes podemos confiar? Quando levanto esses questionamentos em sala de aula, outros alunos me veem como um inquiridor desordeiro que tem o propósito de destruir a unidade do grupo ou como um germe que invadiu a barreira imune.

Cada vez mais, aceito a opinião geral de que sou uma "semente maligna". O ostracismo não me preocupa. Tenho anos de experiência em esconder-me feito tartaruga sob um casco duro, resistindo à pressão de me conformar. Simplesmente não consigo engolir algumas das coisas que acontecem nesta escola.

Tome, por exemplo, o Sr. S., filho de um congressista dos Estados Unidos e uma lenda no *campus*. Ele frequentou a faculdade bíblica na juventude e agora é um professor reverenciado. Olha direto para a frente e com toda a força de seus pulmões grita suas aulas, que geralmente acontecem na capela da escola para acomodar todos os alunos. Parece quase robótico, agitando os braços e falando numa cadência monótona, com um sotaque sulista como aquele que venho tentando superar.

"Algumas pessoas me perguntam: 'Frank, qual é seu livro preferido na Bíblia?'. Eu lhes respondo que meu livro preferido na Bíblia é o livro que estou estudando agora. E o meu capítulo preferido na Bíblia é o capítulo que estou estudando agora. E o meu versículo preferido na Bíblia é o versículo que estou estudando agora."

Ou então ele começa percorrendo o alfabeto: "Jesus Cristo é o alfa e o ômega. Isso significa que Jesus Cristo é o A, Jesus Cristo é o B, Jesus Cristo é o C..." Para meu espanto, ele menciona todas as vinte e seis letras do alfabeto.

Por ter feito o curso de introdução geral ao Antigo Testamento como calouro, sei que é impossível descarrilar o Sr. S., a menos que você se sente bem na frente dele e agite os braços no ar como alguém correndo perigo, coisa que eu faço, regularmente. Só então é possível que ele tolere uma pergunta. Nenhum professor me frustra mais, porque o Sr. S. tem visões mais extremas do que qualquer outra pessoa no *campus*. Ele fustiga os católicos. Opõe-se à versão de J. B. Phillips da Bíblia porque Phillips nutriu uma amizade com C. S. Lewis, que bebia cerveja e fumava cachimbo. Recusa-se a ler os jornais do domingo ou da segunda-feira porque a produção deles obriga os empregados a trabalhar no domingo.

Como a maior parte do corpo docente da escola bíblica, o Sr. S. parece incomodado em relação ao sexo. Casado há vinte e cinco anos, mesmo assim ele orienta sua esposa a sentar-se o mais longe possível dele no assento do carro, para que ninguém que não sabe que eles são casados tire uma conclusão errada a partir de sua proximidade física. Ele se desfez de seu estoque de produtos de uma cadeia de lojas de departamento porque lá vendem trajes de banho, que vão contra suas convicções acerca de "banhos mistos". Num sinistro tom de voz, ele adverte as garotas virgens presentes na sala de aula: "Quando vocês usam batom, estão dizendo ao mundo: 'Me beijem! Me beijem!'".

Alguns de seus pontos de vista deixam a administração nervosa, embora o Sr. S. seja tolerado como um ícone e um ex-aluno predileto. Mais do que qualquer outra coisa, oponho-me ao seu estilo didático. Insiste ele: "A sofisticação é a maior barreira do Espírito Santo", e talvez por essa razão ele nos passa tarefas que são atividades improdutivas e sem sentido. Todos os dias completamos questões preenchendo os espaços em branco num caderno de 250 páginas. Nem mesmo o colegial usaria métodos tão antiquados.

Em meu primeiro ano, trabalhei pelo menos uma hora cada noite no meu caderno — mais tempo do que qualquer outro aluno que conheci. No entanto, o Sr. S. me deu um B. Será que ele estava me punindo por eu fazer perguntas na sala de aula? Marquei um encontro com ele e perguntei: "Eu gostaria de saber qual critério o senhor usa para avaliar os cadernos, porque pretendo melhorar no futuro".

Uma pilha de mais de duzentos grossos cadernos pretos formava uma torre atrás de sua escrivaninha. De algum modo ele conseguiu avaliá-los em apenas três dias. O Sr. S. sorriu e respondeu, com um tom de voz de absoluta segurança: "O Espírito Santo me diz que nota cada caderno merece". Não pude discutir aquilo.

Durante o segundo ano, porém, meu colega de quarto nota meus copiosos cadernos e pensa: *Por que deveria eu fazer todo esse trabalho?* Sem que eu saiba disso, ele troca a primeira folha com a identificação e apresenta o meu caderno como se fosse dele. Desta vez a nota de avaliação atribuída pelo Sr. S. é A+. Minha suspeita se confirma. Duvido que o Espírito Santo premiaria um trapaceiro.

Outro professor, o oposto do Sr. S. em estilo e temperamento, é a figura mais amada no *campus*. Homem tímido, exageradamente introvertido, o Sr. H. assume uma personalidade diferente quando está diante de uma sala de aula. "Olhem aqui", começa, umedecendo os lábios com um rápido movimento da língua, e procede cativando os alunos independentemente do que estiver lecionando. Suas aulas sobre psicologia infantil, os Profetas e hermenêutica bíblica, ou interpretação, estão entre as mais populares da escola.

Um dia o Sr. H. se aproxima do pódio na capela como o palestrante agendado. Fica lá quieto por um momento, olhando para os professores e os alunos. Limpa a garganta, umedece os lábios e diz: "A semana inteira tentei ouvir uma palavra do Senhor. Não recebi nenhuma. Vocês estão dispensados". Em seguida ele se senta, deixando toda a assembleia aturdida. Saímos em fila em silêncio.

Depois disso, gosto demais do Sr. H.

Ele alude a profundas feridas da infância, coisa que nunca explicita. Seja qual for a fonte delas, essas feridas não lhe permitem ensinar uma fé estereotipada. Convencido de que o Sr. H. é uma pessoa a quem posso confiar minhas crescentes frustrações acerca da escola, peço para encontrar-me pessoalmente com ele em seu escritório.

"Não acho que pertenço a este lugar", digo a ele. "As pessoas me tratam como um tipo de desviado, mas para dizer a verdade, a escola em si a meu ver parece um pouco doente." Ele não dá nenhum sinal de surpresa, e com um gesto pede que eu continue.

"Não vejo muita graça neste *campus*. Alguns de nós estão indignados com a maneira como a escola lidou com a morte de Dan." (No ano anterior, um aluno do terceiro ano havia morrido afogado num rio da vizinhança quando o escoamento de uma barragem inesperadamente fez subir o nível da água.) "O senhor sabe que alguns alunos disseram abertamente na sala de aula que o afogamento de Dan foi um castigo de Deus por ele ter ido nadar num domingo? E os professores não desmentiram isso. E depois a administração impôs um castigo ao colega dele por infringir as regras... um rapaz que estava traumatizado por perder o melhor amigo."

Ele continua ouvindo, então continuo falando. "Ouvimos falar de toda essa história da Vitoriosa Vida Cristã, mas tenho a impressão de que isso só cria uma espécie de competição de hipocrisia. São alunos que dão falsos testemunhos para parecer mais espiritualizados. São professores que descartam C. S. Lewis por causa de uma coisa boba como fumar cachimbo. E suponho que o senhor esteja a par daquilo a que o diretor submeteu meu irmão por ingerir um copo de vinho.

"Nunca ouço dizer que a administração admite estar errada sobre qualquer coisa que seja, embora o senhor e eu saibamos que ela tomou algumas decisões ruins. As regras mudam todos os anos, mas os diretores nunca reconhecem que as regras anteriores eram arbitrárias. Eles se escondem em toda essa conversa de princípios bíblicos. Ninguém desafia as visões extremistas de um Bob Larson ou do Sr. S. E aquele professor de Bíblia que foi acusado por alunas: ele simplesmente desapareceu, sem nenhuma explicação. A meu ver, isso parece um encobrimento da verdade."

O Sr. H. tira os óculos e esfrega a cabeça calva. Até agora não disse uma palavra, não me interrompendo sequer uma vez. Pergunto-me se fui longe demais.

"Acho que estou tentando dizer que não experimento nenhuma graça neste lugar. Existe autoridade e controle e elevados ideais. Mas não muito espaço para o erro e não muito espaço para alguém que pensa fora da linha."

Ele balança a cadeira da escrivaninha, esperando um pouco antes de falar. "Você está certo, nós cometemos alguns erros", diz finalmente. "Somos pessoas comuns aqui. Não somos perfeitos." O tom suave de sua voz me ajuda a relaxar.

Conversamos durante quase uma hora, e me sinto aliviado pelo simples fato de ter alguém com quem desabafar. Uma coisa que ele diz cala fundo em mim: "Talvez a graça esteja aqui, e você não tenha os receptores para recebê-la". Vindo de qualquer outro professor, eu teria me ofendido com essa sugestão, mas não vindo do Mr. H.

Talvez seja isso, reflito enquanto volto para o dormitório. O que é que me tenta a ver o lado pior das pessoas? Talvez eu tenha tanta culpa quanto a escola.

Poucos dias depois estou sentado na capela. A escola exige que os alunos frequentem diariamente serviços religiosos; nenhuma ausência é desculpada a não ser em casos de doença. Este é um dos cultos de capela mais esperados do ano: uma visita de Anthony Rossi, o dono da Tropicana. Imigrante da Sicília, Rossi fez da Tropicana uma das maiores fornecedoras mundiais de suco de laranja fresco, uma companhia no fim das contas comprada pela PepsiCo. Nós o conhecemos como um dos maiores benfeitores da faculdade, um homem generoso que envia caminhões refrigerados para a nossa escola direto da Flórida. Cada semana, quando o caminhão chega, os alunos correm para ajudar a descarregar caixas de suco de laranja e toranja, que a cantina serve à vontade no café da manhã.

Anthony Rossi é um herói da escola. Se ele passa seu tempo na capela fazendo uma leitura de Levítico em siciliano, nós o aplaudimos de pé. Sentados em silêncio, escutamos sua mensagem transmitida num forte sotaque.

Dentre todas as coisas de que ele poderia falar naquele dia, Rossi escolhe seu maior fracasso. Conta-nos que um ano, quando uma geada veio cedo demais e prejudicou a colheita, ele ilegalmente despejou açúcar nos barris de suco de laranja para adoçá-lo... e foi descoberto. Pagou pesadas multas, e seus concorrentes quase conseguiram expulsá-lo do setor. Foi humilhado por essa provação, sua reputação cristã ficou temporariamente arruinada. Mas ele afirma que aprendeu mais com esse erro estúpido do que com qualquer um de seus sucessos.

Durante minha estadia na faculdade bíblica, acabo ouvindo várias centenas de conselhos na capela. Apenas dois palestrantes se destacam para mim: o Sr. H. e Anthony Rossi, os dois únicos capazes de admitir falhas e fraquezas.

Depois de uma aula sobre o evangelho, concluo que ambos Marshall e eu representamos o chão pedregoso descrito em uma das parábolas de Jesus. Nosso solo foi muito endurecido — excessiva exposição ao sol, talvez — e as sementes da fé que caem sobre nós não criam raízes.

Estou convencido de que nunca me tornarei um aluno modelo de uma faculdade bíblica, o que me deixa duas opções para o resto do meu tempo aqui: posso fingir e passar por um leal hipócrita ou levar uma vida autêntica como um verdadeiro traidor. Escolho a segunda opção.

Numa espécie de testemunho silencioso inverso, sento-me ao ar livre e leio livros provocadores, tais como *A cidade secular* de Harvey Cox e

Por que não sou cristão de Bertrand Russell. Sinto uma satisfação secreta por minha fama de tipo oposto do aluno ideal. Não me importo com o que os outros dizem a meu respeito. De fato, uma parte de mim gosta da alienação.

Fico à margem, exibindo-me apenas o suficiente para causar irritação, mas não o suficiente para motivar um castigo sério. Começo lendo revistas, *Time* e *Esquire*, durante o culto de capela. Enquanto palestrantes explicam a Bíblia, rapidamente me atualizo sobre a Ofensiva do Tet, o massacre My Lai e a Primavera de Praga na Tchecoslováquia. Dentro de alguns dias um dos encarregados do controle de presença na galeria me denuncia, e sou convocado a comparecer perante o diretor, o mesmo senhor que castigou meu irmão por beber.

"Chegou aos meus ouvidos que você andou lendo revistas durante os cultos de capela", começa ele.

"É verdade, senhor. Fiz isso." Um olhar de surpresa perpassa seu rosto diante de minha pronta admissão. Mas ele se inclina.

"Nós nos empenhamos muito planejando esses cultos de capela com a intenção de que os alunos aprendam com a sabedoria dos palestrantes", diz ele.

"Entendo, e o senhor deve saber que domino a capacidade de ouvir os palestrantes e ler revistas ao mesmo tempo."

Evidentemente o diretor não ouviu essa defesa multitarefa antes, porque ele se recosta na cadeira e passa a mão no queixo por um tempo antes de responder. "E como se sente o palestrante? Com certeza ele pode ver você lendo revistas enquanto ele está falando."

"Bem pensado, senhor. Se preferir, terei o prazer de explicar a situação ao palestrante antes do serviço na capela."

Essa conversa, ao contrário de algumas outras, termina num empate. Logo um professor amigável me informa que meu nome foi parar na lista especial de orações do comitê dos professores. Agora estou na lista dos extraviados, exatamente como meu irmão.

Está na hora de deixar aquele ninho. Preencho pedidos de transferência para a nova casa de Marshall, a Faculdade Wheaton. Agora só preciso sobreviver o restante do ano letivo.

Enquanto luto na faculdade bíblica, Marshall se rejubila em sua nova liberdade encontrada em Wheaton. Chegou lá durante um dos períodos mais controversos da história da instituição. Com intervalos de algumas semanas, ele me envia um exemplar do jornal da faculdade, com editoriais contra a Guerra do Vietnã e reportagens sobre protestos de estudantes contra a imposição de um programa de treinamento em faculdades que forma oficiais comissionados do exército. Um dos alunos dissidentes começou a postar-se nos degraus da Capela Edman empunhando um megafone e refutando de imediato mensagens questionáveis da capela.

Para minha surpresa, Marshall se mostra um correspondente fiel. Cada semana recebo uma carta em tinta azul-turquesa escrita numa letra minúscula, cerca de quinhentas palavras quase ilegíveis por página. E cada carta registra uma nova aventura intelectual.

Numa delas ele conta que finalmente passou a aceitar uma base racional para o cristianismo, embora duvide que venha um dia a experimentar a realidade de Deus num nível emocional. Passadas mais algumas semanas, ele já leu uma dúzia de livros de existencialistas ateus e concluiu que o suicídio é a única resposta honesta a uma existência sem significado.

A carta seguinte informa que ele está frequentando uma igreja anglicana, extasiado com as obras artísticas e a liturgia. "Talvez tente a igreja católica", escreve. Depois vem um relato entusiasmado de sua campanha pelo candidato a presidente Eugene McCarthy nos distritos eleitorais de poloneses de Milwaukee (isso provindo de um antigo fã de Barry Goldwater).

Num raro telefonema, Marshall me fala de uma visita de uma semana inteira que Francis Schaeffer fez a Wheaton. Schaeffer é um palestrante da Suíça, que usa calções, como um andarilho alpino. "Ele é um pouco estranho, mas conhece muito sobre a cultura moderna. Cita Sartre e Camus e faz referências a filmes de Fellini e Bergman. Não estamos acostumados com isso por aqui."

Marshall conta que teve a oportunidade de fazer algumas perguntas em particular depois de uma das palestras de Schaeffer. "O senhor diz que a Bíblia é uma Palavra viva, e que Deus conversa diretamente com as pessoas através dela, certo?"

"Perfeitamente", respondeu Schaeffer.

"Então como se pode dizer qual é a diferença entre a Bíblia e, digamos, Billy Graham ou Norman Vincent Peale?"

A resposta de Schaeffer de que a gente simplesmente sabe não o satisfez.

A carta seguinte de Marshall é a mais surpreendente de todas. No segundo exemplar do jornal que me envia, leio sobre uma igreja autoritária, quase cultualista, não vista com bons olhos pelas autoridades da faculdade. Movido pela curiosidade, Marshall marcou uma visita a essa igreja. "Deus seja louvado!", começa sua carta. "Aconteceu. Recebi o batismo do Espírito Santo e o dom das línguas. Nunca tive uma experiência tão poderosa. Estou começando a conhecer Deus."

Não sei como responder a essas cartas, porque antes de receber minha resposta ele já partiu para alguma coisa diferente. A cada semana que passa o ritmo da mudança se acelera, e eu temo que meu irmão esteja perdendo o controle de seus pensamentos e emoções. A cabeça dele, até mesmo sua personalidade, parece estar saindo do controle.

E acontece. No fim daquele primeiro semestre, o cérebro de Marshall de repente para de funcionar. Quando ele tenta ler um texto, não consegue mais juntar duas palavras. Consulta o conselheiro da escola, que lhe concede um adiamento de seus iminentes exames de filosofia e o manda consultar um psiquiatra.

Depois de submetê-lo a uma bateria de testes, o psiquiatra diz: "Marshall, não vou tratar você a não ser que aceite internar-se numa instituição mental. Francamente, no seu caso o suicídio é um risco evidente, e como profissional não posso aceitar essa probabilidade".

Marshall se recolhe ao seu dormitório. Abandona os cursos de filosofia e se dedica em vez disso ao piano, achando um refúgio na música. Conhece outra pessoa que estuda piano, uma atraente loira chamada Diane, e se acalma tocando duetos com ela.

Quando me reencontro com ele em Atlanta aquele verão, Marshall já reassumiu o papel do cosmopolita irmão mais velho. Ficamos noite após noite até tarde discutindo suas experiências. Ele narra os pontos mais importantes do ano: uma épica nevasca em Chicago, os abraços e beijos trocados com Diane no teto do dormitório dela, a campanha por votos entre trabalhadores braçais em Milwaukee, a emoção de fumar cigarros, o tabuleiro Ouija que vaticinou corretamente todos os resultados dos jogos de futebol de Wheaton.

Quando menciono seu relato do batismo do Espírito, ele descarta o assunto. "Quem sabe o que é real e o que é falso?", pergunta. "Aconteceu, e isso é tudo o que posso dizer."

PARTE V

AGRACIADO

20

Tremores

> Quem pensaria que meu coração seco
> Teria de novo seu viço? Havia sumido
> Totalmente enterrado...
>
> George Herbert, "A flor"

Enquanto isso, estive percorrendo uma trajetória diferente daquela de Marshall. Meu próprio cinismo se havia aos poucos suavizado durante o segundo ano letivo. Encontrei mais alívio num novo serviço cristão que me foi atribuído: "obra universitária". Em vez de pregar a presos acorrentados, uma equipe formada por mim e outros três alunos do sexo masculino começa a visitar, todas as noites de sábado, uma universidade estadual vizinha de nossa faculdade com o objetivo de envolver alunos em conversas sobre a fé.

Em nossa primeira visita fico deslumbrado com os luxuosos dormitórios e os salões dos alunos, tão diferentes de nossos prédios utilitários na faculdade bíblica. Encantado, estudo os quadros de avisos cobertos de cartazes vistosos anunciando concertos, peças de teatro e outras atividades estudantis. Eu quero *ser* uma dessas pessoas que estudam aqui mais do que convertê-las. Anseio por um mundo mais iluminado, mais revigorante — talvez como um norte-coreano se sente quando contempla do outro lado da fronteira as luzes cintilantes no sul.

Espero encontrar decadência ou festas com drogas, trotes envolvendo furto de peças íntimas e bebedeiras. Ou essa cultura ainda não chegou à Carolina do Sul ou ela continua oculta, porque em vez disso vejo alunos universitários normais fazendo suas tarefas de estudo em cafeterias ou jogando *frisbee* no gramado. Suas roupas informais, na maior parte Levi's e camisetas, se destacam. Mas qualquer coisa pareceria informal comparada à faculdade bíblica, onde usamos *blazers* e gravata todas as noites e os *blue jeans* são proibidos.

Passeando pelo *campus*, noto um grupo de atletas sentados no pátio. "De onde são vocês?", pergunto.

"Estamos aqui com o time de beisebol da Yale. E você?"

"Bem, frequento uma faculdade bíblica aqui perto, e viemos aqui para ver se alguém quer conversar sobre coisas espirituais." Eles trocam sorrisos jocosos. Eu continuo. "Vocês sabem, na economia de Deus..."

"Engraçado", um dos atletas me interrompe. "Não fazia ideia de que Deus tinha uma economia." Seus colegas de equipe riem, e o sangue sobe à minha cara. Dirijo-me ao centro estudantil para ver televisão.

"Não se preocupe, Philip", tranquilizam-me os colegas quando relato minha frustrada tentativa de dar um testemunho. "Pelo menos você plantou a semente. A Palavra de Deus não retorna vazia."

Depois daquela primeira tentativa passo quase todas as noites de sábado no centro estudantil, atualizando-me sobre esportes e notícias. Envolvo-me apenas em conversas suficientes para colher algumas indispensáveis notícias para nossos relatórios de evangelismo. O resto, eu enfeito.

Tarefas de aula me forçam a continuar estudando a Bíblia, que inesperadamente desperta meu interesse. Leio Eclesiastes e reconheço meu próprio triste cinismo: "Atentei para todas as obras que se fazem debaixo do sol, e eis que tudo era vaidade e aflição de espírito". Leio Salmos e Jó e me surpreendo que esses livros sagrados incluam acusações tão raivosas contra Deus. "Até quando, SENHOR? Esconder-te-ás para sempre? [...] Como é vazia a existência humana!" Essas explosões bíblicas são comuns, embora os professores geralmente passem por cima delas.

Percebo que não sei muito sobre Jesus, excluindo as histórias que aprendi na escola dominical. As igrejas da minha infância focalizavam sobretudo as Epístolas e o Antigo Testamento. Ao estudar os quatro Evangelhos, encontro mais surpresas. "E conhecereis a verdade, e a verdade vos libertará", promete Jesus, e isso para mim soa irônico num *campus* que sufoca a liberdade. Estou começando a gostar desse sujeito. Quando alguém lhe dirige uma pergunta, ele nunca lança mão de raciocínios circulares tais como "Deus sempre responde à oração, mas às vezes a resposta é um não". Ele é enigmático, evasivo, impossível de pegar. Na maioria das vezes devolve a pergunta à pessoa que a fez.

Se Jesus aparecesse no *campus*, eu me pergunto o que é que a administração faria com ele. Será que ele também seria rejeitado por questionar seus professores?

Marshall me encorajou a ler livros de C. S. Lewis, o que avidamente faço uma vez que ele é *persona non grata* no *campus*. O livro que me impressiona mais profundamente foi publicado no ano em que iniciei o colegial: *A anatomia de um luto*, um diário da angústia ao ver sua mulher perder a batalha contra o câncer. Leio sobre a luta de Lewis para sobreviver aos "loucos momentos da meia-noite", depois levanto a cabeça e vejo alunos de cara feliz ao meu redor, e a concha da ostra se fecha rapidamente.

Surpreendentemente, nossa faculdade contratou um sociólogo com um diploma de Harvard. Matriculo-me em suas turmas, o que logo me ajuda a sair da bolha da faculdade bíblica e entender melhor meu ambiente.

O professor pede a leitura do livro *Manicômios, prisões e conventos* de Ervin Goffman, um estudo de referência do que o autor denomina "instituições totalitárias". Goffman sugere que instituições tais como prisões, academias militares, conventos, manicômios — *e faculdades bíblicas?* — aos poucos condicionam seus sujeitos de modo que com o tempo os internos se habituam ao seu ambiente controlado. A capacidade de arrumar a cama tão bem esticada que moedas saltam ao cair sobre ela, ou de lustrar os sapatos e deixá-los tão brilhantes que refletem a cara do sargento, não ajuda um recruta no campo de batalha. Mas isso reforça a estrutura militar do comando: "Eu estou no controle, e você deve fazer o que eu mando."

Nossa faculdade, percebo, está usando um método testado e comprovado de controle social. Como se fosse para confirmar minhas suspeitas, em um de nossos encontros particulares o diretor admite para mim que mantém algumas regras insignificantes para ensinar os alunos a obedecer. Isso me dá uma ideia para o meu projeto de sociologia.

Entrego um formulário impresso de pesquisa a cada calouro e segundanista do sexo masculino, fazendo perguntas não científicas tais como "Que regra mais incomodou você ao ingressar nesta escola?" e "Sua atitude de rebeldia contra a escola diminuiu desde que você ingressou?". Confirmando meu palpite, os sêniores aceitam, e até defendem, regras e políticas que os calouros consideram ridículas.

Quando o diretor encontra uma cópia de minha pesquisa mimeografada numa lata de lixo, mais uma vez vou parar na lista de vigiados do corpo docente. "Isso é insurreição!", diz o presidente da faculdade, que atormenta meu professor em relação ao meu projeto. "Ele não pode entrevistar calouros. Eles não nos conhecem!", e exatamente esse era o meu ponto.

O projeto me ajuda a separar a subcultura da escola do corpo de fé que ela tão ciosamente guarda. Talvez, o pensamento me ocorre, eu esteja resistindo não a Deus mas às pessoas que falam por ele. Aprendi a desconfiar das visões das igrejas da minha infância quanto à raça e à política. Que mais devo rejeitar? Uma pergunta muito mais difícil: O que devo manter?

Nessa mesma época, a mil e quinhentos quilômetros de distância, meu irmão iniciou sua espiral maníaca em Wheaton: acelerando sempre mais rápido, ele passa do esteticismo ao desespero ateísta ao pentecostalismo ao colapso mental. Corro à caixa de correio do *campus* em busca do relato mais recente. Meu colega sobrevivente, meu pioneiro e guia, está me deixando na mão. Sinto-me só, procurando desesperado uma sólida tábua de salvação a que me agarrar, algum jeito de manter-me à tona.

Uma cena dos Evangelhos, em João 6, me prende. Imaginei Jesus como o Messias crucificado, rejeitado por seu próprio povo. Mas o relato de João me proporciona um vislumbre de sua popularidade anterior. Multidões enormes o seguem, encantadas com seus milagres, atendo-se a cada uma de suas palavras, desejando muito coroá-lo como rei deles. Como reage Jesus? Isolando-se numa montanha, um lugar de solidão. Intrépidas, as multidões o procuram. No dia seguinte, Jesus profere alguns de seus ensinamentos mais duros, que indispuseram a multidão de tal modo que apenas seus seguidores mais íntimos não o abandonam. Quando Jesus pergunta aos doze discípulos de seu núcleo se também querem ir embora, eles respondem: "Senhor, para quem iremos?"

Sempre pensei em Deus como um forçador de barra, um brigão cósmico que conspira para destruir quem quer que ouse lhe opor resistência. Nesse relato, Jesus aparece tristonho, até mesmo desolado, não mostrando nenhum interesse em forçar uma crença. Claramente Jesus não lançou mão das técnicas das instituições totalitárias de Goffman.

Como Marshall, tenho plena convicção de que Deus algum dia me quebrará — a ameaça que nossa mãe pôs sobre nossa cabeça. No entanto, da Bíblia estou aprendendo sobre um Deus que tem um ponto fraco pelos rebeldes, que capacita pessoas como o adúltero Davi, o trapaceiro Jacó, o choramingão Jeremias, o traidor Pedro e o violador dos direitos humanos Saulo de Tarso. Um Deus cujo Filho transforma em heróis os pródigos de suas histórias.

Será que Deus poderia achar um lugar para um fingido cínico como eu?

Uma noite de sábado volto para a faculdade bíblica depois de cumprir minha tarefa na universidade estadual. O contraste entre os dois *campi* me deixa pensativo: uma barulhenta e próspera comunidade cultural instalada no meio da cidade, comparada com um enclave silencioso cercado por bosques e campos cultivados.

Reflito em retrospectiva sobre meus anos de colegial, morando num *trailer* na propriedade de uma igreja fundamentalista que se orgulhava de sua separação "do mundo". Evitávamos tantas atividades prazerosas. Nenhuma obra de arte adornava as paredes da igreja. Tínhamos música, sim, mas grande parte dela expressava um anseio por uma vida futura. O objetivo parecia ser suportar a vida na terra com a esperança de conseguir ir para o céu algum dia. "No mundo não está meu lar, aqui não posso descansar", cantávamos.

Uma pergunta básica me ocorre: Por que alguém anteciparia uma vida melhor sem experimentar pelo menos um pouquinho dela aqui?

Em minhas leituras descobri Agostinho, um homem familiarizado com mulheres, arte, comida e filosofia, que celebra a excelência das coisas criadas. Ele diz sobre os anos anteriores a sua conversão: "Eu tinha as costas voltadas para a luz, e o rosto para as coisas nas quais a luz bate". A expressão latina *dona bona*, ou boas dádivas, aparece do começo ao fim de seus escritos. "O mundo é um lugar sorridente", escreve, e Deus é seu *largitor*, ou "generoso distribuidor de dádivas."

Um lugar sorridente — nem sequer uma vez pensei no mundo desse jeito. Talvez me faltem alguns receptores de bondade, como sugeriu o Sr. H. Como posso descobrir as boas dádivas?

Às vezes à noite, depois do toque de recolher, saio furtivamente do dormitório e dirijo-me à capela e ao seu piano de cauda Steinway. Vivendo à sombra de meu irmão com seus dotes preternaturais, nunca toquei em público, não depois do fiasco no sexto ano com a Sra. Wiggins. Mas consigo tocar sofrivelmente à primeira vista Mozart, Chopin, Beethoven e Schubert, desde que num ritmo mais lento e pisando fundo no pedal de sustentação. Passo muitas horas naquela capela, o ambiente completamente escuro exceto por uma pequena luz acima do teclado.

Sempre vacilei diante da polirritmia, que exige, digamos, que a mão direita toque uma sequência de três notas enquanto a mão esquerda toca duas. Começo de modo simples, contando até seis, com as duas mãos avançando com ritmos diferentes. Três notas contra quatro é algo muito mais amedrontador. Depois, um dia consigo fazer isso sem contar e percebo que pela primeira vez minhas mãos estão operando independentemente uma da outra.

Durante aqueles interlúdios noturnos, meus dedos impõem alguma ordem tátil ao meu mundo desordenado. Na boa música, somente uma nota ou acorde certo pode vir em seguida; engane-se nisso, e o erro arranha os ouvidos. Quanto melhor eu toco, tanto mais verdadeira, até sublime, soa a música ecoando pelo santuário vazio. E como as peças clássicas terminam com uma resolução precisa, esse final satisfatório provoca em mim uma sensação de completude, que faz uma falta enorme no resto de minha vida.

Estou criando algo de uma beleza que tranquiliza a alma. Dúvidas, críticas sociais, antigas feridas, hipocrisias, inseguranças — tudo isso desaparece, dando lugar à música. De um jeito que eu sinto em minhas entranhas, mas não consigo articular, deixo a capela mais esperançoso de que tudo vai ficar bem. Por um momento o mundo é um lugar sorridente.

Uma noite tento Debussy, tão imprevisível depois de Mozart e Beethoven, suas melodias leves como uma nuvem. Sinto-me ousado, experimental, e meu coração responde vibrando. Depois tento *Quadros de uma exposição* de Mússorgski e transcrições para piano de sinfonias de Tchaikovski. A música provoca em mim emoções para as quais não tenho palavras.

Lênin disse certa vez que se recusava a ouvir Beethoven porque a música fazia que ele quisesse acariciar a cabeça de criancinhas. Não há criancinhas no *campus* da faculdade, mas agora entendo o que ele quer dizer.

Deixo a capela e entro no ar frio da noite com seu dossel de estrelas lá no alto, sentindo-me revigorado e enlevado, *cantarolando*... até reentrar na realidade através de uma janela aberta do dormitório, esperando não ser apanhado violando o toque de recolher.

Ocasionalmente, antes de recolher-me à noite, pratico a corrida além das luzes do *campus*, ao longo de uma estrada iluminada apenas pela lua e as estrelas. Numa dessas noites, uma lembrança da infância me ocorre: uma excursão ao Instituto Franklin na Filadélfia patrocinada pela igreja. Nós crianças corremos de uma exibição para outra e apenas uma vez nos sentamos em silêncio: no planetário. A sala ficou completamente às escuras, e depois um por um os planetas e as estrelas mostraram seu brilho. Logo todo o teto estava cintilando.

Finalmente, a terra apareceu, azul e linda, um pequeno ponto suspenso no espaço. Por um segundo, um mero segundo, nós nos vimos como éramos, um minúsculo grupo de crianças num minúsculo planeta num oceano de imensidão. Enquanto olhava maravilhado para as luzes cintilantes na cúpula, tive uma sensação estranhamente nova. Somente agora, enquanto vou correndo no escuro, eu de fato reconheço isso como um sentido profundamente adequado de ser uma criatura.

Em busca de mais solidão, começo a fazer caminhadas diurnas no bosque que cerca o *campus* de quatrocentos acres. Seguindo os dormentes de uma ferrovia até cansar-me com o cheiro de creosoto, desvio-me depois para os bosques fechados, onde o perfume de madressilva paira no ar como um perfume de mulher. A paisagem da Carolina do Sul traz de volta lembranças de explorações de minha infância com um cachorro fiel ao meu lado.

Um dia, um vislumbre de beleza prende meu olhar: uma crisálida cravejada de ouro aninhada entre folhas caídas, descartada para o nascimento de algo ainda mais resplendente. Abaixo-me e seguro o cilindro partido em minha mão. Parece arte do melhor quilate, mas para quem — e de quem?

Deparo com uma lagoa e sento lá perto no silêncio até os animais se esquecerem de minha presença. Depois de dez minutos uma tartaruga-mordedora rasteja para tomar sol sobre uma tora parcialmente submersa. O nariz de um rato almiscarado corta ondulações em V na superfície vítrea da lagoa. Observo um jovem gamo pintado aproximar-se da água, olhos e ouvidos vigilantes, e cauteloso abaixar a cabeça para beber. Uma desajeitada garça azul, mais alta que uma criança, pousa suavemente à beira da margem da lagoa, entra nela sobre suas pernas de vareta e para em rígida atenção.

Logo em seguida ouço o coaxo de um baixo profundo e ergo os olhos para ver uma enorme rã-touro verde, do tamanho de uma luva de beisebol, fechando a boca com um amplo sorriso. Ela pula na água com um grande estardalhaço. Eu pisco, e todas as criaturas desaparecem.

Tiram-me o fôlego essas pinceladas da natureza que acontecem com a presença ou não de qualquer ser humano. "Aprendi a te amar tarde, ó beleza ao mesmo tempo tão antiga e tão nova!", confessou Agostinho, lamentando o longo tempo que levou para voltar-se para Deus. No entanto, "em minha repelente condição eu mergulhei naquelas fascinantes coisas criadas que tu fizeste."

As aulas na escola enfocam tão intensamente o mundo invisível — conceitos como onisciência, onipotência e soberania — mas aqui no mundo visível, às margens da crença, sinto a primeira agitação espontânea do desejo de conhecer a fonte dessa beleza. Como diz G. K. Chesterton: "O pior momento para o ateu acontece quando ele se sente de fato agradecido e não tem ninguém a quem agradecer."

A natureza não me ensina nada sobre a encarnação ou a Vitoriosa Vida Cristã. Ela, porém, desperta meu desejo de conhecer o responsável pela borboleta-monarca, quem quer que ele seja.

"E disse o Senhor Deus: Não é bom que o homem esteja só..."

Em meu primeiro ano na faculdade bíblica, convidei várias alunas a jantar comigo durante o período de oitenta minutos em que a "socialização" era permitida. Eram encontros desajeitados em que alunos excessivamente bem vestidos marchavam cruzando a calçada rumo ao dormitório feminino a fim de apanhar suas "namoradas" para um tempo rigorosamente monitorado de conversação sem contato físico. Devido à minha fama de renegado, algumas alunas me descartavam de imediato. Outras faziam questão de que nosso encontro fosse tão desagradável que eu não as convidaria de novo.

No meu ano de calouro, o romance realmente não me interessa. Nem tenho certeza de que o amor romântico exista. A maior parte do mundo vai vivendo bem com casamentos arranjados, muitas vezes sem amor, e li que nosso conceito ocidental de amor é uma invenção de trovadores italianos do século 12. Pelo que posso ver, o romance quase sempre leva a mal-entendidos e ressentimentos.

Para ajudar a pagar a faculdade, candidato-me a um dos serviços mais desagradáveis, trabalhando na quente e apertada estação de lavar louça, onde os alunos depositam suas bandejas depois da refeição. Nós, os lavadores, raspamos o excesso de comida deixada nos pratos, separamos copos e talheres, enxaguamos todos eles e os dispomos na chiante e fumegante esteira de transporte da máquina de lavar louça. Numa pia de aço inox, esfregamos fragmentos de carne, massa e gordura das grandes panelas. É um trabalho sujo, que cheira mal e me lembra de meu emprego num caminhão de lixo.

É na estação de lavar louça que conheço Janet, uma aluna nova que acaba de se transferir para cá. Noto seu corpo esbelto e penteado atrevido quando ela se aproxima do balcão, dando risada com sua irmã mais velha. Faz alguns comentários levemente sarcásticos enquanto entrega a bandeja, e meus olhos a seguem enquanto ela se afasta e sai pela porta. Está com um vestido leve de algodão que põe à prova a regra do meio do joelho. Eu estou usando uma camiseta branca manchada de comida e de água amarronzada de lavar louça.

Convenço um amigo a nos deixar ir para a cidade com ele e sua namorada num encontro a quatro no fim de semana seguinte, e Janet aceita meu convite. A noite começa de um jeito improvável de dar certo. Naquela tarde, correndo de volta para o dormitório depois de transmitir uma partida de futebol, bato numa pedra que manda a motocicleta emprestada pelos ares. Ela cai em cima de minha perna e a quebra.

Os três vêm me apanhar no hospital, onde estou praticando caminhar de muletas. As primeiras palavras que Janet me dirige — "Tem gente que faz qualquer coisa para conseguir um pouco de atenção" — prendem *minha* atenção. Ela é insolente de um jeito jocoso, distinto do que eu esperaria de mocinhas bem-comportadas de uma faculdade bíblica.

Decidimos ir a uma pizzaria onde Janet e eu podemos ficar sentados enquanto o outro casal passeia pelas ruas do centro. "Sempre quis provar uma pizza", diz Janet, e por um minuto presumo que ela venha de um meio social recluso igual ao meu. Muito pelo contrário. Ela cresceu na Colômbia e no Peru e é filha de missionários. Enquanto eu estava passando por várias escolas primárias suburbanas, ela estava pescando piranhas num tributário do rio Amazonas e cuidando de seus *pets*: um papagaio, um filhote de jaguatirica e uma preguiça com três dedos.

Eu tenho dezessete anos e ela tem vinte, mas para mim parece ter um conhecimento do mundo acima de sua idade. Tem uma memória enciclopédica de letras de músicas dos anos 1950 e 1960. Passou um ano numa escola particular no Mississippi, e outro numa faculdade comunitária na Flórida. No Mississippi tentou fumar para manter-se acordada enquanto estudava e desenvolveu um gosto pelo rum com coca. "Então você se pergunta como vim parar aqui? Simples. Acabou o dinheiro e meu pai prometeu pagar meus estudos se eu me transferisse para a *alma mater* dele."

Logo fico sabendo que Janet é a única aluna cuja insatisfação com a faculdade bíblica se equipara à minha. Passamos a noite nos queixando das regras, dos professores desqualificados e da atmosfera enclausurada da faculdade. Ela parece não se sentir ameaçada com a minha atitude de sabichão e retribui cada um de meus sardônicos comentários na mesma moeda. Tem opiniões sobre tudo e as defende com veemência. Quando voltamos para o *campus*, vou aos saltos para o dormitório apoiando-me nas muletas como se tivesse participado de um medieval torneio de justas — e perdido.

Fico deitado na cama meditando sobre a noite que começou com dor e terminou com prazer. Não consigo tirar Janet da cabeça, nem quero tirar. Ela tem a estranha ideia de que as emoções devem ser expostas, não reprimidas. Se não gosta de alguma coisa, fica com raiva e não esconde isso de ninguém. Sua alegria é igualmente contagiante. "Meu coração está na cara", explica ela, a primeira vez que ouvi essa expressão estranha.

Encontramo-nos de novo no jantar do dia seguinte, e do seguinte. Janet é impulsiva, espontânea e se envolve totalmente com qualquer pessoa que venha a conhecer — exatamente o oposto do meu comportamento indiferente, reservado. Ao contrário de mim, ela acredita que a vida é para ser vivida, não observada ou analisada. Quando a apanho numa inconsistência, ela dá de ombros e cita um verso de Walt Whitman: "Eu me contradigo? Tudo bem, então me contradigo... Eu contenho multidões". E contém mesmo.

Naquele inverno o *campus* recebe uma extraordinária nevasca. Janet, criada na floresta amazônica e no sul da Flórida, nunca viu neve. Ela sai correndo do dormitório em seu roupão de banho, sem dúvida quebrando a regra, e sua colega de quarto tira uma foto dela num espontâneo êxtase: as duas palmas voltadas para o alto, a cabeça erguida para o céu, os olhos brilhando, a boca bem aberta, a língua para fora para capturar os brancos diamantes esvoaçando no ar.

A beleza, a alegria, a suavidade, o desembaraço — eu me admiro diante do que ela tão rápido despertou dentro de mim. Hesitante, menciono histórias do meu passado, histórias que jamais contei a ninguém: a vida num parque de *trailers*, meu braço deliberadamente quebrado, o episódio das tartarugas, meu racismo, a dupla personalidade da mãe, o colapso mental do irmão. Cada vez eu me preparo para a rejeição, e em vez disso ela reage com empatia. Normalmente conto mais do que pretendo; muitas vezes revelo mais do que sei.

Meu cuidadoso programa de autocontrole se desintegrou.

Escrevo uma carta de amor quase todas as noites, rascunhando-a num caderno e copiando-a em autêntico papel de carta na minha melhor caligrafia. Janet responde em papel de carta perfumado que seguro junto ao nariz e absorvo antes de ler.

O que uma mulher enxerga num homem? Não sei o que atraiu Janet para mim, e não penso muito nisso. Só sei que a quero em minha vida e não consigo imaginar uma vida sem ela.

Envio-lhe um poema de Yeats:

Minha roupa estenderia sob teus pés:
Mas, sendo pobre, eu só tenho sonhos;
Eu estendi meus sonhos sob teus pés;
Pisa leve, pois pisas nos meus sonhos.

Pisar leve ela pisa. Responde com um dos sonetos de Elizabeth Barrett Browning:

Um soldado vencido entrega a espada
A quem do chão o ergue ensanguentado,
Assim, Amado, aqui está registrada
Minha entrega final. [...]
Ama-me mais: aumenta o meu valor.

O que está acontecendo comigo? O simples gesto de uma mulher desejável estender sua mão mudou tudo. A bondade se tornou possível. Sinto-me inspirado a despir a concha, a tornar a reunir-me à raça humana e deixar de ser besta.

Durante o recesso de Natal, vou até a Flórida para conhecer a família de Janet. Comparada com a minha casa, mergulhada num sombrio silêncio, a dela parece uma colmeia. Com seis filhas muito comunicativas na família, eu mal falo, e nem preciso.

Pela primeira vez, passamos longas horas juntos, na praia ou simplesmente sentados num balanço num parque da vizinhança. Descubro que as férreas regras da faculdade contra o contato físico têm o efeito espontâneo de torná-lo mais divertido quando se está longe de lá. A cultura atual de "ficar" talvez não possa calcular a febril emoção de sentar-se perto o suficiente para sentir o calor da outra pessoa, ou do roçar de dedos debaixo de uma coberta, ou de um beijo que no *campus* incorreria em risco de expulsão.

"Tenho uma ideia", digo num impulso. "Que tal se nós terminarmos este ano letivo e depois nos transferirmos os dois para a Faculdade Wheaton, onde está meu irmão? Receberíamos uma educação muito melhor."

Espontânea como sempre, Janet logo concorda. "Já experimentei três faculdades... por que não uma quarta?"

Alguns dias mais tarde, num ônibus da Greyhound, cruzo o estado, onde minha mãe está visitando parentes. Enquanto fico olhando fora da janela para a paisagem plana e sem traços característicos, cada quilômetro levando-me para mais longe de Janet, um nó cresce na garganta. Sentindo alguma coisa nos olhos, pisco algumas vezes, e pela primeira vez em sete anos, sinto no rosto a umidade das lágrimas.

Retornando à faculdade, passo por uma cirurgia para consertar mais um osso fraturado: desta vez no pé, por causa de uma contusão jogando futebol. Fico cinco dias de cama no hospital olhando para o teto verde claro. De alguma forma, Janet descobre um jeito de fugir do *campus* e visitar-me. Ela repousa sua mão em minha pele febril e de repente está chorando, as lágrimas caindo como gotas de chuva sobre minha bata de hospital. Eu tremo, embora não de frio.

O aniversário dela acontece algumas semanas depois. Ainda de muletas, desço ruidosamente as escadas até a cozinha do dormitório e consigo fazer meu primeiro bolo. Não sei derreter a manteiga, e pequenos pontos amarelos salpicam a cobertura de chocolate. Meu colega de quarto atravessa o *campus* carregando o bolo e eu o sigo manquitolando, e mais uma vez as lágrimas dela chovem.

Naquela noite pulamos o jantar, e eu a convido a me seguir até a capela. "Tenho um presente para você", anuncio. "Você será a primeira pessoa desde meu sexto ano que vai me ouvir tocar piano." Ajusto o banco do Steinway, e Janet descobre um canto no chão, escondido atrás de uma cadeira, fora do campo de visão de quem porventura possa passar por ali. Minhas mãos tremem. Durante semanas estive treinando a *Sonata Pathétique* de Beethoven e preciso reunir toda a minha coragem para tentar essa peça, mesmo para uma plateia de uma só pessoa. Mas é o presente de aniversário dela, e o nome diz tudo: a Emotiva, ou Apaixonada, Sonata.

Os olhos dela brilham quando toco os acordes finais. "Obrigada", diz finalmente. "Vou me lembrar disto para sempre." Ela me sopra um beijo — o único tipo permitido — e nós deixamos a capela separados, para evitar que alguém nos acuse de ficarmos juntos a sós.

"Você escreve cartas tão bonitas", diz ela uma noite enquanto estamos sentados num fusca emprestado na entrada da casa da avó dela, "mas quero ouvir você dizer isso. Diga-me o que você sente."

Congelo. Discutimos nosso futuro juntos, falamos até de casamento. Mesmo assim, ainda não consegui proferir as palavras. Não as disse a ninguém desde a infância porque, simplesmente, não amei e não soube que era capaz de amar. Ela aguarda um minuto, mais um, dez minutos — dez minutos com o coração batendo forte, com a língua seca antes de eu ser capaz de dizer as palavras: "Eu... te... amo". Ela as arrancou do meu mais profundo eu.

Agostinho disse: "Mostrem-me um homem apaixonado; eu lhes mostrarei um homem a caminho de Deus". Muitas exceções saltam à mente, mas para mim o que ele disse deu provas de ser verdadeiro. No quarto do meu dormitório uma noite, folheio o livro que Janet me deu, *Sonetos da Portuguesa*, de Elizabeth Barrett Browning. Entre eles encontro um que diz:

Meu amor, meu amor,
Que me achaste quando o mundo sumiu,
E eu que só queria Deus achei a *ti*!

Eu preferiria inverter aquele último verso: "Eu que só queria a ti achei Deus!".

21

Contato

Se eu não tivesse visto o sol
Seria a sombra suportável
Mas a luz, nova vastidão,
Minha vastidão fez amável.

                Emily Dickinson

A natureza, a música e o amor romântico formaram uma escada para eu ascender de minhas planícies emocionais e espirituais. Mas ascender para onde? Em minhas caminhadas pelos bosques, tenho às vezes a sensação de estar sendo vigiado, a arrepiante possibilidade de que algo invisível (um urso, um puma) poderia estar por perto, à espreita. Tocando piano na capela escura, de vez em quando sinto uma investida de beleza transcendental. Com Janet sinto o alvoroço do romance e o primeiro sabor real da alegria. Nunca, porém, posso subir até aquele último degrau da escada.

Deus paira como uma névoa sobre o *campus* da faculdade bíblica — celebrado em cânticos, testemunhado, estudado, temido. Contudo, para mim, seja em família, seja na igreja ou na faculdade, os impulsos de fé sempre se mostraram falíveis. *Eu* me mostrei falível. Com demasiada frequência adotei o disfarce de cristão, e acabei vendo a realidade desaparecer como vapor.

Resigno-me a uma identidade como a do apóstata do *campus*. Os alunos de uma faculdade bíblica não sabem o que fazer com alguém como eu, um segundanista que discute com seus amados professores, lê a revista *Esquire* na capela e desdenha encontros de oração. Geralmente, me evitam. Janet acaba sendo pintada com as mesmas cores: é a única mulher em seu dormitório que não tem uma colega de quarto, para evitar que ela influencie alguma jovem alma impressionável.

Há exceções. Depois de minha cirurgia, meu amigo português, Joe, por um tempo faz uma troca com seu colega de quarto para poder cuidar de mim. Constrói uma geringonça de papelão que deixa os lençóis erguidos e afastados de meu pé quebrado, e também me traz comida da cantina. Joe e os dois outros colegas escalados para realizar a "obra" na vizinha universidade estadual sabem que lá eu passo a maior parte do tempo vendo esporte na tevê do centro estudantil. No entanto, eles não complicam a situação nem me denunciam.

No fim de fevereiro do segundo ano, o Sr. H. marca uma tarefa para sua turma de hermenêutica: "Escrever um ensaio sobre uma ocasião em que Deus falou com você por meio de uma passagem bíblica".

Não faço ideia do que escrever. Pelo que sei, Deus nunca falou comigo, muito menos por meio da Bíblia. Houve ocasiões em que papagueei as respostas certas, mas sempre com a sensação de que memorizei o papel para uma representação. Não consigo distinguir o autêntico do falso.

O Sr. H. estabelece a data do ensaio para a semana seguinte, e eu começo a revisar meu passado na escola dominical a fim de inventar algo aceitável.

Alguns dias depois a equipe com a qual realizo o trabalho na universidade vizinha se reúne para um encontro de oração, como fazemos todas as quartas-feiras. Seguimos um padrão consistente: Joe ora, Craig ora, Chris ora, depois os três fazem polidamente uma pausa, esperando por mim. Eu nunca oro, e depois de um breve silêncio abrimos os olhos e voltamos para os quartos no dormitório.

Com o prazo final do ensaio assomando, junto-me à equipe de má vontade para o encontro requerido. Joe ora, Craig ora, Chris ora, e eles aguardam os costumeiros poucos segundos. Para surpresa de todos — sobretudo de mim mesmo — começo a orar em voz alta.

"Deus...", digo, e o ambiente crepita cheio de tensão. Uma porta bate no corredor, interrompendo-me.

Começo de novo. "Deus, aqui estamos nós, supostamente preocupados com aqueles dez mil alunos da universidade que estão indo para o inferno. Bem, o senhor sabe que não ligo se todos eles forem para o inferno, se é que o inferno existe. Não ligo se *eu* for para o inferno."

Eu poderia muito bem estar invocando bruxaria ou oferecendo sacrifícios de crianças. Mesmo assim, estes são meus amigos, e nenhum deles se mexe. Minha boca fica seca. Engulo com dificuldade e continuo. Por alguma razão começo a falar sobre a parábola do bom samaritano, que acaba de ser estudada em uma de minhas aulas. "Nós supostamente sentimos pelos alunos da universidade a mesma preocupação que o samaritano sentiu pelo judeu ensanguentado que jazia na sarjeta", oro. "Eu não sinto essa preocupação. Não sinto nada."

E em seguida acontece. No meio de minha oração, enquanto admito falta de preocupação com nossos designados alvos de compaixão, a parábola apresenta-se a mim numa nova luz. Fiquei visualizando a cena ao falar: um homem moreno do Oriente Médio, vestindo uma túnica e um turbante, inclinando-se sobre um vulto sujo, manchado de sangue, numa sarjeta. Sem aviso prévio, aquelas duas figuras agora se transformam na tela interior de minha mente. O samaritano assume o rosto de Jesus. O judeu, lastimável vítima de um assalto numa estrada, também assume outro rosto — um rosto que reconheço, assustado, como sendo o meu.

Em câmara lenta, vejo Jesus abaixando-se com um pano umedecido para limpar minhas feridas e estancar o sangue. À medida que ele se curva na minha direção, vejo a mim mesmo, a vítima ferida de um crime, abrindo os olhos e cuspindo nele, bem no rosto. Simplesmente isso. A imagem me enerva, a mim, o apóstata que não acredita em visões ou em parábolas bíblicas. Fico sem ter o que dizer. Abruptamente, interrompo a oração, levanto-me e deixo a sala.

Durante toda aquela noite, reflito sobre o que aconteceu. Não foi exatamente uma visão: foi mais um vívido devaneio ou uma epifania. Seja como for, não consigo tirar da cabeça aquela cena. De um só golpe minha insolência foi estilhaçada. Sempre encontrei segurança em minha condição de estranho, o que numa faculdade bíblica significa um estranho em relação à fé. Agora tive um novo e humilhante vislumbre de mim mesmo. Com toda a minha arrogância e escarnecedora condescendência, talvez eu seja o mais necessitado de todos.

Um sentimento de vergonha toma conta de mim. Envergonha-me que minha fachada de autocontrole tenha sido desmascarada. E também me envergonha que eu possa acabar sendo mais um cristão comum produzido em massa nesse *campus*.

Escrevo um breve bilhete para Janet, dizendo-lhe cautelosamente: "Quero esperar mais alguns dias antes de conversar sobre isto, mas talvez eu tenha tido a primeira autêntica experiência religiosa de minha vida".

Embora o Sr. H. tenha prometido dedicar o período da aula seguinte à leitura pelos alunos de seus ensaios sobre "quando Deus falou com você", ele se perde e depois consulta o relógio e percebe que só faltam dez minutos para o sinal do fim da aula. "Minha nossa, só temos tempo para dois dos seus relatos", diz lamentando. "Quem gostaria de ler?"

Uma aluna levanta a mão e diz que foi muito difícil escolher porque Deus com muita frequência fala com ela por meio da Palavra. Sua leitura leva cerca de seis minutos. Fico acompanhando porque brinquei com a ideia de ler meu relato. Sinto irritantes gotículas de suor na testa enquanto a colega prossegue monótona. Agora, para meu alívio, parece que não vou ter aquela oportunidade.

Depois que a aluna termina, o Sr. H. diz: "Obrigado. E parece que temos tempo para mais um relato". Mãos sobem como foguetes pela sala, e eu ergo a minha não mais do que pela metade. Os olhos dele correm a sala e se fixam em mim. Depois de nossa sessão particular de aconselhamento, não vejo nenhuma probabilidade de ele me chamar.

"Philip, que tal o seu?", pergunta.

Quando me levanto, posso ver os alunos trocando olhares. Limpo a garganta algumas vezes e começo. "C. S. Lewis certa vez disse que às vezes Deus mostra sua graça arrastando-nos para si enquanto esperneamos e gritamos e batemos nele com nossos punhos. Essa é a minha história."

O papel treme em minhas mãos, e eu me esforço para controlar-me. Há um silêncio na sala, e ninguém se mexe. "Eu gemi quando o Sr. H. anunciou a tarefa. Até quarta-feira à noite, não fazia ideia sobre o que poderia escrever. Aqui está."

Olho para o relógio na parede e depois para o papel.

"Gostaria que todos vocês me ignorassem depois desta aula. Seu encorajamento é sincero, eu sei, mas também se transforma numa grande muleta. Neste lugar um testemunho e algumas lágrimas no momento certo geralmente granjeiam aceitação em qualquer grupo.

"Não ignoro o que muitos de vocês pensam de mim. Eu não sorrio e sento-me isolado na sala de aula. Não oro antes das refeições. Leio revistas na capela. Julgo-me um intelectual e tento racionalizar tudo. Exatamente como meu irmão. Por que deveria eu orar antes das provas quando, de qualquer maneira, poderia tirar A em tudo? E por que orar por gente de quem não quero nem saber?

"Antes de continuar, permitam-me acrescentar um item: aqueles que parecem menos dignos de ser amados geralmente são os que mais precisam de amor."

O sinal toca, mais forte e estridente que o normal. Outras salas vão se esvaziando e o corredor se enche de conversas. Na nossa sala, ninguém se mexe para pegar seus livros e papéis. O Sr. H. faz um gesto para que eu continue lendo.

Brevemente descrevo a experiência no quarto do dormitório e minha oração improvisada.

"Comecei dizendo a Deus como eu odiava as pessoas e realmente não me importava se toda aquela maldita universidade fosse para o inferno. Disse a Deus que não o amava, que nunca o amara e nunca soubera como amá-lo — como se Deus já não soubesse.

"Alguma coisa aconteceu. Desta vez Deus não bateu a porta na minha cara. Eu estava pedindo a Deus que de algum modo, embora eu não quisesse isso, ele me concedesse o amor do bom samaritano. Que amou irracionalmente, sem nenhum motivo. Que amou um mendigo repelente, sujo.

"Então percebi. Eu era o mendigo, e Deus estava tentando *me* ajudar. Cada vez que ele se curvava sobre mim eu cuspia no rosto dele. Pior ainda, eu queria continuar mendigo. Um mendigo inteligente, sofisticado, por opção.

"Nas palavras de Jó: 'Com o ouvir dos meus ouvidos ouvi, mas agora te veem os meus olhos. Por isso, me abomino e me arrependo no pó e na cinza'.

"Foi assim que Deus falou comigo na noite da última quarta-feira."

Apanho meus livros e me encaminho para a porta antes que mais alguém na sala tenha a oportunidade de se mexer, e sou imediatamente tragado pela barulhenta multidão no corredor. Outros alunos respeitam meu pedido durante todo aquele dia. Ninguém bate em meu braço e me convida para o círculo interno. Deixam-me só, exatamente como pedi.

Parte de mim — uma parte bastante grande — espera que isso também passe. Quantas vezes não dei o passo para a frente visando aceitar Jesus no meu coração, só para mais tarde descobrir que ele não estava lá? Sinto uma espécie de tímido horror de recuperar a fé. Mas também me sinto obrigado a admitir o que me apanhou de surpresa, a dádiva da graça não buscada nem desejada.

Dato minha conversão a partir daquele pequeno encontro num quarto de dormitório precariamente mobiliado. Umas cinco décadas depois, ele ainda se destaca como o singular momento crítico de minha vida. Aquela noite de quarta-feira a areia me faltou sob os pés e eu não tinha nenhum indício de aonde iria me levar a onda seguinte.

Certa vez, contei minha experiência a um amigo cético, que me ouviu com curiosidade. Ele observou que há, naturalmente, explicações alternativas para o que aconteceu. Durante anos eu vinha reagindo contra uma criação fundamentalista, e isso sem dúvida havia criado dentro de mim uma profunda "dissonância cognitiva". Uma vez que eu tinha passado tanto tempo sem orar, não deveria me surpreender que minha primeira oração, por menos tradicional que fosse, liberasse uma enxurrada de emoções que poderiam provocar uma "revelação" como aquela da parábola do bom samaritano.

Eu sorria enquanto ele falava porque me reconheci em suas palavras. Eu havia empregado uma linguagem semelhante para racionalizar os testemunhos pessoais de dezenas de meus colegas de faculdade. As conversões só fazem sentido de dentro para fora, para o colega-convertido. Para os não iniciados elas parecem um mistério ou uma ilusão.

Anos mais tarde recebi uma carta de um filósofo cristão que pesquisava conversões. Eu lhe fiz um relato abreviado da minha, e ele me respondeu, surpreso por eu não ter apresentado argumentos racionais convincentes. "Você é um *fideísta*?", perguntou. Tive de procurar a palavra no dicionário: "Alguém que acredita baseado na fé e não na filosofia ou no raciocínio científico".

"Não sei", respondi. "Só sei que o evento aconteceu, o evento mais seguro de minha vida sobre o qual tenho a maior certeza, um fato que eu não havia planejado nem orquestrado. Possivelmente não vou conseguir apagar aquele momento de minha vida. Eu me senti *escolhido*."

No fim, minha ressurreição da fé teve pouco a ver com lógica ou esforço e tudo a ver com o insondável mistério de Deus. O apóstolo Paulo curvou-se diante desse mistério. Por que foi ele, alguém que se descrevia como "o pior dos pecadores", escolhido para proclamar a mensagem que ele havia jurado destruir? Por que o fingido Jacó foi escolhido e seu irmão

Esaú rejeitado? Paulo não tem outra resposta que não seja citar as próprias palavras de Deus: "Compadecer-me-ei de quem me compadecer e terei misericórdia de quem eu tiver misericórdia".

Estremeço sempre que leio essas palavras, porque penso em meu irmão, que buscou Deus exatamente quando eu fazia o contrário. E penso em meu pai, um homem muito mais devoto que eu, totalmente comprometido com uma vida a serviço de Deus, que morreu antes de completar 24 anos. Como Paulo, como Jacó, não posso começar a responder por Deus. Posso apenas aceitar a dádiva generosa da graça de mãos abertas.

Alguém existe, entendi naquela noite de inverno num quarto de um dormitório de uma faculdade. Mais ainda, Alguém existe e me ama. Senti o leve toque da onipotência de Deus, o mero roçar de um dedo divino, e isso foi suficiente para estabelecer um rumo novo para a minha vida.

A essa altura, Janet e eu já acionamos nossas transferências para a Faculdade Wheaton no fim do ano letivo. Fomos aceitos e preenchemos nossos pedidos de auxílio financeiro.

"Talvez a gente devesse repensar a transferência", digo uma noite, enquanto caminhamos de volta para o dormitório dela. "Nenhum de nós dois tem o dinheiro para pagar Wheaton. Além disso, nós dois temos tantos créditos extras que podemos nos diplomar um semestre mais cedo."

Todo aquele semestre e verão adentro conversamos sobre nossas opções. Um novo presidente contratou alguns novos docentes promissores na faculdade bíblica, e as perspectivas acadêmicas melhoraram. Finalmente, escrevemos para a escola perguntando se poderíamos nos juntar novamente a nossos colegas de turma como juniores. Nós dois sentimos, com certa relutância, que temos mais a aprender nesse lugar.

22

Marshall

> Diga-me, o que você pensa fazer
> Com sua indômita e preciosa vida?
>
> Mary Oliver, "O dia de verão"

A experiência que mudou minha vida na faculdade bíblica não impressiona minha mãe. Ela me viu fingir o tempo todo na minha convivência nos acampamentos e na igreja. Eu sou o fingido, o dissimulado. O que quer que tenha acontecido naquele quarto do dormitório provavelmente não vai durar. Além disso, ela tem de se preocupar com Marshall, que vem avançando desgovernado por um novo caminho como um carro sem freios.

O ano é 1968 e, como muitos universitários, Marshall aderiu à contracultura. Quando voou de volta para passar o verão em casa, depois de seu penúltimo ano em Wheaton, nossa mãe foi buscá-lo no aeroporto. Assim que viu seu cabelo comprido e desgrenhado e o bigode, ela lhe deu as costas e se recusou a falar. Ela permite que ele fique na casa aquele verão, mas o proíbe de frequentar a igreja porque seria a ruína da reputação dela se vissem seu filho *hippie*. Essa regra ele acata com prazer.

Durante todo aquele verão sinto-me no meio de um cabo de guerra na família. Estou cautelosamente retornando rumo à fé, buscando algum chão firme. Estou preocupado com meu irmão, e rechaço a atitude virtuosa de nossa mãe. Eu me pergunto se ela cumpriu sua ameaça de rogar uma "maldição" para Marshall, mas não ouso mencionar esse tópico explosivo.

Quando minha mãe e meu irmão remexem seus antigos conflitos, eu geralmente fico ouvindo do lado de fora, andando na ponta dos pés entre dois titãs exaltados. Em cada discussão que acontece — política, religião, Guerra do Vietnã — ele defende o extremo oposto dela. "Eu não tinha dúvidas sobre o que aconteceria se você fosse para Wheaton", diz ela. "Olhe só para você. O resultado foi exatamente o que achei que seria."

Abalado pelo colapso mental do primeiro semestre, Marshall começa a tratar-se com uma psiquiatra. Numa série de sessões semanais, Penny ouve a história da vida dele e, perto do fim do verão, ela lhe apresenta um diagnóstico de "esquizofrenia paranoide crônica indiferenciada". Quando ele casualmente menciona essa notícia, eu fico olhando para meu irmão, meu confidente. Será que realmente o conheço? Ele tem profundas variações de estado de espírito e comportamento, sim — mas doente mental?

"Me diga a verdade", eu lhe peço, enquanto ele está fazendo as malas a fim de voltar para Wheaton e cursar seu último ano de faculdade. "Você realmente acha que está louco?"

"Não sei, mas Penny salvou meu pescoço", responde. "Algumas semanas atrás fiz meu exame médico para o alistamento militar. Fui aprovado com louvor até apresentar ao sargento um envelope de Penny no qual se lia 'Extremamente Confidencial'. Ele deu uma olhada na carta contida no envelope e me dispensou. Aquele diagnóstico me poupou de servir o exército e provavelmente do Vietnã."

Durante a sessão final, a psiquiatra dá mais um presente a Marshall. "Você conhece o jeito da Penny", ele me diz mais tarde aquela noite. "Ela tem uma fala mansa que leva a gente a pensar que é uma daquelas mulheres açucaradas do Sul. Não é. Ela se curva para a frente, me olha direto nos olhos e diz: 'Marshall, vou sempre negar ter um dia dito isto, mas você sabe que a louca é sua mãe, não sabe?'"

Sua voz falha quando ele tenta falar de novo. "Nem sequer uma vez essa possibilidade passou pela minha cabeça. Não respondi, mas Penny percebeu que fiquei um pouco atordoado. Esperou alguns minutos e acrescentou: 'E se não aceitar esse fato, você nunca vai ficar bem.'"

Volto para a faculdade bíblica, e Marshall retoma seus estudos no Conservatório de Música de Wheaton. Suas cartas naquele semestre têm um novo tom feliz depois que ele reata com sua namorada, Diane. Os dois passam cada minuto livre ensaiando duetos ao piano. "Seu irmão é a pessoa mais amável, sensível e totalmente romântica que já conheci", Diane me escreve. "Só ouvir uma peça de música já consegue fazê-lo chorar." Eles começam a falar em casamento.

Marshall e eu estamos ambos em Atlanta no recesso de Natal quando o plano cai por terra. Ele lhe envia cartas diariamente e não recebe nenhuma em resposta — com exceção de uma carta de rompimento. Nela, Diane confessa que falou demais com o pai e a mãe a respeito dele. Ambos a proibiram terminantemente de continuar a encontrar-se com "aquele cabeludo agnóstico".

Meu irmão está desconsolado. Senta-se no quarto cismado ou sai andando pela vizinhança, fumando cigarros. Nada que eu diga consegue penetrar em sua tristeza. O silêncio novamente domina a família.

De volta a Wheaton, ele consulta o psiquiatra da instituição, que confirma o diagnóstico de Penny. Marshall decide abandonar a faculdade, exatamente antes do semestre final. Um dia na caixa postal do *campus*, abro um envelope e leio esta nota enigmática: "Está chovendo, zero grau. Para casa, derrotado, considerado louco". Ele está voltando para Atlanta.

Sem um tostão e não tendo onde morar, Marshall aparece, desesperançado, na entrada da casa da mãe. Seguem-se algumas semanas em que ele vive num estado de confusão.

Num telefonema pergunto como ele vai indo. Ouço uma resposta amarga. "O que é que você acha? Sou um fracasso. Abandonei a faculdade, sou louco, morando com uma mãe que não me suporta." Durante o resto daquele ano letivo, mantenho contato com ele por meio de cartas e telefonemas. Invertemos os papéis, como se ele fosse agora o irmão mais novo e eu o protetor.

Precisando de dinheiro, Marshall recorre a seu antigo empregador, o Hospital Grady, e é readmitido. Uma enfermeira vigorosa o acolhe sob suas asas, vibrando por ter um assistente com algum estudo. "Sr. Homem", ela o chama, como chama todos os de sexo masculino do hospital, "como você se sente em relação a pessoas mortas, Sr. Homem? A maioria dos meus outros homens tem medo delas." No seu primeiro turno, ele segura a mão de uma pessoa que morreu queimada a fim de transferir o corpo para uma maca, e um grande pedaço de pele carbonizada escorrega da mão como uma luva. Isso não o perturba. Dali por diante, sempre que um paciente morre a enfermeira o chama.

No necrotério, ele estuda os corpos estendidos sobre mesas de aço. Nosso próprio pai poderia ter jazido nesse recinto, se não fosse antes transferido para um centro quiroprático. Marshall tenta imaginar a vida das vítimas antes das doenças, tiros ou facadas que as levaram à morte. "Gosto do necrotério", ele me diz num telefonema. "Em primeiro lugar, tem ar-condicionado. E ninguém enche a paciência. Por isso passo lá meus intervalos do almoço e leio livros de filosofia."

Outro assistente lhe dá *O livro de Urântia*, uma mistura desconexa de 2.097 páginas de filosofia e espiritismo que influenciou Jimi Hendrix e Jerry Garcia. Esse livro alega ter sido ditado por seres celestes, e Marshall o considera totalmente convincente. Mas também, ele considera tudo convincente, por um tempo.

Cada dia quando Marshall entra em casa depois do trabalho, a mãe faz caretas. Esse é o mesmo filho que planejou ser um missionário, que foi presidente de um clube da Mocidade Para Cristo e um pianista de igreja. Agora ela só enxerga uma cabeluda aberração da natureza. Uma vez, ela se recusa a deixá-lo entrar porque ele aparece usando óculos com redondos aros de metal como os de John Lennon.

Para evitá-la, Marshall vai jogar boliche depois de seus plantões no hospital, ficando fora até depois de meia-noite para que seus caminhos não se cruzem. Em noites quentes ele fica sentado do lado de fora da casa, deitado numa espreguiçadeira, nu, e fumando até sentir vontade de ir dormir. Sua assinatura da *Playboy* é enviada para casa, provocando uma grande explosão.

Alguns dias depois, nossa mãe volta para casa e encontra o quarto de Marshall vazio. Ele se mudou, e ela não faz ideia de onde ele está. Por um ano não tornará a vê-lo.

Eu saio da escola em maio e localizo Marshall. Ele trocou de hospital. Mora numa comunidade informal com um objetor de consciência e sua namorada, juntamente com um vaivém de visitantes que "despencam" no chão em sacos de dormir. Marshall me convida a ir lá. "Ei, pessoal!", diz ele. "Este é o meu irmão certinho da faculdade bíblica."

Ele me mostra o lugar, explicando-me as maravilhas da geração paz e amor. Marshall pintou um quarto de laranja e outro de púrpura, e bolou uma luminária com copos de isopor colados juntos. Listras coloridas de batique caem do teto, juntamente com esculturas de teias de aranha feitas com fios. Ele aponta para os acessórios que compraram de segunda mão: lâmpadas de lava, cadeiras de sacos de feijão e um assento de banheiro estofado preto.

Eu o visito periodicamente, para tristeza de nossa mãe. Parece-me que finalmente meu irmão conquistou um estado de liberdade completa. Tem um novo grupo de amigos, nenhum dos quais monitora seu comportamento ou o julga. Come o que quer, sobretudo purê de batata, macarrão e queijo. Há dias em que não fala absolutamente nada, enquanto em outras ocasiões ele domina a conversa, pontificando sobre filosofia e renarrando histórias de sua criação como fundamentalista. E sempre que ele se senta ao surrado piano que arranjou em algum lugar por aí, toda conversa cessa.

Logo ele se muda para um apartamento com integrantes de uma banda de *rock*, que lhe ensinam seu estilo de música e de vida. "Prove estas", dizem, e lhe dão umas cápsulas de metaqualona. "Você precisa da droga certa para ouvir *rock*." Nem a música nem os comprimidos produzem algum efeito. A noite seguinte, porém, ele prova cogumelos psicodélicos, e o universo explode. À medida que a droga atua, ele ouve, fascinado, a peça "In-A-Gadda-Da-Vida" do conjunto Iron Butterfly, um arranjo improvisado de *heavy metal* que dura dezessete minutos.

Marshall foi fisgado. "Estou mudando de carreira", ele me informa. "Vou ser um organista de *rock*." Vislumbro em perspectiva as cartas que ele me escreveu em seu primeiro ano em Wheaton, quando toda sua filosofia de vida mudava a cada semana ou mais ou menos isso. Mais uma vez ele está girando como a roda de uma roleta.

Em vez do *rock'n'roll*, Marshall é fisgado pelas drogas, sobretudo o LSD. Todas as tardes de domingo ele e alguns amigos se amontoam em seu Plymouth 1949 (uma herança recente de nosso avô Yancey) e vão para o Parque Piedmont, onde tomam ácido e mefedrona e empinam pipas. Ou simplesmente ficam sentados na grama de pernas cruzadas e observam o mundo ao redor deles transformando-se. Uma fofa nuvem branca no céu se divide em duas e escorre rumo à terra, como uma pintura de Dalí. O sol se descasca em segmentos laranja-sangue. Um cachorro numa coleira levita acima do chão e transforma-se num unicórnio. Marshall estende a mão e de fato tem a sensação tátil de acariciar o unicórnio.

O mundo parece e soa e fica melhor com o ácido. As flores brilham com uma intensidade de outro mundo: as pétalas amarelas são fios de ouro, as rosas são como rubis aninhados em folhas de esmeralda, e às vezes elas falam! Alguém acende um fósforo para um cigarro de maconha: *Que luz radiante!* Uma banda por perto está tocando, e Marshall consegue ouvir cada nota isolada de cada instrumento.

Marshall se torna um evangelista do LSD. "Você deveria provar um pouco", ele me instiga. "Timothy Leary em Harvard diz que o LSD pode ajudar a curar a esquizofrenia, e acho que ele está certo. O ácido me faz esquecer os problemas e abre minha mente. Talvez ajude você a explorar o espiritual, ou até o sobrenatural." Polidamente recuso.

Aprendi a nunca dizer nada que possa soar como um julgamento ou mesmo uma compassiva desaprovação: isso desperta lembranças de nossa mãe, e Marshall entra em erupção.

Depois daquele verão volto à faculdade bíblica para um último semestre. Janet e eu nos diplomamos cedo, em janeiro de 1970, e voltamos para Atlanta a fim de planejar nosso casamento em junho. Nós dois nos empregamos no Departamento do Censo e começamos a guardar dinheiro para nossa transferência para Wheaton, onde fui aceito na pós-graduação.

Numa fresca noite de março estou sentado em casa sozinho. Minha mãe está fora dando uma aula de Bíblia. Ela não tem visto Marshall faz quase um ano, e eu lhe forneci bem poucos detalhes sobre o novo estilo de vida dele.

O telefone toca. "A Sra. Mildred Yancey está em casa?", pergunta um homem quando atendo o telefone.

"Não, não está. Quer deixar um recado?"

"E Philip David Yancey?"

"Sou eu. Posso ajudar?"

"Pode sim. Aqui é o Departamento da Polícia do Condado de DeKalb. Temos um detido que se chama Marshall Yancey, e ele está bastante mal. Diz que está sob o efeito do ácido... não sei. Melhor você vir para cá, e eu recomendo que venha com a pessoa mais forte que você conhece."

"Poderia me dizer por quê?"

"Claro. Porque ele é violento."

"Meu irmão é um pacifista", protesto. "Não machucaria ninguém."

O homem ri de um jeito amigável. "É mesmo? Ele já derrubou duas pessoas e me prendeu no chão em uma chave de braço. O melhor para você é não aparecer sozinho."

Quando desligo meu coração está batendo tão forte que posso senti-lo contra a caixa torácica. Estou assustado, agitado e incrédulo ao mesmo tempo. Ligo para Penny, a psiquiatra de Marshall, e peço-lhe seu parecer. Ela diz que devo levá-lo a um lugar seguro (ela vai tentar achar alguém para ajudar) e procurar fazer que ele coma e beba. "Ele está alucinando, por isso é importante que você o acompanhe até ele voltar ao normal", diz ela.

Em seguida, ligo para o nosso confiável tio Winston e peço-lhe que se encontre comigo na delegacia de polícia em Decatur, um subúrbio de Atlanta.

A temperatura externa é de cinco graus, e eu jogo no carro uma jaqueta extra pensando que Marshall pode precisar dela. Forço-me a parar nos semáforos vermelhos e manter-me nos limites de velocidade, embora o coração esteja disparado como o motor de um carro de corrida.

O policial amigável, um sargento, me saúda na delegacia e me conta o que aconteceu. Estamos num posto policial aberto, cercados por rádios crepitantes e policiais tomando café em copos de isopor. "Então, o caso é o seguinte", diz. "Recebemos um telefonema de um senhor idoso. Ele estava rastelando seu gramado quando um *hippie* quase nu entrou em seu jardim: esse seria seu irmão. O senhor idoso perguntou a seu irmão se ele precisava de alguma ajuda e recebeu um soco no queixo. Você tem sorte que o cidadão não está apresentando nenhuma queixa. Nós chegamos lá e encontramos seu irmão de cuecas sentado no gramado. Eu sou o policial que ele prendeu no chão. Dois policiais precisaram intervir para tirá-lo de cima de mim; e como você pode ver, não sou pequeno."

Logo meu tio chega. Conversamos por um tempo, contando ao sargento parte da história de Marshall. No fim ele diz: "Minha sugestão: estou disposto a quebrar o galho para seu irmão. Pelo que sabemos, ele não tem nenhuma passagem pela polícia. Talvez isso lhe sirva de lição sobre aquelas drogas. Posso deixá-lo aos cuidados de vocês. Só tenho mais uma coisa que preciso esclarecer. Ele tem muitas marcas de agulhas nos dois braços. Quando perguntei sobre isso, ele respondeu que doa sangue. Mas, puxa vida, ninguém doa tanto sangue assim. Ele está viciado em heroína?"

Explico que Marshall tem um tipo raro de sangue e regularmente doa plasma para ganhar um dinheiro extra. O sargento parece convencido e nos leva para uma cela de concreto. Diretamente sob uma lâmpada simples está sentado meu irmão num banquinho de metal. Seus pulsos estão algemados um ao outro atrás das costas e em volta de um cano, forçando-o a curvar-se para a frente. Está descalço, ainda vestindo apenas suas cuecas, tremendo. O cabelo, uma massa de caracóis sujos, brota de sua cabeça. Seus óculos estão faltando. Lentamente, ele ergue a cabeça e seus olhos me localizam, embora sem nenhum sinal de reconhecimento.

Ele continua me olhando, e eu sinto um súbito arrepio na nuca. Marshall sempre foi o sofisticado irmão mais velho. Eu o vi citando filósofos em torneios de debates promovidos por universidades e apresentando-se em concertos de música clássica em traje a rigor. Essa criatura diante de mim parece um animal selvagem.

Apoio uma das mãos na parede para me firmar. "Marshall, sou eu, Philip. E o tio Winston. Viemos levar você para casa."

O sargento solta as algemas de Marshall. "Vamos, companheiro", diz ele. "Estamos deixando você em liberdade desta vez. Mas nunca mais torne a fazer uma maluquice como essa." Meu irmão esfrega os pulsos, mas não mostra nenhuma reação.

Corro até o carro para pegar a jaqueta extra, e o sargento arranja uma calça de moletom suja para que Marshall se vista. Quando saímos para o frio, posso ver os lábios de meu irmão se movendo e percebo que está falando sozinho. Abro para ele a porta do passageiro, não sabendo se ele vai me atacar. Ele me olha nos olhos pela primeira vez durante todo aquele tempo.

"Relaxa, garoto", diz, voltando a ser de novo meu irmão mais velho.

Cumprindo sua palavra, Penny achou um lugar seguro, o apartamento de uma funcionária confiável da igreja. Vamos para o apartamento de Chloe, e durante algumas horas esperamos que Marshall se reconecte com a realidade. Está sentado num sofá estofado, e com intervalos de poucos minutos ergue os olhos e me fita atentamente por longos momentos. Suas pupilas se dilataram, cobrindo a cor castanha de sua íris. Não consigo sustentar seu olhar. Quando crianças costumávamos fazer desafios de olhares, e eu sempre perdia.

"Você gostaria de comer alguma coisa?", pergunta Chloe. "Que tal um sanduíche de presunto?" Ele lhe dirige aquele olhar de *laser* e faz um gesto quase imperceptível de aceitação. "Ótimo! Você gosta de maionese? Mostarda? Queijo? Que tipo de pão você prefere?" Nenhuma resposta.

Dou dicas a Chloe sobre as preferências alimentares de meu irmão, e ela corre para a cozinha. Os dois polegares de Marshall estão mexendo para cima e para baixo tocando os dedos indicadores. Ele me mostrou certa vez que criou um teclado imaginário, uma oitava em cada dedo indicador, para praticar a música que está sempre tocando na cabeça dele.

Quando Chloe volta com o sanduíche, Marshall o apanha com uma das mãos e o levanta contra a luz de um abajur. Ele o vira em todas as direções, estudando-o, sem mordê-lo mas também sem devolvê-lo. Bebe um pouco de chá gelado, todavia — um gole por vez, timidamente, como se pudesse estar envenenado.

"Você sabe onde está?", pergunto. Ele se volta para mim, e de novo não consigo sustentar o olhar dele. Dou explicações sobre o apartamento de Chloe que Penny ajudou a arranjar. "Não se preocupe, logo vamos levar você para casa."

Dez minutos depois ele pergunta: "Onde estou?", e eu repito a explicação.

Finalmente, depois da meia-noite, Marshall pede para voltar para casa. Parece mais calmo, mais racional, e durante o trajeto ele me faz perguntas sobre o que aconteceu. Ele não se lembra de bater em ninguém e não sabe como chegou ao lugar onde foi preso, a uns oito quilômetros de onde mora.

De volta em sua residência, sete amigos ainda estão acordados esperando, felizes por nos verem chegar. Reagem com entusiasmo: "Cara, fantástico! Você deu uma surra num policial, e eles deixaram você ir embora? Você é o fdp mais sortudo do mundo!". À medida que eles riem e o parabenizam com tapas nas costas, Marshall visivelmente relaxa.

Todo mundo se acalma, e juntos tentamos reconstruir a sequência dos fatos. Naquela tarde na sala de visitas, os amigos de Marshall distribuem alguns tabletes de LSD. "Não sei por quê", Marshall relembra, "mas de repente eu achei que todos vocês queriam me matar." Ele saiu de casa correndo, perseguido por dois deles. Quando seus amigos o agarraram, ele se soltou, agitando freneticamente os punhos, e começou a correr. Eles o viram correndo no meio da Avenida Ponce de Leon, uma das ruas mais movimentadas de Atlanta.

Esses detalhes despertam alguma coisa na memória de Marshall, e ele continua a história. "Lamento, pessoal. Simplesmente vi perigo em toda parte. Demônios usando máscaras grotescas estavam disparando metralhadoras contra mim de todos os carros. As casas tinham *bunkers* com canhões protuberantes. Eu tinha uma sensação de pancadas no peito: um demônio havia se apossado do meu corpo. Sabia que tinha de continuar correndo, ou morrer..." — Faz uma pausa, e ninguém diz nada.

"No fim, eu de fato morri. Acabei no inferno diante de um grande tribunal, o conselho dos deuses malignos. Não parecia um sonho. Essas criaturas eram reais. Eu podia tocá-las. Eles pediram que eu declarasse solenemente qual tinha sido o valor da minha vida. Eu tinha de provar que a minha vida tem algum valor, alguma validade, antes de eles me deixarem voltar à realidade."

A voz dele se torna mais suave, e nós precisamos nos esforçar para ouvi-lo. "Lá estou de pé, nu perante o tribunal, e não tenho nada para dizer. Sou um perdedor. Não consigo me conectar com ninguém. Estou sozinho. Então vejo uma pessoa bem na minha frente, e lhe estendo a mão. Essa é a última coisa de que me lembro. Agora me dizem que aquela pessoa era um velho em quem eu dei um soco no queixo. Eu acho que foi ele que chamou a polícia."

Os amigos de Marshall irrompem em aplausos e vivas. Essa é a melhor história de uma viagem que eles já ouviram. O LSD é uma "droga do céu e do inferno". Meu irmão esteve no inferno e viveu para contar essa história.

Aturdido com a experiência, Marshall decide abandonar as drogas. Todavia, a lembrança daquela viagem alucinógena mais o deprime do que o acalma. O julgamento dos deuses malignos confirmou o que uma voz interior lhe dizia o tempo todo. Ele é um fracasso. Não consegue apresentar uma única razão válida para continuar vivendo.

Nunca vi Marshall tão deprimido. Janet e eu marcamos o casamento para junho, depois do qual vamos imediatamente partir para Wheaton, e me assusta pensar em deixá-lo nessa condição. Ele não quer se comprometer a participar da cerimônia, e eu tenho pouca esperança de que apareça.

Estou ainda morando em casa, e à medida que junho se aproxima minha mãe imerge num estado de espírito tão sombrio como o de Marshall. Não contei a ela nada sobre a vida comunitária dele ou sobre as drogas. Mas ela viu o que aconteceu com um de seus filhos em Wheaton e só pode imaginar o que vai acontecer comigo.

Planejamos uma cerimônia de casamento simples e barata, com um orçamento total de trezentos dólares. Janet aluga seu vestido de noiva, e nossa recepção consiste em salgadinhos com frutas secas e docinhos. O que mais queremos é escapar de minha família problemática, sair da cidade e começar uma vida juntos. Mas minha mãe consegue estragar nossa celebração com uma última cena.

Quando abro a porta da igreja, lá está meu irmão vestindo, num dos dias mais quentes de Atlanta, um terno de lã que achou num brechó. Reprimo as lágrimas, sabendo o que significa para ele deixar seu cenário de contracultura e ingressar no mundo certinho de uma cerimônia de igreja, sobretudo sabendo que nossa mãe estaria presente.

Nossa cerimônia tradicional procede, com música de órgão, um breve sermão, e votos que nós modernizamos um pouco. Tudo vai bem até a recepção no porão da igreja, quando o fotógrafo, um parente distante, tem uma ideia: "Oi, pessoal! Vamos juntar todos os Yanceys numa foto de família. Vamos lá, todos aqueles cujo sobrenome é Yancey".

Um tumulto irrompe no outro lado da sala, e depois ouço a voz alta de minha mãe. "Eu não vou aparecer em nenhuma fotografia com aquele suposto filho meu!", anuncia. Ela sai do recinto da recepção, que fica tão silencioso como o santuário vazio acima de nós.

Marshall tem uma expressão algo entre dor e constrangimento, e eu me apresso a ir pedir-lhe desculpas pelo que acaba de acontecer. "O que você esperava?", diz ele. "Eu nunca deveria ter vindo."

No dia seguinte, Janet e eu começamos a viagem de carro para Chicago, a lua de mel de um casal pobre. No início a cena da igreja paira sobre nós como uma nuvem. Janet está amargurada, o que é compreensível. Eu estou mais preocupado com o estado mental do meu irmão. Depois de mais ou menos um dia, porém, uma sensação de liberdade se infiltra. Prosseguimos devagar rumo ao Norte, apreciando tudo o que é possível apreciar entre Atlanta e Chicago, e começamos a planejar nossa nova vida, longe do tumulto da família.

Depois que chegamos e nos instalamos em nosso apartamento de um quarto, ligo para Marshall, e é claro que o sinto mais desanimado que nunca. Ele ignora minha preocupação acerca da cena do casamento e em vez disso fala sobre cometer suicídio. "Preciso seguir aquilo em que acredito", diz. "Minha vida não faz sentido. Camus disse que o suicídio é o único problema filosófico realmente sério. Ele está certo. Mas só é um problema se você não o põe em prática."

Conta-me seu plano. Vai atravessar o país de carro, registrando suas impressões numa fita cassete, para depois pular da Ponte Golden Gate, deixando seu gravador para mim como presente de despedida. "Talvez você possa encontrar nele alguma coisa para usar em seus escritos algum dia."

Seu tom soturno me convence que não se trata de uma ameaça à toa. *Continue falando*, digo a mim mesmo, relembrando uma reportagem sobre telefonemas de apoio a suicidas. Não posso deixar que ele saiba que estou em pânico. Então calmamente lhe peço que escolha um roteiro que passe por Chicago, imaginando que posso conseguir ajuda psiquiátrica se ele ainda parecer determinado a suicidar-se. "Claro", promete ele. "Vou passar aí para dizer adeus."

Durante algumas semanas seguintes, Marshall inscreve-se em todas as ofertas de cartões de crédito gratuitos que aparecem na correspondência e compra presentes para seus amigos, inclusive caros aparelhos de som. Marca uma festa final de despedida para agradecer-lhes por sua amizade e entregar os presentes que comprou para eles. Alguns que sabem do plano dele fazem tudo para dissuadi-lo, mas não adianta. Está decidido a morrer.

Na noite da festa de despedida, há música tocando alto, casais dançando, drogas e bebidas alcoólicas rolando à vontade. Um dos amigos de Marshall se aproxima dele discretamente: "Ei, cara, quer um pouco de ácido?"

" Não, já tô fora dessa. Eu fiz uma viagem muito horrível."

"Ah, qual é? Só pelos velhos tempos. Uma pílula não vai lhe fazer mal. Tenho aqui este ótimo álbum intitulado *Tommy*, da banda The Who. É uma ópera *rock* — eles a tocaram em Woodstock — e acho que você vai adorar."

Marshall hesita, mas quando vê que todos os seus amigos estão se drogando, decide juntar-se a eles. Engole o tablete de LSD e senta-se diante dos alto-falantes estereofônicos aguardando que ele produza efeito. Enquanto lê as notas do encarte e se concentra na música, ele vê em *Tommy* um espelho alucinógeno de sua própria vida. Tommy foi um garoto muito esquisito, "surdo, mudo e cego", cujos sentidos foram bloqueados pela lavagem cerebral de sua mãe. Depois de uma vida de maus-tratos, ele toma uma pílula mágica da "Rainha do Ácido", e acaba encontrando a libertação espiritual e recupera os sentidos.

Mais uma vez para Marshall, a música e as drogas abrem-lhe a porta para outra dimensão. Sua alma flutua em algum lugar acima do corpo. A cada poucos minutos ele se sente prestes a deslizar para dentro de outra realidade e luta vigorosamente para recuperar sua ligação com a terra.

Na manhã seguinte, quando meu irmão acorda, alguma parte de seu cérebro se reorganizou quimicamente. *Suicídio? Por que iria alguém cometer suicídio? Grama verde, céu azul, amigos descolados... a vida é bela.* Num instante abandona o plano que vem arquitetando há semanas.

Ele me liga no dia seguinte. "Não vou mais para a Califórnia no final das contas", anuncia. "Tenho algumas grandes dívidas a pagar. Acho que é melhor achar um segundo emprego."

23

A maldição

O passado nunca está morto. Não é nem sequer passado.
William Faulkner, *Réquiem por uma freira*

Depois que parto para Wheaton, minha vida toma um rumo radicalmente diferente daquele de Marshall. Embora estejamos ambos nos recuperando dos efeitos tóxicos de nossa infância, reagimos de maneiras opostas. Marshall se torna um orgulhoso ateu, evitando toda religião. Eu aceito um emprego para trabalhar numa revista cristã, a *Campus Life*.

Em retrospectiva, parece inevitável que eu acabasse encontrando uma carreira de escritor. Marcas sobre uma página são menos arrogantes do que vozes estridentes que ouvi em encontros de reavivamento da igreja e na faculdade bíblica. Elas me proporcionam um espaço tranquilo e nele posso tomar minhas decisões sobre o que deve ser resgatado e o que deve ser jogado fora.

Durante quase dez anos colaboro escrevendo livros com o Dr. Paul Brand, um santo cirurgião que dedicou sua vida a algumas das pessoas mais humildes do planeta, pacientes leprosos da Índia. Por meio dele conheço outros cristãos genuínos, tais como a fundadora do moderno movimento hospice e o diretor dos Jardins Botânicos de Kew em Londres. Entrevistados como esses ajudam minha fé a estabelecer-se numa base sólida, e as feridas do passado aos poucos são curadas.

Finalmente, sinto que é chegada a hora de eu explorar minha própria fé, sem ser simplesmente carregado nos ombros de outras pessoas. Os títulos de meus livros mostram um indício de meus primeiros passos experimentais, começando com *Onde está Deus quando chega a dor?* e *Decepcionado com Deus*. Anos vão passar antes de eu tratar de questões mais centrais, e mesmo essas eu geralmente apresento numa estrutura interrogativa, como, por exemplo, *Oração: Ela faz alguma diferença?* E *Igreja: Por que me importar?*

Sempre que escrevo, meu irmão fica sentado em meu ombro feito um *dibbuk*, o espírito do folclore judeu. "Você realmente acredita nisso", pergunta, "ou está simplesmente expelindo platitudes e propaganda?" Quando sou tentado a encobrir as falhas da igreja com cosméticos verbais, Marshall me mantém honesto. *O que é verdadeiro, e o que é falso?*, ele me perguntou mais de uma vez, uma questão que revolvo em todos os meus livros. Esforço-me ao máximo para fazer jus à atitude de um cético, porque me lembro como fui tratado na faculdade bíblica.

Enquanto Marshall se reinventa a si mesmo a intervalos de uns poucos anos numa tentativa de fugir do passado, eu encontrei uma carreira na qual posso desenterrá-lo.

Admira-me que dois irmãos da mesma família e com a mesma formação pudessem acabar seguindo dois caminhos tão divergentes. Aconteceu que a fixação de Marshall com o suicídio logo se desvaneceu, substituída pela preocupação com o sexo.

Na minha primeira visita a Atlanta depois do casamento, ele descreve sua odisseia com vívidos detalhes. Perdeu a virgindade com uma enfermeira do hospital onde trabalhava e logo estava encenando orgias com três ou quatros colegas. Em seguida, do livro *Casamento grupal*, ele tirou a ideia de fundar uma comunidade baseada no sexo livre.

"Assim, escolhi no hospital outra enfermeira, Linda", conta. "Ela tem um rosto atraente e sempre foi legal comigo. O problema é que está acima do peso e se envergonha muito disso. Costumávamos fazer intervalos de descanso juntos, e ela me confidenciou que nunca teve um namorado na vida. Isso não é uma maldade? Eis aí uma pessoa amável, mas porque os Estados Unidos têm um fútil culto da beleza, ela é rotulada como perdedora. Pensei um pouco nisso e depois num impulso pedi que ela viesse morar comigo. Expliquei-lhe a ideia do casamento grupal, e ela concordou em tentar."

Estamos sentados na casa comunitária deles quando Marshall me diz isso, e percebo que Linda impôs alguma ordem no ambiente. Já não há garrafas de vinho vazias por aí, nem montes de roupas ou pilhas de pratos sujos, nem pôsteres de revistas exibindo corpos nus nas paredes.

"Quem mais mora aqui?", pergunto.

"Varia de um dia para outro", diz ele. "Basicamente, qualquer pessoa que precisa de um lugar onde cair morto de sono. Atualmente tem um aluno de odontologia da Emory e sua namorada, que toca violoncelo e saxofone. Algumas noites, queimamos incenso, fumamos alguns baseados e — você vai gostar disto — ficamos sentados por horas tocando hinos. Eu me recuso a tocar música clássica nessa nossa geringonça de piano e não conheço nenhuma música popular."

Ele deixa a sala por um momento, e entra Linda vindo da cozinha. "Todos nos damos bem", informa. "Devo dizer, porém, que seu irmão tolera demais a sujeira, por isso ainda estamos trabalhando nesse ponto. Uma vez cometi o erro de chamá-lo de relaxado, e ele ficou furioso. Devo ter detonado nele alguma lembrança de sua mãe."

Pelo menos ele tem alguns amigos e já não está falando em suicídio, penso comigo mesmo, voltando para Illinois. Meu irmão parece ter-se acalmado. Até descobriu uma nova carreira, afinar e consertar pianos.

Todavia, um ano depois, quando liga para me dizer que talvez apareça para uma visitinha a caminho da Califórnia, eu prendo a respiração. "Você… não está planejando nada daquilo de novo, está?", pergunto.

"Não, não, não estou planejando me matar desta vez. Quero apenas começar de novo. Linda já não me interessa. Estou entediado. Achei que podia ignorar aquele seu corpo obeso, mas estava enganado. Passamos uns dois anos juntos, e já basta."

Tarde, numa noite chuvosa, sem um aviso prévio para Linda ou para seu empregador da loja de pianos, e certamente também não para sua mãe, Marshall carrega seus parcos pertences no porta-malas de seu Fiat e se manda para a Califórnia.

Durante as semanas seguintes, atendo os frenéticos telefonemas de Linda. "Sim", eu lhe digo, "ele passou por aqui dois dias depois de deixar você." E "Não, não sei como encontrá-lo. Acho que estava indo para a área de San Francisco".

Passados alguns meses, Marshall e eu nos reconectamos. Depois de escapar do Cinturão Bíblico, ele está prosperando na Califórnia do "viva e deixe viver". Toca para uma companhia local de ópera e comprou o negócio de um afinador de pianos aposentado. Baldwin, um dos principais fabricantes de piano, até o contrata para eventos especiais da Bay Area. "Recentemente fui chamado para afinar os pianos de duas pessoas famosas", orgulha-se ele, "e você nunca vai adivinhar quem são, nem num milhão de anos." Tento todos os nomes que me ocorrem, e falho nas duas respostas: Liberace e o papa.

As mulheres são o centro da vida de Marshall na Califórnia. Ele conhece uma musicista na companhia de ópera e logo passa a morar com ela. Separam-se depois de um ano, mas ele a convence a manter um relacionamento puramente sexual, que dura mais um ano. Quando se separam definitivamente, ele entra em parafuso, falando de novo em suicídio.

Logo, porém, ele encontra outra parceira e seu ânimo se recupera. Eu marco uma viagem para o oeste alguns meses depois, e ele empolgado me dá novas informações. Num clube local, ele conheceu Andrea, uma garçonete de ascendência italiana que concordava com suas ideias sobre o amor livre e propôs um relacionamento baseado em sexo. Ela o apresentou à dinâmica sexual de dominação e submissão, e os dois assinaram um contrato detalhando suas regras. Marshall concordou em servir como escravo dela, fazendo tudo o que ela mandasse.

"Não sei como explicar, mas existe algo muito recompensador em servir a alguma outra pessoa", diz com evidente entusiasmo, um tom que não ouvi dele em anos. "É como se ela estivesse vivendo por meio de mim. Ela toma todas as decisões, eu apenas as executo. De uma forma estranha, isso é libertador. Nunca fui mais feliz."

Aprendi a nunca ficar surpreso com nenhuma das escolhas de Marshall, mas essa está forçando os limites. "Me ajude a entender, Marshall", digo hesitando. "A vida inteira você passou tentando fugir de uma mãe dominadora. Agora você está usando as mesmas palavras que aparecem nos livros da Vitoriosa Vida Cristã, só que desta vez você as aplica a uma mulher, não a Deus..."

"Eu sei, eu sei", interrompe. "Acredite em mim, pensei nisso. Acho que alguma coisa na minha personalidade me empurra a submeter-me a alguém. Fui criado para ser um total escravo de Deus, o que quer que isso signifique. Nunca consegui, pelo menos não sem representar. Agora tenho a mesma oportunidade, só que com uma mulher. De certo modo isso se encaixa na minha constituição psicológica."

Andrea o manda levantar cedo, fazer o café e encontrar-se com ela depois de seu banho matinal com uma toalha limpa e uma xícara de café fumegante. Ela determina se ele pode ou não tomar vinho à noite, quando pode ir para a cama e quando eles podem ou não... fazer sexo.

Marshall sempre gostou de chocar seu irmão mais novo. Ele vai em frente e descreve o que mais está envolvido no papel da submissão. Andrea o faz curvar-se sobre seus joelhos e o espanca com uma palmatória ou um chicote. Ela o algema e prende à cama. Até o manda usar um colar com controle remoto envolvendo partes de seu corpo. Se ele fizer ou disser alguma coisa que desagrade a ela, ela lhe aplica um choque num nível de um a dez, dependendo da ofensa.

Mordo a língua, faço o que posso para não reagir, e mudo de assunto. Marshall, porém, não consegue falar de nenhuma outra coisa. Enquanto ele continua apresentando mais detalhes gráficos do que eu gostaria de ouvir, ocorre-me que meu irmão ainda está procurando maneiras de violar todas as regras do livro.

Andrea dura um ano, até se cansar dele. Em seguida ele conhece Brenda. Desta vez Marshall assume o papel de dominador, e Brenda aceita isso por um tempo. No fim, essa bizarrice lhe causa um mal-estar tão grande que ela adere a um grupo de Adultos Molestados na Infância e resolve seu problema de abuso sexual sofrido quando criança. Assim que ela estabelece os limites, o relacionamento se desfaz.

Cada rompimento manda Marshall ladeira abaixo. Depois da partida de Brenda, Marshall e eu passamos muitas horas conversando pelo telefone. "Não consigo entender por que um rompimento precisa pôr um termo à parte física", resmunga. "Que tal se eu pagar a ela para fazer sexo, assim como lhe pago para marcar meus compromissos de afinação de pianos?" Tento em vão lhe explicar por que ela poderia se opor.

A fase seguinte da vida de Marshall é a mais inesperada de todas. Gradativamente, depois de uma década na Califórnia, meu contracultural irmão torna-se um membro da classe média de pleno direito. Passa a jogar golfe e torna-se um *connoisseur* de vinhos. Acima de tudo, ele se dedica ao *bridge*. Sua notável memória lhe permite manter um controle sobre todas as cartas jogadas, e ele aprende a estratégia suficientemente bem para começar a ganhar torneios.

Uma noite, durante a hora do coquetel depois do *bridge*, ele conhece Molly, uma mãe de três filhos que recentemente se divorciou do segundo marido. Molly tem um emprego muito bem remunerado, e quando eles passam a morar juntos Marshall leva uma vida sem preocupações financeiras pela primeira vez na vida. Eles viajam ao exterior, fazem cruzeiros e jogam em Reno e Las Vegas.

Logo os dois celebram um casamento formal, do qual eu participo. Molly gosta de carros de luxo, de joias caras e de romances românticos, um estilo decididamente diverso daquele de Marshall. De algum modo, porém, eles fazem o casamento funcionar. Comparado aos dois maridos anteriores de Molly, que tinham problemas de dependência de drogas, Marshall parece um vencedor.

Durante todo esse tempo, nossa mãe e Marshall não têm nenhum contato. Na verdade, meu contínuo relacionamento com Marshall causa uma constante e espinhosa tensão entre minha mãe e eu. Ela acredita que qualquer associação amigável com ele implicaria aprovação. Eu acredito no contrário, que Marshall precisa sentir amor pela pessoa que é, não apenas pela pessoa que deveria ou poderia ser.

Sempre que menciono a maldição que ela lhe impôs quando ele foi para Wheaton, a mãe defende o caso como "uma entrega dele ao Senhor", que um dia o punirá. "Depois que todas aquelas pessoas oraram para que ele servisse ao Senhor, é simplesmente correto que Deus o prive de sua capacidade mental uma vez que ele se rebelou", diz ela. "De Deus não se pode fugir."

Muito tempo atrás, sobre um montículo de terra num cemitério, ela o apresentou a Deus como uma oferenda sagrada. Na visão dela, ele sabotou aquela transação mediante um ato deliberado de rebelião depois de outro.

De vez em quando, eu lhe dou pequenas informações sobre ele, que ela em regra ignora. Numa visita a Atlanta, estou levando-a de carro para resolver uma de suas incumbências. "Eu lhe disse que Marshall se casou há alguns anos?", pergunto com certa malícia. Ela não responde. Olho para o assento do passageiro onde ela está sentada, impassível, não mostrando nenhum interesse em notícias sobre seu filho.

Ponho a mão no bolso da camisa. "Veja, tenho um retrato do casamento. Foi celebrado ao ar livre, num jardim perto de San Francisco." Para minha surpresa, ela pega a foto e a examina atentamente, como um médico estudando uma radiografia.

Seu primogênito... ela o viu pela última vez como um hirsuto *hippie* vestindo roupas vistosas, seguindo o estilo da década de 1960. Agora ela está olhando para um homem maduro, bem cuidado, vestindo um terno, o braço dele enlaçando a cintura de uma mulher em vestido de noiva. *O que está lhe passando pela cabeça?*, eu me pergunto.

Passam uns bons cinco minutos. Finalmente ela fala: "Ele algum dia consertou os dentes de baixo?".

Mesmo depois de renegá-lo, ela não consegue deixar de pensar como mãe. Mas quando me devolve a foto, não consegue evitar uma farpa: "Quero só ver quanto tempo esse casamento vai durar".

Quando Marshall e eu nos encontramos, tentamos ver nossa fraturada família em perspectiva. Num desses encontros, começamos a conversar sobre *O grande Santini*. Baseado nas memórias de Pat Conroy, o filme retrata uma família dominada por um pai abusivo que é um oficial do Corpo dos Fuzileiros Navais. Santini chama seus filhos de porcos e os obriga a marchar em fila. Numa cena cruel só de olhar, ele dá uma tremenda e demorada surra em seu filho que o derrotou num jogo de basquete.

"Chorei e fique irado durante três dias depois de ver esse filme", confessa meu irmão. "Aquilo me trouxe de volta todas as lembranças de morar com nossa mãe."

"O filme também me afetou", eu digo. "Mas, Marshall, há crianças que superam traumas bem piores que os nossos. Nós não fomos abusados sexualmente. Ninguém bateu na gente com tanta violência ou nos prendeu dentro de uma cerca de arame farpado."

"Eu sei", diz ele. Mas a expressão em seu rosto me mostra que as lacerações da alma podem ferir tão profundamente como aquelas do corpo.

Eu o incentivo a escrever para a nossa mãe e descarregar alguns de seus sentimentos. "Tudo o que sei sobre vítimas indica que 'botar tudo pra fora', e especialmente confrontar quem cometeu o abuso, é parte importante do processo de cura."

Ele deve ter-me ouvido, porque logo compõe uma carta de uma página, sua primeira correspondência com nossa mãe em quase três décadas. Envia uma cópia para ela e também para mim.

> Talvez a senhora se lembre de uma de nossas derradeiras conversas na qual me disse que todos os dias a senhora vai orar para que eu morra ou fique demente. Sim, a senhora disse exatamente isso. Ainda não conheci ninguém que possa acreditar que uma mãe diria isso a seu filho. Ninguém. Tudo porque eu não quis me tornar o missionário que a senhora decidiu que eu deveria ser.

No dia do aniversário de Marshall, *quatro meses depois*, nossa mãe envia uma carta em resposta. Ela minimiza alguns outros mal-entendidos, mas nada menciona acerca de sua famigerada oração.

Marshall lamenta ter iniciado o contato. "Me irrita quando me lembro que ela ainda está viva", desabafa.

Depois de duas décadas em Chicago, Janet e eu nos mudamos para os sopés das montanhas a oeste de Denver, no Colorado. E em agosto daquele ano, Marshall vem nos visitar.

Durante uma semana ficamos passeando de carro pela região, explorando as belezas naturais de nosso novo estado. Na última noite da viagem, Marshall tira de sua mala uma garrafa de finíssimo vinho tinto, embrulhada em plástico bolha para viagem. Bebe uma taça, depois outra, depois outra, ficando cada vez mais melancólico. Sua fala se torna enrolada, e sem aviso prévio ele reprime um soluço.

"Qual é o problema, companheiro?", pergunto.

"É só… bem, estando com você e a Janet, eu vejo como é significativa a vida que vocês levam. Vocês viajam pelo mundo afora nas turnês de seus livros. Impactam as pessoas, e elas se preocupam com vocês. Se vocês morressem, as pessoas sentiriam sua falta. *Eu* sentiria sua falta. Não consigo imaginar viver sem vocês."

Faz uma pausa, toma mais um gole de vinho e se esforça para controlar a voz. A sala está quente e muito silenciosa. "Se eu morresse, ninguém se importaria. Nunca fiz nada significativo. Sou um fracasso. Minha vida é uma confusão lascada."

Janet e eu o interrompemos, assegurando-lhe que nós nos importamos com ele, que o amamos.

"Marshall, você tem quarenta e cinco anos de idade", comento, tentando confortá-lo. "Você fala como se sua vida estivesse no fim. Meu Deus, você está apenas começando. O que gostaria de realizar? Sua vida não acabou, muito longe disso!"

Ele se curva para adiante fitando o vinho. Uma lágrima cai, espalhando gotículas escarlates dentro da taça. "Você sabe que não consigo mudar. Não enquanto *ela* estiver viva. Esse é o legado dela para mim."

"De que você está falando? Marshall, nossa mãe tem sessenta e oito anos de idade. Tem cabelos brancos e rugas, e às vezes usa bengala. Você não a viu nos últimos vinte anos. Você mora a cinco mil quilômetros de distância dela. Está me dizendo que você ainda deixa que ela domine sua vida?"

"É a maldição", responde. "Ela me amaldiçoou. Nunca acreditou em mim, e se sua mãe não acredita em você, como você pode acreditar em si mesmo? E depois eu fui para Wheaton. Minha própria mãe desejou que eu morresse. Ou ficasse demente. Ela orou pedindo isso — ainda ora, por tudo o que sei. É como a maldição de uma bruxa. Eu nunca vou conseguir ser alguma coisa enquanto ela estiver viva. Mesmo se me sentisse produtivo, não há nada a produzir. Sou eu ou ela." Ele parece mais exausto do que amargurado, como se o álcool houvesse afetado suas emoções juntamente com suas palavras.

Meu irmão nunca antes me deixou ver a profundidade da ferida em sua alma — amaldiçoado não somente por nossa mãe, mas por Deus, como se ele não pudesse separar os dois. Conversamos até tarde da noite, e nada do que eu digo causa alguma impressão. Ele parece totalmente, irremediavelmente perdido.

Pouco antes de o relógio bater duas horas, eu me levanto. "Marshall, você tem um voo amanhã cedo, e nós todos precisamos dormir um pouco. Mas eu lhe garanto uma coisa. Se você acredita que foi amaldiçoado, então como seu irmão eu prometo que na minha próxima viagem para Atlanta vou confrontar a mãe e pedir a ela que remova essa maldição."

Ele simplesmente exala algo entre uma bufada e um sufocado soluço. "Boa sorte", conclui.

Janet e eu já fizemos planos para passar o Natal em Atlanta, num condomínio que ajudei nossa mãe a comprar. Voamos para lá, alugamos um carro e durante alguns dias nos ocupamos com a decoração da árvore de Natal e a troca de presentes. Minhas entranhas vão se agitando enquanto planejo o melhor jeito de cumprir a promessa feita ao meu irmão.

No dia depois do Natal, Janet deliberadamente sai para uma longa caminhada, e eu peço que minha mãe se sente comigo à mesa da cozinha. "Há uma coisa que preciso lhe dizer", anuncio. Ela olha para mim com um ar de suspeição e noto que o tendão na mandíbula dela já está se contraindo.

Começo: "Mãe, como a senhora sabe, tenho mantido contato com Marshall todos esses anos. Eu me sinto preso entre a senhora e ele porque me preocupo com ambos. Não resta dúvida de que ele passou por tempos complicados e tomou muitas decisões ruins. Mas eu preciso lhe dizer, mãe, ele progrediu muito. Agora está casado, tem três enteados e está mais estável do que nunca. Ele mudou muito".

Ela me olha com olhos chispantes, um olhar que poderia derreter uma geleira, sem dizer nada. Eu não poderia ter acreditado que uma pessoa pudesse parecer tão raivosa. Tomo um gole de água, umedeço os lábios e descrevo a visita de Marshall no Colorado em agosto. Repito o que ele disse aquela última noite quase literalmente. "Então, o ponto principal é este: ele acredita que foi amaldiçoado pela senhora, e que a senhora é a única pessoa que pode remover essa maldição."

Refleti cuidadosamente sobre suas potenciais reações. Ela poderia minimizar o caso: *Bem, no calor do momento todos dizemos coisas que depois lamentamos.* Ou poderia negar aquela cena fatídica quando ela o "amaldiçoou" por transferir-se para Wheaton, mesmo sabendo que ouvi toda a conversa. Previ todos os cenários possíveis... exceto um.

Ela permanece em silêncio durante pelo menos três minutos. O motor da geladeira liga, depois desliga. Ouço o resmungo de um caminhão de lixo lá fora. O suor em minhas axilas é frio. Quando ela finalmente fala, fala com sílabas cortadas e uma voz desencarnada, parecendo algo saído de *O exorcista*.

"Eu disse ao seu irmão que oraria a Deus para fazer tudo o que fosse preciso para quebrá-lo, de modo que ele chegasse ao fim de suas forças. Mesmo se isso significasse um acidente. Ele estava pedindo minha bênção para ingressar naquela escola. Você acha que vou abençoar meu próprio filho para ele fazer tudo o que quiser, para ir contra tudo o que lhe foi ensinado? Isso equivale a alimentar uma criança com veneno de rato."

Sinto nos ouvidos as palpitações do coração, e na ponta dos dedos contra a mesa. Com a maior delicadeza possível, digo: "A senhora consegue ver como é difícil para Marshall reconciliar essa atitude com o amor?"

Ela ataca. "Você não entenderia esse tipo de amor! Eu não esperaria que entendesse."

"A senhora está certa, mãe, não entendo."

"Encontrei-me com o Irmão Paul recentemente, aquele da igreja Colonial Hills. Ele me disse que no fundo do coração ele achava que Marshall conhecia Deus. E perguntei: 'Irmão Paul, conhecendo as Escrituras como o senhor conhece, o senhor realmente acha que ele ainda deveria estar vivo? Existe um pecado imperdoável, um pecado para a morte, o senhor sabe.'"

Esforço-me para controlar a voz. "Mãe, a senhora *quer* ver Marshall morto?", pergunto finalmente. Nenhuma resposta. Um cardeal está cantando alegre lá fora, como que zombando. "Me diga, a senhora desejaria que seu filho estivesse morto?"

"Ele não tem nenhum direito…", resmunga, e deixa a frase incompleta. Menciona uma passagem de 1Coríntios, na qual Paulo entrega um homem a Satanás "para destruição da carne". Ela acrescenta: "Alguns versículos depois, o apóstolo diz que não devemos nem sequer nos associar com pessoas tão imorais". Sinto o golpe desferido contra mim, e minha mente move-se rápido preparando-se para a autodefesa.

Nós dois temos um sobressalto quando a porta exterior se abre. Janet voltou.

Levanto-me, caminho de volta para nosso quarto e conto a ela sobre a conversa. Depois entro em contato com a United Airlines a fim de mudar nosso voo para o dia seguinte, encurtando o feriado de Natal. Preciso fugir do espírito deste lugar… do mal desatrelado e justificado em nome de Deus.

No voo de volta, penso em retrospectiva em como tudo começou. Como poderia um juramento sagrado, feito por uma jovem viúva perturbada, corromper-se até esse ponto?

Quando relato a Marshall minha tentativa de remover a maldição, ele ri: "O que você poderia esperar?", comenta. "Pelo menos você tem o crédito de tentar."

Em setembro de 2001, a ira de nossa mãe ferve de novo. Acabo de publicar o livro *Alma sobrevivente*, que fala de meu passado racista e do fundamentalismo sulista em que me criei. *The Atlanta Journal and Constitution* sagazmente atribuiu a um repórter afro-americano a tarefa de apresentar um perfil de um dos filhos nativos de Atlanta, agora um autor cristão estabelecido.

O repórter me pergunta de forma direta: "Você realmente acreditava naquela coisa racista, ou estava apenas agindo de acordo com o que outros pensavam?". Hesito, mas lhe conto a verdade, que eu realmente acreditava naquilo. "Escrevi um trabalho na escola sobre a Ku Klux Klan. Às vezes usava termos ofensivos para me referir aos negros e contava piadas racistas. Até os tempos do colegial, aceitava o que minha igreja ensinava sobre a real inferioridade da raça negra."

Ele me pergunta como eu me sentiria se ele entrevistasse minha mãe e tentasse entrar em contato com meu irmão. Sorrio, imaginando o que ele vai ouvir nessas conversas. "Também sou jornalista, e este é um país livre", respondo finalmente. "Se conseguir localizá-los, você pode ficar à vontade para entrevistá-los."

Poucas semanas depois um dos destaques da revista semanal apresenta este parágrafo:

> Philip Yancey vendeu 5 milhões de livros, viajou mundo afora e ganhou os maiores prêmios do mercado editorial cristão. No entanto, ele não conseguiu transformar em sua fã uma mulher de Atlanta de 77 anos, apesar de anos de esforço. Sua mãe, Mildred Yancey, se recusa a ler qualquer um dos 15 livros de seu filho, ainda que compartilhe de sua fé cristã. Tampouco ela revela a razão disso. "Ele é simplesmente como seu pai. É um Yancey", diz Mildred Yancey quando indagada sobre diferenças teológicas entre ela e o filho. "Vamos deixar por isso mesmo."

Tento adivinhar o que ela quis dizer com aquele comentário sobre meu pai... Algum ressentimento reprimido talvez?

O artigo prossegue citando Marshall, que narra seu abandono de qualquer fé. E relata minha resposta à pergunta de como minha visão do cristianismo difere daquela de minha mãe: "Ela se sente mais confortável com o Deus do julgamento e da ira do Antigo Testamento, com o fato de haver poucas pessoas no mundo que são amadas por Deus".

Aguardo alguns dias depois da publicação do artigo. Só então ligo para ela, ciente de que será uma conversa difícil. A data é 12 de setembro de 2001, e eu comento durante alguns minutos sobre a terrível tragédia que acaba de se abater sobre nosso país nos ataques ao World Trade Center. Ela não responde. Mantém-se em silêncio até eu dizer: "Imagino que a senhora tenha visto o artigo a meu respeito no jornal de Atlanta".

No instante em que ela finalmente fala, reconheço o mesmo tom de voz daquele tenso Natal quando a confrontei sobre a remoção de sua maldição. "Um médico amigo meu me disse que aquele foi o pior caso de ataque à mãe que ele já viu", informa. "Talvez eu devesse ter feito aquele aborto, no final das contas."

Levo um minuto para entender que o comentário sobre o aborto se refere *a mim*. Isso vindo de uma mulher que põe o aborto no topo da lista dos pecados.

Várias réplicas mordazes me ocorrem, que eu, a duras penas, sufoco. O instinto jornalístico se impõe, e eu gostaria de ter um gravador para ouvir a gravação depois e ter certeza de que ouvi direito. Tento me acalmar escrevendo num bloco de papel o que ela está dizendo.

"Lá atrás quando seu pai morreu, uma mulher se ofereceu para criar você de modo que eu pudesse ir para o campo missionário como havia planejado. Talvez eu devesse ter aceitado a proposta dela. Todos nós teríamos lucrado."

Aborto, abandono... ela está cavando fundo em busca de vingança. Continuo anotando suas palavras, suprimindo minhas próprias emoções.

A conversa muda para Marshall. Faz três décadas agora que ele se transformou na figura de um fantasma para os amigos dela e a família, como se não existisse. Agora ele é citado num jornal local. "Tentei todos os tipos de cristianismo que pude descobrir", disse ele ao repórter. "Não há nada que alguém possa dizer ou fazer capaz de provocar uma mudança em mim."

A mãe ferve diante dessa citação. Seu próprio filho, um pródigo, um herético confesso. "Um dia desses, espere e verá, o Senhor vai quebrar ele!", diz ela num tom estridente.

Eu interfiro. "Talvez amolecer, não quebrar."

"Não, no caso dele, o Senhor vai quebrar ele."

"A senhora parece irada", comento.

"Não estou irada, estou ferida! Há uma diferença. A ira pode ser superada. Vai embora. O ferimento fica dentro. Nunca vai embora."

24

Irmãos

[...] Mas travou com a morte uma luta contínua
com a ajuda do desespero da vida.

William Cowper, "O náufrago"

Em junho de 2009, num safári na Tanzânia, Marshall teve um grave acesso de tosse. "Quase não dormi", conta-me quando ele e Molly voltam para a Califórnia. "Achei que ia vomitar as tripas. Estávamos numa barraca no meio do nada e eu não tinha nenhum remédio e nenhum jeito de parar de tossir."

Cinco dias depois, jogando golfe, ele começa a ter visão dupla e não consegue calcular como direcionar sua tacada. Durante o fim de semana ele tenta dormir para livrar-se de uma dor de cabeça e sensações de náusea. Já na segunda-feira está se sentindo tão mal que resolve ir dirigindo até um médico, que imediatamente chama uma ambulância.

Molly me telefona do hospital mais tarde naquele dia tomada de pânico. "Não sei o que está acontecendo com seu irmão", diz ela. "O que ele fala já não faz sentido. Tem dificuldade para caminhar. Suspeitam que seja um derrame cerebral e estão lhe dando anticoagulantes."

Ela põe Marshall ao telefone, e eu lhe faço algumas perguntas. A cada uma ele responde numa linguagem absolutamente inarticulada, nem uma única palavra reconhecível. "O que estão lhe dizendo?", pergunto. Ele consegue falar uma frase inteligível antes de recair na linguagem inarticulada. "Não me dizem merda nenhuma!"

Os médicos logo diagnosticam uma espécie rara de AVC, uma dissecção da artéria carótida. Na Tanzânia, ele tossiu tanto que o esforço esmagou a principal artéria do pescoço contra a coluna vertebral, rompendo o interior do vaso sanguíneo. A borda rasgada depois disso bloqueou a maior parte do suprimento de sangue para o cérebro. Durante uma semana, seu cérebro carente de oxigênio foi interrompendo funções — "de um modo muito parecido ao do piloto de um avião a jato que desliga sistemas de funções para economizar combustível", explica o médico. Agora o bloqueio está afetando processos vitais como os da fala e da mobilidade.

O médico providencia uma transferência para o vizinho Hospital Stanford, onde Marshall será avaliado para uma possível cirurgia cerebral.

Cancelo uma viagem planejada para visitar nossa idosa mãe na Geórgia e, em vez disso, marco um voo para a Califórnia. Molly vem me buscar no aeroporto, e nós vamos direto para Stanford, onde meu irmão está na unidade de terapia intensiva, aguardando a cirurgia. O que lá encontro deixa-me as pernas bambas e a pele fria. Marshall está deitado vestindo uma bata cirúrgica com uma meada de pelo menos quinze fios e tubos ligados ao corpo. Deitado de costas, comatoso, ele olha direto para a frente. Os olhos dilatados não registram nada quando nos aproximamos de sua cama.

"Não está acusando nenhum reflexo", a enfermeira nos informa, "absolutamente nenhum." Para demostrar isso, ela bate as mãos diante do rosto dele, e ele não pisca.

Observo o corpo imóvel. Uma linha arterial projeta-se do braço, e a forte mão esquerda que afinou e reconstruiu pianos está agora inerte, os dedos fechados. Um tubo de alimentação bombeia nutrientes através do nariz e uma bolsa intravenosa pinga um coquetel de drogas por um cateter no pescoço. Manchas de sangue marcam a gaze em todos os pontos penetrados por agulhas.

Janet me deu um último conselho quando saí para o aeroporto: "Não deixe de continuar falando com ele". Capelã de um hospital de pacientes terminais, ela sabe que pacientes em coma conseguem ouvir, mesmo quando não mostram nenhuma reação.

Naquele primeiro dia, curvo-me na direção do ouvido de Marshall e sussurro uma prece. "Marshall, eu sei que você acha que Deus odeia você. Isso não é verdade. Deus não é como ouvimos falar dele na infância e adolescência. Deus ama você e quer que você se recupere. Mandei muitos *e-mails* e dezenas de pessoas responderam que estão orando por você diariamente."

Quando abro os olhos, um solavanco como um choque elétrico me atinge em cheio. Do olho esquerdo fixo de Marshall, uma única lágrima reluzente está descendo pelo seu rosto. Meus próprios olhos estão ardendo. Durante os dias seguintes, vejo o mesmo fenômeno se repetindo várias vezes — sempre que oro — o único sinal de que algo do meu irmão ainda permanece dentro daquele corpo imóvel, insensível.

Ao longo de toda aquela semana, Molly e eu permanecemos sentados na sala de espera do lado de fora de UTI, tendo permissão para entrar no quarto de Marshall durante apenas cinco minutos a cada duas horas. Os médicos dizem que a única esperança dele é um procedimento cirúrgico extremo denominado anastomose extra-intracraniana, que eles precisam adiar devido aos anticoagulantes. Felizmente, Stanford tem um neurocirurgião que é especialista nessa delicada operação. Ele a descreve: "Vou abrir o crânio dele e dissecar uma artéria que alimenta o couro cabeludo. Depois vou penetrar naquela artéria entrando fundo no cérebro. Com isso, vamos criar uma passagem contornando o bloqueio em sua carótida, restaurando o suprimento de sangue do cérebro".

A cirurgia dura quase sete horas, deixando uma longa cicatriz em forma de *S* no lado da cabeça raspada. Quando Molly e eu temos a permissão de entrar para vê-lo, noto imediatamente uma mudança. Os olhos dele olham para nós junto à porta e nos acompanham rumo à sua cabeceira. Ele não consegue falar e mal pode mover uma perna, mas quando lhe faço uma pergunta, ele às vezes me aperta a mão.

Visito a Califórnia a cada mês pelo resto daquele ano, verificando seu progresso. O AVC paralisou seu lado direito e danificou porções do cérebro que controlam o raciocínio e a fala. "Seu nome é Marshall?", pergunta o fonoaudiólogo. *Sim.* "Seu nome é Frank?" *Sim.* "Complete esta frase para mim, Marshall: 'Ela abre a porta com uma _____.' Ele pensa por um momento e responde confiante, *camisa*. "Isso parece certo, Marshall? Ela abre a porta com uma camisa?" *Sim, certo*.

Com o passar do tempo vejo meu irmão progressivamente voltando à vida. Primeiro ele aprende a manobrar uma cadeira de rodas com a mão e o pé esquerdos. Seis meses depois da cirurgia ele liga para relatar com orgulho infantil: "Eu fico de pé! Fico de pé!". Molly o orienta no fundo: "Não, Marshall, diga-lhe que você consegue *caminhar*. Você deu dois passos com uma bengala". Mais de um ano se passa antes que ele tenha coragem suficiente para largar a cadeira de rodas e caminhar com uma bengala, jogando longe a rígida perna direita e andando de um jeito inatural.

A recuperação da fala é o mais difícil. Seu cérebro pensa uma coisa, mas muitas vezes de sua boca sai algo absurdo, causando-lhe uma infinita frustração. Antes do AVC ele tentava aprender alguma coisa da língua de um país antes de visitá-lo. Ao preparar-se para suas viagens com Molly, estudou o básico do espanhol, do francês, do italiano, do turco, do chinês e do suaíli. Tudo isso agora sumiu. Ele trava uma luta intensa para falar um inglês infantil.

Do Colorado conecto-me com o computador dele duas vezes por semana, e juntos fazemos uma série de exercícios preparados para pacientes de AVC. "Que item não pertence a esta lista: *martelo, coelho, cachorro, cavalo*?" Ele pensa por uns minutos e escolhe *cavalo*. "Por que você escolheu *cavalo*, Marshall?" *Grande, grande demais!* "Sim, isso é verdade. Mas você consegue pensar alguma coisa que estas palavras *coelho, cachorro, cavalo* têm em comum que é diferente de um *martelo*?" Depois de uma longa pausa ele diz: "*Não. É* cavalo".

Por sugestão minha, Molly compra para ele um livro de música de piano para a mão esquerda, mas ele desiste depois de algumas frustrantes tentativas. O AVC lhe tirou sua linguagem, sua independência, sua capacidade de formular pensamentos racionais, e agora lhe roubou seu maior amor.

Quando tive notícia dos primeiros sintomas envolvendo Marshall, mandei um breve *e-mail* para nossa mãe, avisando que não poderia ir para a Geórgia no final das contas. Mais tarde liguei para contar a ela mais detalhes. "Interessante, não é?", ela comenta. "Ele uma vez queria ser um missionário na África. Finalmente foi lá como turista, e agora isso..."

Passa-me pela cabeça o aflitivo pensamento de que talvez ela veja o debilitante AVC como uma resposta a suas orações. No entanto, depois da operação do cérebro, ela lhe envia um cartão em que escreve palavras que nunca proferiu antes: "Eu sempre amei você" e acrescenta um versículo da Bíblia sobre Deus ser "poderoso para fazer tudo muito mais abundantemente além daquilo que pedimos ou pensamos". Isso me detém por um momento. Será que ela está começando a se abrandar?

Molly não demora a me telefonar para dar vazão a sua fúria. "Que diabos sua mãe quer dizer com esse cartão? Você lhe contou sobre o AVC? Como você ainda consegue relacionar-se com aquela mulher perversa?"

Tento lhe explicar que, independentemente do que aconteceu, a mãe de Marshall tem o direito de saber que o filho dela corre o risco de morrer. "Certamente você entende isso, como mãe que é."

"Ela *não* tem nenhum direito. Sua mãe desejou ver meu marido morto ou demente. Perdeu todos os direitos de ser a mãe dele há muito tempo. Se ela estivesse queimando, eu não atravessaria a rua para cuspir nela."

Mais uma vez vejo-me preso entre duas gigantas, ambas separadas pelo abismo de um passado não resolvido.

Faço mais uma tentativa de entender a fundo minha mãe em 2014, quando ela completa noventa anos. Ela sempre amou o mar, e assim alugo uma casa na Carolina do Sul, equipada com elevador que acomoda seu andador de alumínio. Ela gosta de ficar sentada na varanda, vendo as ondas e as crianças brincando na areia.

"A senhora acaba de completar noventa anos", digo uma tarde quando estamos lá sentados juntos. "Isso significa uma bela conquista. Refletindo sobre sua vida, a senhora sente algum arrependimento?"

Ela pensa um pouco e diz: "Não".

Eu insisto. "E em relação a Marshall? Algum arrependimento nesse caso?"

Ela menciona a última vez que o viu, lá em Atlanta, mais de quatro décadas atrás. Ela estava se recuperando de uma pequena cirurgia, logo depois do meu casamento, quando Marshall "e alguma mulher" a visitaram no hospital. "Vamos deixar o passado para trás e começar de novo", ela lhe disse. Na sua cabeça, aquilo constituiu um pedido de desculpas, e ele o deveria ter aceitado como tal.

Fico em silêncio por um tempo. Obviamente, Marshall não recebeu aquelas poucas palavras como um pedido de desculpas, muito menos como um passo rumo à cura do relacionamento deles, porque ele nunca mais a viu.

"É triste, mãe, que nem eu nem Marshall jamais sentimos que tínhamos sua aprovação, sua bênção", falei finalmente.

"Sim, é triste", responde rápido. Nada mais.

"E também é triste que a senhora nunca tenha sentido a aprovação de sua própria mãe." Ela faz um aceno afirmativo, sem nenhuma expressividade.

"A senhora alguma vez pensou em casar-se de novo?"

Ela se apruma na cadeira, subitamente energizada. "Não, Marshall nunca teria aprovado isso!"

"Mãe, ele só tinha três anos de idade. Milhões de pessoas se casam de novo. Ele poderia ter-se adaptado a um padrasto."

Conversamos durante quase uma hora, com muita cautela, com velhas feridas e velhos ressentimentos à espreita por trás de cada fala. Expresso gratidão por tudo aquilo que ela fez por nós, dando-lhe a entender que ela também disse algumas coisas muito prejudiciais.

"Às vezes sua ira profunda vem à tona", digo-lhe. "Prometer que ia orar para que Marshall morresse ou ficasse paralisado ou perdesse sua capacidade mental... pense em como ele deve sentir isso agora, em sua invalidez. E criar aquela cena na recepção do meu casamento. E me dizer: 'Talvez eu devesse ter feito aquele aborto no final das contas.'"

Ela não me interrompe, então vou avançando. "Eu sei que Marshall e eu machucamos a senhora: Marshall com suas escolhas, eu com algumas coisas que escrevi. A senhora nos envolveu num juramento que fez a Deus, e nós a decepcionamos. Entendo isso. Mas quando a senhora reage, há uma grande diferença entre 'Você me machucou' e 'Eu gostaria que você estivesse morto', como a senhora disse a Marshall, ou 'que nunca tivesse nascido', como disse a mim."

Ela ainda não me interrompe, nem sequer desvia o olhar. "Sabe de uma coisa, mãe? Todo mundo perde o controle às vezes, e todos dizemos coisas que gostaríamos de desdizer. Isso tem tudo a ver com a graça. É por isso que Marshall e eu vemos sua teologia da perfeição como uma espécie de prisão. Se a senhora simplesmente conseguisse enfrentar os erros, reconhecê-los, dizer que está arrependida, e seguisse em frente..."

Ela não dá nenhuma resposta, e eu desisto. Saio daquele fim de semana sentindo-me vazio, duvidando de que ela tenha assimilado alguma coisa.

Um mês mais tarde, numa rápida visita a Atlanta, encontro-me com nossa mãe para jantar. Ela me dá uma carta de cinco páginas que penosamente digitou em seu computador, apesar de sua visão deteriorada. "Se eu mandar isso para Marshall, ele não vai ler", afirma. "Você estaria disposto a ler para ele na próxima vez que vocês se encontrarem?" Asseguro-lhe que sim.

Acontece que Marshall vem planejando sua primeira viagem de avião desde o AVC. Molly o leva para o aeroporto na Califórnia e faz o *check-in* dele. Funcionários do aeroporto o levam em uma cadeira de rodas até o portão de embarque para o voo até Denver.

Guardei a carta para essa visita e lhe conto sobre isso na viagem do aeroporto até a nossa casa. "É intensa. Você pode decidir quando quer ouvi-la — qualquer hora durante sua estadia aqui."

"*Hoje à noite!*", diz ele. Fico assustado com sua resposta enérgica.

"Tem certeza?", pergunto. "Poderia ser um jeito difícil de começar um período de descanso."

"Sim, sim!", ele insiste.

Depois do jantar nos sentamos na sala de visitas, e eu leio a carta lentamente, parando a cada parágrafo para deixar sua mente prejudicada absorver o que ela está dizendo. Nossa mãe escreveu expondo-se à censura e com afeto. Não nega suas ameaças de rogar-lhe pragas, mas insiste que ela nunca levou a cabo essa ameaça.

> Nunca orei nesse sentido; quando se quer afirmar um ponto de vista, a gente provavelmente diz coisas que não quer necessariamente dizer de verdade, a fim de mostrar para a outra pessoa que a gente está falando sério. Entretanto, eu verdadeiramente lamento a forma como as coisas se desenrolaram. Não era minha intenção que fosse assim, e só posso pedir seu perdão.
>
> Não imagino que meu pedido de perdão venha a mudar de algum modo o nosso relacionamento. De qualquer forma, você o tem. Você é o meu primogênito, e eu carreguei você junto ao coração durante quase nove meses. Uma mãe não se esquece disso. Você teve minhas orações e meus melhores votos ao longo de toda a sua vida, mesmo que não consiga pensar em mim como sendo sua mãe. Dediquei os melhores anos de minha vida a cuidar de você e faria tudo de novo se tivesse a oportunidade de escolher.

Levo quase meia hora para ler a carta inteira. Durante todo esse tempo, Marshall vai enxugando lágrimas com sua mão boa e falando quando não concorda com alguma coisa que ela escreveu. Emprega duas expressões verbais. "Besteira!", grita ele cada vez que discorda da versão dos acontecimentos narrados pela mãe.

E três vezes, quando leio as partes mais tocantes, ele grita: "Tarde demais! Quarenta e cinco anos tarde demais!".

No mês seguinte, durante uma viagem de divulgação de um livro na Ásia, recebo um *e-mail* de Molly. Ela conta que, ao voltar para casa vindo do clube de *bridge*, encontrou Marshall desmaiado no chão com um galão de uísque semivazio numa mão e uma garrafa de vermute ao lado.

"Deixei que ele sentisse toda a intensidade da minha fúria", desabafa. "Ele disse que estava tentando se matar. Falei que ele devia ter feito um serviço mais completo como fazer seu carro despencar de um penhasco ou meter uma bala na cabeça. Falei que ele é um inútil e um albatroz pendurado no meu pescoço. Talvez eu tenha sido dura demais, mas, como disse a ele, estou por um triz de me divorciar dele... Já me divorciei de um alcoólatra, por que ficar com outro?"

Meu coração fica apertado. Passo uma noite insone, aguardando até o dia seguinte para conversar com ela por telefone devido à diferença de fusos horários. Agora ela conhece toda a história: além do álcool, Marshall ingeriu pelo menos trinta comprimidos de Zolpiden e trinta de Diazepam. Ele havia pesquisado na Internet o que precisava ingerir para matar-se e planejou fazer exatamente isso. O preparado químico deveria ter sido fatal; só não foi porque Marshall havia desenvolvido uma tolerância a esses remédios que ele vinha tomando diariamente há cinco anos, desde seu AVC.

Ligo para a companhia aérea para marcar uma parada em San Francisco na minha volta. Minha excursão dura mais dez dias, e eu me apresento diante de plateias na Coreia e em Taiwan falando sobre o problema da dor e do poder da oração, enquanto minha mente está a dez mil quilômetros desses lugares, indagando o que terá sobrado do meu irmão.

Quando finalmente chego aos Estados Unidos, encontro um homem alquebrado, humilhado. Em sua fala entrecortada ele me diz que havia planejado atirar-se ao mar durante um cruzeiro com Molly, pelo Canal de São Lourenço. Devido a sua deficiência física, não conseguiu transpor o parapeito. Por isso optou pelos comprimidos e o álcool.

"Nunca mais", ele me assegura. "Pior ressaca da vida."

Ele ainda parece grogue enquanto descreve sua provação. Acordou com uma violenta enxaqueca, chocado por estar vivo, e esperou seis dias para consultar um médico. Seguindo o protocolo pós-tentativa de suicídio, o médico o colocou sob vigilância por doze horas num hospital da região, um local onde esquizofrênicos paranoicos caminhavam de um lado para outro, abaixando-se quando passavam diante de cada janela para se esconderem de inimigos imaginários do lado de fora.

"Foi um inferno", comenta Marshall. "Um hospício. Tiraram minha bengala. Acharam que fosse uma arma, e assim eu não podia caminhar." Removeram-lhe a dentadura, o que significava que ele mal podia comer. Confiscaram seus remédios também, deixando-o com uma tremenda dor de cabeça o tempo todo. À noite o trancavam num quarto com outro paciente, um fisiculturista de cento e quarenta quilos coberto de tatuagens. No quarto ao lado, um psicótico vociferava obscenidades a noite inteira. "Nada de sono", relembra meu irmão com um calafrio. "Zero!"

Pouco tempo depois, Molly entra com um pedido de divórcio. Assim começa a fase seguinte da vida de Marshall, que continua até hoje. Numa sequência de visitas, localizo uma assistente social, um advogado que trata de divórcios e um agente imobiliário. Uma rede de amigos cristãos ajuda Marshall a se mudar para um novo apartamento.

Depois de tudo o que passamos juntos — Blair Village, um *trailer*, ossos quebrados e enfermidades, Igreja Batista da Fé, faculdade bíblica, casamentos, os anos 1960 — tornei-me agora o guardião do meu irmão.

Três anos mais tarde, Marshall faz outra viagem para Denver. Desta vez tenho de cuidar dos preparativos nas duas pontas da viagem, achando um amigo em San Jose disposto a levá-lo de carro para o aeroporto e fazer o *check-in* de sua bagagem. Marshall achou um jeito de morar sozinho, com o auxílio semanal de um cuidador que o ajuda a limpar a casa e lavar a roupa. Tendo perdido o desejo de novidades, ele mantém uma rotina regular de *bridge*, fisioterapia e vários grupos de afásicos *on-line*. Lê a revista *The New Yorker* e uma vasta variedade de livros, embora retenha muito pouca coisa.

Marshall ainda continua trabalhando para melhorar sua interação social, e nessa viagem ele vem equipado com uma lista de perguntas de seu fonoaudiólogo para ajudá-lo a conversar com Janet e comigo. Tenho minha própria lista de perguntas para ele. Sua memória de longo prazo é aguçada, e um dos motivos dessa visita é que comecei este livro de memórias. Quando lhe pergunto sobre o passado, ele sempre me dá respostas honestas e detalhadas.

Cada vez que nos encontramos, Marshall insiste para que eu toque piano para ele. Considero a tarefa estranha e embaraçosa. Relembro-me de nossos tempos no *trailer*, quando ele sacudia a cabeça exasperado enquanto eu avançava a duras penas ensaiando uma peça que ele podia executar à primeira vista sem esforço algum.

Dessa vez Janet faz uma nova sugestão. "Marshall, a sua mão esquerda funciona muito bem. Por que você não toca a clave de Fá enquanto Philip toca os sons agudos com a direita dele?" E é o que fazemos. Enquanto trabalhamos para sincronizar as duas mãos controladas por cérebros diferentes, Janet grava tudo em seu iPhone.

Quando assistimos ao vídeo mais tarde, ocorre-me uma ideia. Como irmãos costumávamos competir em tudo: xadrez, debates, tênis, golfe. Agora a deficiência de Marshall nos força a trabalharmos juntos. Todas as semanas, ou mais ou menos isso, ele me telefona apresentando um problema em seu apartamento que não consegue resolver ou uma chatice de um programa de computador ou uma questão financeira. Outrora conhecido por sua excêntrica autonomia, agora meu irmão se tornou um dependente feliz.

Gostaria de terminar a história de nossa família com uma cena de reconciliação: dois irmãos reunidos em volta da matriarca num quarto de hospital recebendo a bênção derradeira. Como filho e irmão, percebo meu coração clamando por essa cena de resolução e cura. Vi abrandamento em minha família, especialmente da parte de minha mãe, mas nada tão otimista como aquele almejado cenário. Raramente a vida segue um roteiro de um conto de fadas.

Enquanto escrevo, nossa mãe já passou dos noventa e seis anos. Alguns anos atrás, quando Marshall destroçou a cadeira de rodas motorizada, ela vasculhou suas poupanças e lhe enviou dois mil dólares para comprar outra nova. Ele a usa quase todos os dias, um sinal concreto de que até certo ponto ela ainda se preocupa.

"Você sempre teve minhas orações e meus melhores votos ao longo de sua vida, mesmo que não consiga pensar em mim como sendo sua mãe" ela escreveu em sua última mensagem, que li em voz alta para Marshall. Aquela última parte da frase a assombra até agora, e talvez ela se agarre à vida na esperança de revertê-la.

"Você poderia fazer uma coisa por mim?", perguntou-me ela recentemente. "Por favor, pergunte a Marshall se ele ainda pensa em mim como sendo sua mãe." É claro que concordei.

Perguntei a ele várias vezes, e cada vez ele me diz que ainda está trabalhando em busca da resposta certa. "Não sei o que dizer", é tudo o que consegue expressar.

25

Retrospecto

> Não pense que ainda sou o que já fui,
> Deus sabe, e deve o mundo perceber,
> Que me afastei do meu antigo eu.
>
> Shakespeare, *Henrique IV*, Parte 2

Uma dolorosa lembrança ressurge um dia quando recebo uma carta de Hal, o entusiasta político que eu esmaguei no colegial com o meu falso Partido dos Direitos Estudantis. Logo no início de minha carreira no jornalismo, escrevi um artigo para uma revista, pintando um retrato nada elogioso de Hal e de mim mesmo e cometendo a tolice de usar seu primeiro nome verdadeiro. Agora, anos depois, começo a suar enquanto meus dedos abrem o envelope, temendo o que vou encontrar dentro dele: uma ação judicial, talvez, ou no mínimo uma repreensão mais que merecida.

No primeiro parágrafo Hal revela que de fato ele deparou com aquele velho artigo. Mas me assegura que não se ofende com o que escrevi. Minha pressão sanguínea volta ao normal, e eu me sento para prosseguir a leitura.

Em seis páginas de papel pautado, Hal narra sua vida depois do colegial. Como se podia esperar, tornou-se um ativista político, realmente acreditando que poderia mudar o mundo. Em vez disso, desiludiu-se com a política. Depois de uma breve passagem pela aeronáutica durante a Guerra do Vietnã, ele voltou para um casamento fracassado. Lutando contra a depressão, decidiu ler os Evangelhos, algo que nunca tinha feito.

"Jesus ganhou vida para mim — foi então que o encontrei pessoalmente pela primeira vez", diz a carta. Paro e deixo que a frase cale fundo em mim. O Hal que eu conheci não tinha nenhum interesse religioso.

A carta prossegue descrevendo uma importante reviravolta. Abandonando suas ambições políticas, Hal matriculou-se num seminário e conseguiu um doutoramento na Escola de Teologia Candler. Mirou John Wesley como um modelo de líder cristão na promoção da justiça social. Eu mal posso acreditar: meu arqui-inimigo no colegial é agora um estudioso de Wesley.

Choro ao ler a carta de Hal. De uma forma amorosa e humilde, ele me ofereceu o perdão pela minha cruel brincadeira de colegial. Acato seu convite de visitá-lo pessoalmente, e nos tornamos grandes amigos.

Essa experiência alivia o fardo de culpa que carreguei por décadas. Mesmo enquanto saboreio seu ato de graça, todavia, outros incidentes que perturbam minha consciência inundam a mente. Alguns foram mencionados em meus escritos, mas eu jamais confrontei os indivíduos do meu passado que mais machuquei ou ofendi. Decido que está na hora de enfrentar o lado escuro do meu passado.

Começo viajando para a Geórgia e revisitando o colégio onde Hal e eu nos digladiamos. Hoje a escola leva o nome de Ronald McNair, um afro-americano que morreu no desastre do ônibus espacial *Challenger* em 28 de janeiro de 1986. Antes de minha formatura, nenhum estudante de minorias raciais ousava integrar essa escola que ostentava o nome de um general confederado. Agora, percorrendo os corredores, não vejo rostos brancos. A transformação da escola é completa.

Em seguida, visito as igrejas da minha infância. Descubro que o lar espiritual de minha mãe, o Tabernáculo Maranatha da Filadélfia, fechou, vendendo seus edifícios a uma congregação multirracial. Render-se a essa igreja deve ter sido uma pílula difícil de engolir para George H. Mundell, hoje falecido, que havia ensinado a teoria racista da Maldição de Cam. Em outra guinada chocante, fico sabendo que o filho de Mundell, que empunhou a tocha da mensagem da Vitoriosa Vida Cristã de seu pai, foi preso por fotografar garotos nus no chuveiro de um lar para meninos que ele administrava.

Tento entrar em contato com Paul Van Gorder, o antigo pastor da Igreja Batista Colonial Hills da Geórgia, que atraiu seguidores em todo o país via rádio e televisão. Numa carta rispidamente crítica, ele certa vez me informou que algumas de minhas palavras lhe haviam causado ferimentos profundos. Peço desculpas pelo sofrimento provocado e lhe asseguro que tenho muitas lembranças positivas da Colonial Hills.

Oriundo do Norte, Van Gorder não havia herdado o racismo nativo das pessoas religiosas do Sul daquele tempo. ("Não tem como ele ser racista", insistia minha mãe. "Ele é da Pensilvânia.") Contudo, sob sua liderança a igreja adotou uma abordagem demasiado lenta em relação à integração, proibindo durante certo tempo que negros frequentassem sua igreja e escola. A Colonial Hills também foi o lugar onde ouvi pela primeira vez a teoria da Maldição de Cam. Descubro que a congregação de brancos se mudou para os subúrbios, e o antigo prédio está agora ocupado por um grupo afro-americano denominado As Asas da Fé.

Eu mesmo, que nasci racista, tenho muitas coisas de que devo me arrepender. Numa conferência encontro-me com Priscilla Evans Shirer, a filha de Tony Evans, pastor de uma megaigreja. Ele foi o aluno do Insituto Bíblico Carver que teve seu ingresso recusado na Colonial Hills, antes do nascimento de Priscilla. Falo com ela sobre um serviço de reparação celebrado na igreja antes da venda do prédio, e trocamos histórias de quanto Atlanta progrediu. Priscilla sobreviveu com sua fé intacta e está prosperando como autora cristã e palestrante motivacional.

Depois, participo de uma turnê de divulgação de um livro com o irmão dela Anthony Evans, um caça-talentos do programa de televisão *The Voice*, que seleciona as composições musicais. Ele sorri quando o lembro daqueles tempos. "É, eu me lembro, mas é uma lembrança distante", comenta. "Acho que algumas coisas mudaram para o melhor."

Marco um encontro para um almoço com o Dr. John McNeal Jr., cuja filha não foi aceita no jardim de infância da Colonial Hills. Durante algumas horas o Dr. McNeal, homem grisalho, de fala mansa, relembra histórias sobre crescer no Sul antes do movimento dos direitos civis. Durante a Segunda Guerra Mundial ele optou por ser voluntário na aeronáutica, deixando sua cidade numa zona rural da Geórgia e apresentando-se para o serviço. Na rodoviária, o caixa lhe vendeu uma passagem, olhou atentamente para ele, e depois disse: "Bem, é contra as regras, mas uma vez que você está servindo ao meu país, acho que você pode usar a porta da frente em vez da porta de trás para as pessoas de cor".

Depois de seu serviço militar, McNeal tentou ingressar em vinte seminários evangélicos. Todos, menos um, o rejeitaram devido a sua raça. Ele se tornou o primeiro professor afro-americano no Instituto Bíblico Carver, historicamente frequentado por alunos negros e onde meu pai lecionou, e foi adiante servindo como diretor da instituição. Mesmo assim, quando tentou matricular sua filha de quatro anos no jardim de infância da Colonial Hills, nossa igreja a rejeitou.

O Dr. McNeal relembra com generosidade de espírito: "Não guardo nenhum ressentimento", afirma. "Minha mãe me ensinou que Deus trata a todos de modo igual, e assim não cresci sentindo-me inferior. Tinha certeza de que algum dia as coisas iriam mudar, e simplesmente segui em frente."

Ao ouvi-lo falar, sinto remorso e vergonha, lembrando-me de piadas racistas que contei na infância. Eu não tratava *a todos* de modo igual, só respeitava os brancos. As palavras ficam presas na garganta quando tento pedir desculpas. O Dr. McNeal me conforta, quando deveria acontecer o contrário.

Saio do restaurante com um novo sentimento de minha cumplicidade com a injustiça. Depois de seu trabalho no Carver, o Dr. McNeal fundou uma igreja em Atlanta, na qual foi pastor por mais de cinquenta anos. Admira-me que afro-americanos tenham adotado a religião dos escravizadores que outrora foram "donos" deles e dos descendentes desses donos que os oprimiram. No entanto, quem acabou mostrando melhor o espírito de Jesus?

Como parte de minha turnê de reparação, também participo do serviço de encerramento da Batista da Fé, a desafiadoramente fundamentalista igreja onde passei meus anos de colegial morando num *trailer* dentro da propriedade da igreja. Quando a composição racial da vizinhança se diversificou, a igreja se mudou para mais longe do centro da cidade, mas não longe o suficiente, é claro, pois a Batista da Fé se viu mais uma vez cercada por minorias.

Numa doce ironia, descubro que essa igreja também está vendendo seu edifício para uma congregação afro-americana.

Participo discretamente do último serviço religioso da igreja, um reencontro aberto a todos que a frequentavam. Entre a multidão de mais ou menos duzentas pessoas, reconheço apenas algumas. Entro num túnel do tempo onde encontro meus amigos da adolescência agora pançudos, ficando carecas e na meia-idade.

O pastor Howard Pyle, que conduziu a congregação durante quarenta anos, reitera o lema da igreja: "Lutando pela Fé". "Lutei o bom combate", afirma. "Terminei a corrida." Em sua postura encurvada pela idade, ele parece menor do que me lembro, e o cabelo vermelho flamejante ficou branco.

Durante a longa cerimônia, as pessoas dão testemunho de como encontraram Deus por meio dessa igreja. Enquanto fico ouvindo, imagino uma procissão de pessoas ausentes, gente como o meu irmão, que se *afastou* de Deus em parte por causa da Batista da Fé. Quero levantar-me e falar por elas, mas opto por não acrescentar mais negatividade ao fechamento de uma igreja.

Mais tarde, marco um encontro pessoal com o Irmão Pyle num Starbucks. Ele acaba de completar 78 anos, e a idade o amadureceu. Enterrou uma esposa, casou-se com outra e perdeu uma neta num acidente trágico. Depois de trocarmos amabilidades, eu lhe pergunto: "Tenho uma curiosidade: em que medida o senhor mudou ao longo dos anos?"

"Minhas crenças básicas mesmo não mudaram", responde, "mas tenho certeza de que cometi alguns erros. Sei que você se lembra de algumas divisões pelas quais a igreja passou."

Marquei esse encontro para pedir desculpas por algumas falhas em meu comportamento, especialmente no acampamento de verão, e para saber se o feri com meus textos. Em vez disso, ele acaba me agradecendo por um livro que escrevi, *Maravilhosa graça*. "Gostaria de ter tido um conhecimento maior da face da graça de Deus", diz, pensativo. "Minha mente volta aos seus anos de adolescente com seu irmão e sua mãe do outro lado da entrada da igreja naquele *trailer*. Eu era um jovem pregador com tanta necessidade de crescer na graça de Deus. Receio ter mostrado a 'não graça' sobre a qual você agora escreve."

Refletindo sobre minhas visitas, começo a ver a igreja, a exemplo de uma família, como um grupo disfuncional de pessoas necessitadas. A vida é difícil, e nós procuramos maneiras de lidar com ela. Reflito sobre os membros da Batista da Fé que fielmente compareciam cada domingo para ouvir o nosso pastor ameaçá-los com o fogo do inferno, a punição de pecados e um iminente Armagedom. Vinham em parte movidos pelo medo, mas também porque, como uma família, precisavam uns dos outros para resistir aos ataques da vida. Pessoas da classe operária, não ficavam sentados em casa à noite remoendo detalhes de teologia; a preocupação deles era como pagar as contas e alimentar as crianças. Quando a casa de uma família era destruída pelo fogo ou um marido embriagado trancava sua mulher fora de casa ou uma viúva não conseguia fazer suas compras na quitanda, a quem poderia essa gente recorrer senão à igreja?

Penso também em minha mãe. Dezenas de vezes com o passar dos anos encontrei-me com indivíduos profundamente impactados pelos ensinamentos bíblicos dela. Além disso, várias vezes ela abrigou jovens mulheres fugindo de famílias problemáticas. Sua reputação pública permaneceu intacta; somente Marshall e eu testemunhamos um lado diferente.

Um sobrinho enviou-me certa vez uma citação que me fornece uma perspectiva da igreja: "Uma ideia não pode ser responsável por aqueles que alegam acreditar nela". Passei minha vida de adulto vasculhando a mensagem evangélica que ouvi de quem afirma acreditar nela, procurando a "ideia", a própria Essência vivificadora.

Na mesma viagem em que tomei parte do serviço de encerramento da Igreja Batista da Fé, também participei de um reencontro de minha turma da faculdade bíblica. O *campus* está imaculado como sempre foi, graças aos alunos que diligentemente esfregam o chão, aparam a grama e recolhem o lixo. Árvores novas de meus tempos de faculdade tornaram-se árvores adultas provendo sombra, sinais visíveis da passagem do tempo. Sinto-me desorientado ao voltar para um *campus* onde o diretor me interrogou e o corpo docente debateu minha expulsão. Agora, trinta anos mais tarde, sou tratado como um hóspede de honra.

Antes de amanhecer, levanto-me para correr numa conhecida trilha de terra ao longo do rio. O céu da manhã é claro como a água, tendo um leve tom dourado, e eu tremo com o frio matinal. Sintonizo em meu rádio portátil a estação da faculdade e descubro que, como muitas coisas nessa escola, a música sofreu uma drástica mudança. Álbuns que Bob Larson nos teria instigado a incinerar tocam agora na estação da faculdade. Ouço alguns exemplos de música cristã contemporânea até surgir uma voz num solo cantando à capela uma velha canção de George Beverly Shea:

> Prefiro ter Jesus a ter ouro ou ter prata;
> Prefiro ser dele a ter riqueza infinita [...]
> Prefiro ter Jesus a ter o aplauso humano;
> Prefiro ser fiel à sua causa preciosa;
> Prefiro ter Jesus a ter fama mundial;
> Prefiro ser leal ao santo nome dele.

Jesus é melhor, sim, que ouro e bens;
Jesus é melhor do que tudo que tens.
Melhor que riquezas e posições,
Melhor muito mais do que milhões [...]
Mil vezes prefiro o meu Jesus
E servi-lo até o fim.

Uma sensação de calma desce sobre mim enquanto corro pela trilha. Admira-me que, embora muitas vezes eu tenha me sentido um deslocado neste *campus*, nesse ponto concordamos. Eu também prefiro Jesus. Tudo o mais que provei nessa instituição perde muito de sua importância em comparação com o fato de que ali Deus me encontrou.

Mais tarde, no reencontro daquele dia, meus colegas de turma falam usando frases que aprendemos quando estudantes: "Deus está me dando a vitória... Posso tudo por meio de Cristo... Todas as coisas cooperam para o bem... Estou caminhando em triunfo". No entanto, eles usam um vocabulário diferente quando se referem à vida depois da faculdade. Vários estão sofrendo da síndrome da fadiga crônica e outros de depressão clínica. Um casal recentemente internou a filha adolescente num hospital psiquiátrico. Eu me retraio ante a desconexão entre essas histórias pessoais nuas e cruas e o revestimento espiritual aplicado sobre elas.

Estando no *campus*, também visito alguns dos professores e membros da administração. "Por que você nos calunia?", pergunta o ex-presidente. "Por que concentrar-se no aspecto negativo? Nós conferimos a você o prêmio de Ex-Aluno do Ano, e você vira as costas e nos espanca em seus escritos em cada oportunidade que aparece."

Pego de surpresa, não respondo imediatamente. No fim, digo: "Não tenho a intenção de humilhar ninguém. Acho que ainda estou tentando filtrar as mensagens que recebi aqui".

Ele não recua: "Conheço todo tipo de histórias picantes sobre pessoas no ministério cristão", afirma. "Mas eu nunca escreveria sobre elas porque isso causaria sofrimento. Eu sigo a Regra de Ouro: Faço com os outros o que eu gostaria que eles fizessem comigo."

Mais tarde, assimilando aquele seu comentário, percebo que esse é o exato motivo pelo qual investigo meu passado, embora isso possa causar sofrimento a outras pessoas. A pergunta do meu irmão ainda me incomoda: *O que é real, e o que é falso?* Não conheço nenhum livro tão real ou honesto como a Bíblia, que não esconde nenhuma das falhas de seus personagens. Se distorci a realidade ou deturpei a imagem de mim mesmo, eu esperaria que alguém me criticasse.

A visita à faculdade bíblica contrasta vividamente com outro encontro que agendei em Atlanta, com cinco dos velhos amigos *hippies* do meu irmão. Quando olham para trás e contemplam seus tempos de vida comunitária, fica evidente que os anos de 1960 continuam sendo o ponto alto da vida deles. Falam com mais entusiasmo da era de sexo, drogas e *rock'n'roll* do que sobre casamentos, filhos, carreiras ou qualquer outra coisa.

"Onde está Jack?", pergunto, referindo-me a um amigo que seguia Marshall por toda parte feito um cachorrinho.

"História triste", é a resposta. "Jack não pode estar aqui. Está sentado a uma mesa com a cabeça baixa, balançando para a frente e para trás, praticamente com o cérebro morto. Sem droga ele é um inútil. Ainda trabalha como flebotomista, colhendo sangue num hospital, e precisa se drogar antes de sair para o trabalho. Tanto Jack quanto sua mulher se drogam usando agulhas e seringas que conseguem no hospital."

Eles contam outras histórias parecidas. Linda, a ingênua enfermeira que Marshall convidou para sua comunidade, lutou contra uma queda livre. Depois de viciar-se em maconha e Xanax, procurou tratar-se e se curou. Está sóbria há duas décadas. Enquanto escuto os amigos de meu irmão, vejo que meus colegas de turma da faculdade bíblica não parecem tão doentes no final das contas.

Depois de eu escrever essas palavras e fechar o *laptop*, minha idosa mãe me liga. "Obrigada por enviar a foto recente de seu irmão", diz. "Noto que o braço dele está com uma bandagem. Ele está machucado?" Explico-lhe que ele arranhou gravemente o braço numa queda e teve de ser atendido no pronto-socorro. Longa pausa. Depois ela pergunta: "Ouça, se eu escrevesse um bilhete para ele e endereçasse a você, você o enviaria para ele?".

"Claro", respondo, consciente da humilhação que é para uma mãe ter de perguntar a um de seus dois filhos se ele enviaria uma mensagem ao outro. Depois vem sua lamentosa pergunta: "Você acha que ele a leria?".

A turnê de reparação ainda não chegou ao fim na minha família. Depois da ligação dela, fico por um tempo sentado em silêncio. O que aconteceu para esfacelar nossa pequena família?

Li relatos em *sites* do movimento Fundamentalistas Anônimos que falam de uma criação muito mais rigorosa que a nossa. Li autobiografias em que pais alcoólatras perseguem seus filhos com tacos de beisebol, não só raquetes de tênis. Mães os trancam por dias num closet sem comida. Pais deserdam ou expulsam seus filhos porque estes resolvem ser artistas em vez de médicos ou rabinos.

"Fiz o melhor que pude", alega minha mãe, e quanto mais aprendo sobre seu passado, tanto mais acredito nela. Certamente, porém, alguma outra coisa jaz no âmago de tudo o que aconteceu depois.

Como todas as mães, ela deve nos ter segurado contra si, contando os dedos de nossas mãos e pés, assombrada diante daquilo que seu próprio corpo havia produzido nove meses depois de um ato de amor. Ela deve ter sorrido de alegria quando demos os primeiros vacilantes passos e pronunciamos as primeiras palavras. Nos anos de nossa adolescência, nossos passos e nossas palavras nos afastaram dela, de uma forma que ela não podia compreender e furiosamente tentou impedir. Os filhos que se haviam mostrado tão promissores na infância agora entravam na vida dela e saíam, quase sem falar nada. Como deve ser aterrorizante entregar seus filhos ao desconhecido. Como deve ser penoso experimentar a maravilha de trazer ao mundo novas pessoas, só para depois deplorar o que elas se tornam.

Quando adolescentes preferíamos a revista *MAD* à revista *Israel minha glória*. Ansiávamos por assistir aos filmes e ouvir as músicas que nossos colegas comentavam. Queríamos uma educação real, não apenas mais Bíblia. Mas ela sabia como Satanás atuava, como o anjo de luz e também como o leão que ruge procurando a quem devorar. Satanás tenta aos poucos: um cigarro antes da heroína, Elvis Presley antes dos Beatles, *Otelo* antes dos filmes pornográficos. Ela havia construído um monumento de fé feito de cartas perigosamente sobrepostas umas às outras, e os filhos dela, *seus próprios filhos*, estavam puxando as cartas da base.

Corruptio optimi pessima, reza um antigo ditado latino: "A corrupção do melhor é a pior". O que começa como amor pode, de fato, corroer-se e transformar-se em algo semelhante a seu oposto. Uma mãe afegã, por devoção a sua religião e a seu país, prende um colete suicida ao corpo de sua filha de dez anos de idade. Ou uma jovem viúva de Atlanta assume o papel de Deus, decidindo, primeiro, o que é melhor para um homem preso num pulmão de aço e, depois, para seus dois filhos que ficaram para trás.

O mistério de minha mãe volta a girar em torno da cena que ela nos descreveu na infância: sua oração de consagração enquanto jazia estendida sobre o solo úmido da sepultura de nosso pai. Sob o peso da dor e da traição, minha mãe apostou seu futuro e até mesmo sua fé em Marshall e em mim. Fez uma oferenda tão solene como a de Ana em relação a Samuel; ou melhor, como a de Abraão em relação a Isaque. Quando nossas vidas tomaram seus rumos, sua oferenda sagrada desvaneceu-se como fumaça.

Volto a minha menos preferida dentre as histórias bíblicas, Ana entregando seu filho Samuel ao sacerdote Eli. Tarde da noite, estando ele deitado na casa do Senhor, três vezes o menino Samuel ouve seu nome sendo chamado: "Samuel!". Cada vez ele corre para Eli, que lhe diz: "Não te chamei eu, torna a deitar-te". Por fim, o sábio e idoso sacerdote percebe que é o Senhor que está chamando o menino.

Num lampejo enxergo a cena numa luz inteiramente nova. Nem Eli nem a mãe de Samuel oferece o menino; *Deus* faz o chamado. A vida inteira Marshall e eu vivemos sob o peso de um juramento de uma mãe, um juramento que estava além das prerrogativas dela fazer.

Marshall fez suas próprias escolhas, muitas das quais se mostraram destrutivas. Era ele um gênio atormentado? Era realmente esquizofrênico? Não sei, e desde o seu AVC em 2009 essas perguntas tornaram-se irrelevantes. Até hoje ele luta contra uma mãe com quem não tem contato e contra um Deus cuja existência ele nega. Frequenta o que chama de "uma igreja ateísta", uma reunião dominical de humanistas que despendem muita energia opondo-se a um Deus no qual não acreditam. Na minha última visita, ele tinha sobre a mesa de centro um exemplar de *Deus, um delírio*, juntamente com uma entrada para assistir a uma palestra do autor, Richard Dawkins.

As feridas de fé se incrustam como tatuagens. "Você acha que ele um dia vai mudar?", perguntam-me amigos, e eu tenho de responder que não. Nunca é tarde demais para a graça e o perdão — a menos que a pessoa determine que seja.

Vivemos dia após dia, cena após cena, como que trabalhando num quebra-cabeça de mil peças sem nenhuma imagem na caixa para nos orientar. Só com o passar do tempo um padrão significativo emerge. Neste livro de memórias escrevi uma espécie de prequência a meus outros livros. Em retrospectiva, parece-me claro que meus dois temas vitais, que emergem em todos os meus livros, são o sofrimento e a graça.

Exploro o tópico da dor em meus escritos porque muitos dos que sofrem recebem mais confusão do que conforto, especialmente da igreja. Muito cedo aprendi que aquilo em que acreditamos tem consequências duradouras, às vezes fatais. As pessoas que oraram por meu pai, e se convenceram de que ele seria curado, fizeram isso movidas por uma fé inflexível e as melhores intenções, e estavam tragicamente erradas.

Meu irmão, Marshall, lidou com o sofrimento recorrendo à amputação: abandonando a faculdade, abandonando as ambições musicais, renunciando à família, divorciando-se de duas mulheres e cortando relações com outras pessoas. Em parte, devido ao exemplo dele, procurei em vez disso costurar todas as pontas soltas, as boas e as ruins, as sadias e as insalubres.

O Novo Testamento nos apresenta o sofrimento como uma coisa ruim — Jesus, no final das contas, dedicou-se a atos de cura — mas que pode ser redimida. Temos a esperança de que neste planeta imperfeito a dor pode ser de algum modo útil, até redentora.

Cheguei até a aprender a descobrir gratidão por aqueles anos sob o fundamentalismo extremo. Emergi dele com uma profunda sensação de que as escolhas que fazemos têm uma importância profunda, que a vida não precisa ser simplesmente uma coisa depois de outra; ela pode, em vez disso, tornar-se uma espécie de destino. Adquiri um amor pela música e a linguagem, especialmente a linguagem bíblica. Aprendi a autodisciplina e evitei um comportamento mais temerário. Nada, no fim, foi desperdiçado.

A graça é o meu segundo tópico, pois conheço o poder de seu oposto. A não graça alimenta a energia negativa entre meu irmão e minha mãe: um espírito ferido, vingativo de um lado armado contra um julgamento moralista do outro. Que poder os impediu de conversarem durante meio século? A mesma força do orgulho teimoso que tantas vezes divide famílias, vizinhos, políticos, raças e nações.

Nas igrejas de minha juventude, cantávamos sobre a graça de Deus, e no entanto eu raramente a sentia. Via Deus como um rigoroso capataz, muito predisposto a condenar e punir. Passei em vez disso a conhecer um Deus de amor e beleza que anseia pela nossa integridade. Eu pressupunha que a entrega a Deus envolveria uma espécie de encolhimento, evitando a tentação, enfocando inflexivelmente as coisas "espirituais" enquanto me preparava para a vida futura. Ao contrário disso, o mundo de Deus se apresentou como uma dádiva a desfrutar com olhos curados pela graça.

Minha fé foi testada em 2007 quando o Ford Explorer que eu dirigia saiu deslizando de uma estrada do Colorado coberta de gelo e foi capotando repetidas vezes, cinco no total, morro abaixo. Saí cambaleando pela neve em estado de choque, até que um carro que passava por lá ligou para o número de emergência.

Uma ambulância me levou para um pequeno hospital, onde o médico tentou verificar em imagens de tomografia computadorizada se fragmentos ósseos em meu pescoço fraturado haviam perfurado uma artéria importante. "Temos um jato preparado caso seja necessário transportar você para Denver", disse. "Mas, na verdade, se a carótida foi perfurada, você não vai aguentar até Denver. Então precisa ligar para as pessoas que ama e despedir-se delas, por via das dúvidas."

Durante sete horas fiquei amarrado a uma prancha olhando para as intensas lâmpadas fluorescentes; a mesma vista, de repente me ocorre, que meu pai teve lá de seu pulmão de aço e que Marshall teve durante meses depois de seu AVC. Usei aquelas horas para revisar minha vida, e naquele dia assumi um resoluto compromisso de, caso sobrevivesse, escrever um livro de memórias.

Eu sempre havia esperado que, diante da morte, velhos temores voltassem em turbilhões. Uma formação sob um Deus irado não desaparece facilmente. Em vez disso, enquanto fiquei lá encarando a morte a centenas e centenas de quilômetros de casa, provei uma inesperada serenidade. Tinha uma irresistível sensação de confiança, pois eu agora conhecia um Deus de compaixão e misericórdia.

Jazendo desamparado e preso, eu teria me sentido total e inconsolavelmente só, não fosse a forte, segura sensação de que não tinha percorrido aquela longa, sinuosa viagem desacompanhado. Saí daquele hospital muito tarde naquela noite de fevereiro, usando um colar cervical e agradecendo a Deus por outra oportunidade de vida.

Quando criança caminhando pelos bosques, quando adolescente construindo uma concha psicológica de sobrevivência, quando um aluno de faculdade perdido de amor fugindo d'O Cão de Caça do Céu, em todos esses lugares senti o que T. S. Eliot denominou "um tremor de felicidade, um vislumbre do céu, um sussurro". Passei a amar Deus por gratidão, não por medo.

Acima de qualquer outra coisa, a graça é uma dádiva, uma dádiva sobre a qual não posso deixar de escrever até a minha história chegar ao fim.

Nota do autor

Minha carreira de escritor teve início cinquenta anos atrás, e desde o início imaginei este livro. Havia lido belos livros de memórias sobre crescer como judeu, ou testemunha de Jeová, ou católico irlandês, mas nenhum descreve a peculiar subcultura de minha criação fundamentalista do Sul. No entanto, hesitei em sondar meu passado, sabendo que essa sondagem abriria feridas e inevitavelmente causaria sofrimento a outras pessoas.

Vivi a experiência da queima de cruzes da KKK, do movimento dos direitos civis, da era de Billy Graham, do movimento do Povo de Jesus, do "Ano do Evangélico" de Jimmy Carter, da guinada para a política liderada por Jerry Falwell e da mais recente anomalia do apoio dos evangélicos em favor de Donald Trump. Em todas essas experiências, notei que a mídia em geral — revistas, jornais, filmes — parece surda em suas descrições da religião, muitas vezes apresentando mais caricatura que realidade.

Imerso numa modalidade extrema de fé na minha juventude, eu tinha a sensação de estar por dentro de algo que os de fora talvez não pudessem compreender. Ao longo dos anos deparei com parte do pior que a igreja tem a oferecer e parte do melhor. Olhando para trás, quis entender a mim mesmo, bem como o ambiente que ajudou a me formar. Havia chegado a hora de eu dar algum sentido à confusão da vida da única maneira que sei fazer: escrevendo.

Uma autobiografia é uma *selfie* verbal, com uma figura em primeiro plano, refletindo o singular ponto de vista dessa pessoa. Baseei-me em cartas, diários, entrevistas com parentes e outras pessoas do meu passado, mas esta interpretação dos acontecimentos é somente minha — o objetivo de uma autobiografia, no final das contas. "A memória é uma coisa complicada", diz Barbara Kingsolver, "uma parenta da verdade, mas não sua irmã gêmea."

Versões de alguns desses relatos aparecem nas duas dúzias de outros livros que escrevi, muitas vezes em forma disfarçada. Neste livro tentei fazer um relato sem verniz do que de fato aconteceu, embora por razões de privacidade eu tenha mudado nomes e detalhes em alguns casos.

Comecei escrevendo tudo aquilo que conseguia lembrar sobre o início de minha vida. Para podar aquele volume esparramado, confiei muito nos conselhos de outros leitores. Tenho uma gratidão infinita por minha agente literária, Kathryn Helmers, e pelo meu excelente editor da Convergent Books, Dereck Reed, que pacientemente me orientou nos múltiplos esboços à medida que o livro ia ganhando forma. Outros colegas e amigos — John Sloan, Carolyn Briggs, Tim Stafford, Elisa Stanford, Laura Canby, David Graham, Ellyn Lanz e David Bannon — examinaram com diligência as 240.000 palavras de uma versão inicial antes que eu a peneirasse e reduzisse a 100.000 palavras. Harold Fickett, David Kopp, Lee Phillips, Mickey Maudlin, Charles Moore, Jon Abercrombie, Evan e Elisa Morgan, Pam Montgomery e Scott Bolinder colaboraram com outros *insights* editoriais para a versão afinada. É para mim uma bênção contar com esses talentosos e generosos leitores, bem como com uma distinta equipe editorial na Penguin Random House.

Duas assistentes, Melissa Nicholson e Joannie Degnan Barth, passaram centenas de horas ajudando-me a impor alguma ordem a montes de anotações, livros e registros em bancos de dados, bem como acrescentando sua própria perícia editorial. E minha mulher, Janet, apoiou-me com sacrifício e, mesmo assim, com alegria durante todo o processo. Ela desempenha um papel estelar nesta autobiografia assim como em minha vida; apropriadamente, terminei o projeto no ano em que celebramos cinquenta anos de casados.

Obrigado a cada um e a todos vocês.

Obras do mesmo autor:
A pergunta que não quer calar
Alma sobrevivente
Companhia na crise
O eclipse da graça

Compartilhe suas impressões de leitura,
mencionando o título da obra, pelo e-mail
opiniao-do-leitor@mundocristao.com.br
ou por nossas redes sociais

Esta obra foi composta com tipografia Minion Pro
e impressa em papel Pólen Natural 70 g/m² na gráfica Assahi